ИРОНИЧЕСКИЙ
ДЕТЕКТИВ

ББК 84.4 (Пол.)
Х65

Хмелевская Иоанна

Х65   Старшая правнучка. Роман. — Пер. с польск. —
М.: «Фантом Пресс», 2001. — 448 с.
(Серия «Иронический детектив»).

Кому завещать дневник, в котором интимные
секреты соседствуют с рассказами о фамильных
сокровищах? Дочери? А вдруг та не поймет экст-
равагантных поступков родительницы? Внучке?
Рискуешь нарваться на странные взгляды от родной кровиночки. Решено — дневник, а вместе с
ним и все семейные секреты унаследует правнучка, а ежели прямых наследниц окажется целая
толпа, то самая старшая правнучка. Сказано —
сделано, и пани Матильда завещает свой много-
томный дневник маленькой Юстине.

Казалось бы, чего уж проще, прочти прабабкин дневник, найди сокровище и живи себе при-
певаючи. Так нет же, мало того что дневник на-
писан отвратительным почерком и немыслимыми
зелеными чернилами, так еще Госпожа История
то и дело вмешивается, не давая разобрать прабабкины каракули. То война разразится, то ребенок родится, то родная тетка решит стать аку-
лой игорного бизнеса. Словом, приходится читать между делом, одной рукой помешивая суп, а
другой руководя беспокойными родственниками.
А рукопись, как назло, дьявольски увлекатель-
на: интриги и убийства столетней давности затя-
гивают почище вывертов современной жизни. Но
и современная жизнь подкидывает загадку за загадкой.

ISBN 5-86471-273-6

Иоанна Хмелевская

Старшая правнучка

Москва

PHANTOM PRESS

2 0 0 1

ИРОНИЧЕСКИЙ ДЕТЕКТИВ

Я, нижеподписавшаяся, Матильда Вежхов-
ская, девичья фамилия Кренглевская, дочь Те-
одора и Антонины, урожденной Заворской...

— Ну что ты понаписала, глупая баба! — вмешался в творческий процесс жены Матеуш, заглядывая ей
через плечо. — Все перепутала! Ведь ты же наследство
не себе оставляешь, так и нечего всех бабок перечис-
лять. В завещаниях такие данные приводятся лишь о
наследниках.

Матильда спохватилась — муж прав, однако признать такое не в ее характере, без борьбы она никогда
не сдавалась.

— А если мне хочется так писать? Что, завещание будет недействительное?

— Да нет, действительное, но глупое.

— Сам ты глупый! Вот я никогда не мешаю тебе
писать что вздумается, и ты не вмешивайся. А ну,
пошел отсюда!

— Не уйду, ты ведь такого вздору нанесешь.
Говорил тебе — вызови нотариуса.

— Не хочу. Нотариус тоже человек, проболтается. Отвяжись!

Расставив пошире локти на письменном столе,
чтобы мужу несподручно было подглядывать, Матильда вернулась к прерванной писанине:

...будучи в здравом уме, крепкая телом и духом, незначительно лишь подорванными возрастом...

— "В здравом уме"! — хихикнул Матеуш. — Да кто в это поверит, прочтя твои благоглупости?

— Сам дурак! — рявкнула не на шутку разозленная супруга. — Молчал бы уж. Всю жизнь идиотом был, таким и остался! Не знаешь разве — завещания всегда так пишутся? А что, интересно, ты написал? Неужели правду? "С детства умственно отсталый, а сейчас и телом и духом одряхлевший, собственных детей и внуков не помню..." Рамолик несчастный!

— Это еще неизвестно, кто из нас рамолик! — обиделся Матеуш. — Скажите, "крепкая телом и духом". Постреленок этакий!

— Я же добавила — "подорванные возрастом"!!!

— Вот уж точно, подорванные. Хоть одно правдивое слово.

— А ты... а ты... вспомни, что было, когда я попросила тебя вазон переставить. Из рук твоих немощных вывалился! "Скользкий", видите ли, как же, специально кто-то его маслицем смазал! Тяжелый, видите ли, роза в глаза колет, видите ли...

— Вот именно. Надо совсем уже ничего не соображать, чтобы заставлять меня проклятую посудину переносить. Мало того, что она из серебра, так еще с водой. Тут и молодой батрак надорвется, не меньше ведь центнера весит. Да и я хорош, не подумавши схватился...

— А когда-то и не такую тяжесть поднимал, — тихо промолвила Матильда, вдруг сразу стихая.

— Да и ты заводная была... Оркестр устанет, а ты бы все плясала, — так же задушевно подхватил Матеуш.

И оба замолчали, испытывая какую-то бессмысленную претензию друг к другу за то, что постарели. Годы летели незаметно, здоровьем оба отличались отменным, многочисленная прислуга избавляла от необходимости тратить лишние силы на физическую работу, и, практически не разлучаясь, супруги не замечали происходящих с каждым перемен. Только вот такие выдающиеся события, как с дурацким вазоном, заставляли их иначе взглянуть друг на друга. Да, приходилось признать — многое утрачено безвозвратно. Впрочем, и не очень-то хотелось жалеть ушедшую молодость, их старость, без болезней и печалей, была даже приятной.

— Нашел время возрастом корить! — гневно сказала Матильда. — Видишь же, занимаюсь ответственным делом, а ты нос суешь и критикуешь! Напишу по-своему, все равно сойдет.

Матеуш, однако, нешуточно расстроился. Случай с вазоном как-то очень наглядно выявил старческую немощь, с чем не так-то просто примириться. Вот он и сидел молча, чувствуя, как того и гляди лопнет от распиравшего его протеста, и совсем позабыв о завещании. Это и дало Матильде возможность беспрепятственно настрочить чуть ли не половину текста.

...Старшему сыну моему Томашу оставляю полученное мною в приданое поместье в Пляцувке под Варшавой, вместе с садом площадью в четыре морга* и домом со всем, что в нем находится, не оговаривая никаких условий, за исключением одного: чтобы находящихся в доме фамильных портретов моей бабки и деда не продавал никогда. Дочери моей Ханне, по

мужу Кольской, оставляю второе доставшееся мне в приданое имение — старинное поместье с огородом и садом в полторы влуки* в местечке Косьмин, что подле городка Груйца, и пусть делает с ними что хочет. Своему младшему сыну Лукашу оставляю пятьдесят тысяч злотых, положенных на мое имя в банк. Моей младшей дочери Зофье, замужем за паном Костецким, завещаю тридцать тысяч злотых, в том же банке на моем счету лежащие. Оставляю моим внучкам: Барбаре, дочери Томаша; Дороте и Ядвиге, дочерям Ханны; Катажине, дочери Лукаша, и Дануте, дочери Зофьи, — все мои драгоценности. Алмазный гарнитур — Барбаре, рубиновый — Дороте, сапфировый — Ядвиге, изумруды — Катажине, с рубинами и жемчугом — Дануте. Все упомянутые гарнитуры я разложила по шкатулкам, надлежащим образом обозначенным. Сверх того, самой старшей моей правнучке по женской линии, дочери Дороты, внучке Ханны, оставляю мой дневник, в молодости мною написанный, вместе со шкатулкой, в которой он лежит. Читать дневник не разрешаю никому, за исключением самой старшей моей правнучки по женской линии. И еще той же правнучке оставляю мой дом в Блендове, перешедший ко мне от бабушки...

На этом творческий процесс, от которого Матильда уже начала получать удовольствие, пришлось

---

* Старинные польские меры площади. Морг равен приблизительно 56 арам, влука — 16,8 га. — *Здесь и далее примеч. перев.*

прервать. И виной тому был супруг. За считанные минуты, как это бывает с тонущими, в голове Матеуша пронеслась вся их совместная жизнь и все накопившиеся за долгие годы претензии к жене. Он похвалил себя за то, что свое-то завещание составил как следует, у нотариуса, причем Матильде не оставил ни гроша, все поделив между детьми и внуками. Да и не было необходимости заботиться о будущей вдове, поскольку она располагала независимым состоянием. Выходя замуж за Матеуша много лет назад, Матильда предусмотрительно настояла на брачном договоре, определявшем имущественные права будущих супругов. Наверняка она тоже его ни словом в завещании не помянет.

Ничего не попишешь, Матильда имела полное право распоряжаться тем, что получила в приданое, но, по правде говоря, упомянутое имущество гораздо внушительнее выглядело на бумаге, чем в действительности. Вот разве что деньги, положенные в банк, представляли реальную ценность, все же остальное... Поместья и земельные угодья находились в жалком состоянии, и еще неизвестно, хватило бы банковских средств на их восстановление или нет. А обозначенные важным словечком "гарнитуры" драгоценности Матильды вряд ли заслуживали этого названия. Кулончик на золотой цепочке, к нему серьги или браслетик, парочка колец — вот и все. Другое дело, что, обладая незаурядным вкусом, Матильда умела подбирать драгоценности к платьям и выглядела в них когда-то потрясающе. Но было и кое-что еще.

Матеуш неоднократно ломал голову над тем, что сделала жена с наследством, доставшимся ей от бабки, той, чей портрет висел в бревенчатом доме в Пляцувке. Ходили слухи, что эта бабка была дочерью самого Наполеона. Сохранились какие-то смутные фамильные предания, будто прабабка Матильды, женщина потрясающей красоты, привлекла внимание императора Франции и по прошествии положенного времени на свет появилась дочурка. А в те благословенные времена дамские драгоценности были в большой моде. Матеуш видел, что, когда бабка Матильды лежала на смертном одре, она о чем-то долго шепталась с внучкой, но о чем — так и не узнал. Не захотела Матильда рассказать мужу, даже скандал ему закатила, обвинив в алчности уж никак не заслуживавшего таких инсинуаций супруга, так что Матеуш обиделся и расспрашивать перестал, тем более что сам никогда нужды не испытывал.

Таким вот образом наполеоновские презенты оказались покрыты мраком неизвестности, о них супруги не заговаривали, и, даже когда на больших балах все дамы чуть с ума не сходили от сияния украшений его жены, Матеуш вопросов не задавал. Гордый он человек. Сейчас же, когда Матильда взялась за составление завещания, он подглядывал главным образом из-за этих легендарных сокровищ — а вдруг упомянет их в завещании?

Под старость оба они почти не покидали свое роскошное поместье, привольно раскинувшееся на сотнях гектаров под Глуховом, недалеко от Варшавы. Да и другие их владения располагались вокруг Варшавы. Так уж повелось, что издавна здешняя шляхта предпочитала вступать в брачные союзы по соседству, не выходя за пределы Мазовии. Долгие годы Матеуш не мог забыть претендента на руку Матильды, чьи владения находились где-то на окраине Польши, то есть у черта на куличках. Что с того, что претендент этот был в родстве с Потоцкими? И ведь легкомысленная Матильда чуть было не отдала ему предпочтения, какой позор, все никак не могла решиться, кого же выбрать, вечно сравнивала его с Матеушем. А потом тот на самое дно скатился, так ему и надо. Вышла бы за того кретина, сейчас бы по деревням милостыню под окнами просила...

— Недолго бы просила, — ядовито отозвалась Матильда, — уж твой кусок хлеба у меня бы в горле комом стал. И чего ты злишься? Потому что по-моему вышло, не погрел руки на моем добре?

И она была права — в самом деле, материальная независимость супруги невыносимо раздражала Матеуша. Идея брачного договора пришла в голову тестю, отцу Матильды, и он же претворил ее в жизнь с помощью опытного юриста-еврея, с которым подружился еще в юности. Кто-то из них спас другому жизнь — достаточный повод, чтобы сделаться друзьями до конца дней; юрист трясся над имуществом друга как бараний хвост, заботясь о нем больше, чем о своем собственном. Ну и о дочери друга тоже. Матеушу Матильдино приданое было совсем не нужно, не из-за него женился на девушке, но ее полнейшая независимость была просто невыносима. Из-за этого он не имел над Матильдой никакой власти. Ничего не мог ей запретить, жена вольна была поступать как ей заблагорассудится, путешествовать, принимать собственных гостей, покупать любые наряды и — о ужас! — даже ставить деньги на скачках.

Что Матильда нередко и делала.

Иногда Матеушу казалось — у него не жена, а капризная куртизанка, способная в любой момент его покинуть. Правда, положительным качеством сумасбродной жены было то, что покидать мужа и изменять ему она не собиралась, к тому же регулярно рожала поразительно удачных детей. Ну и всякие другие куртизанки уже просто для Матеуша не существовали.

Хорошо хоть то, что Матильда согласилась выбрать постоянным местом их пребывания старинное поместье его предков. Отреставрировала, превратив его в роскошный дворец, и стала в нем образцовой хозяйкой. Проявив бездну вкуса, во всем шла в ногу со временем, умеренно соблюдая и старинные традиции. По мнению мужа, Матильда все-таки излишне увлекалась новомодными изобретениями, такими, как электричество, ванные комнаты с горячей водой, телефоны и автомобили, а все это сущие порождения дьявола. Правда, в конце концов Матеуш каждый раз вынужден был признавать, что определенную пользу эти изобретения приносят, пусть и из пекла родом. Да и все равно сделать бы он ничего не смог, жена его не слушалась, хотя и грозил не дать денег. А зачем ей его деньги, если были свои? Вот и злился на нее всю жизнь, но и любил безумно и всегда пасовал перед неувядаемым очарованием супруги.

И лишь один раз в жизни решительная и излишне самостоятельная Матильда проявила женскую слабость, дотоле ей совершенно не свойственную, и бросилась на грудь мужу с рыданиями, ища у него защиты и утешения, что он с энтузиазмом и предоставил. Случилось это через полтора года после похорон блендовской бабушки, когда они были еще очень молоды и даже не всех детей успели породить.

Оба были на похоронах, Матильда, главная наследница, обо всем позаботилась, все как следует организовала, включая и поминки. А коготки показала лишь после того, как разъехались родственники. Сократила до минимума количество слуг в бабкином доме и заявила мужу, что собирается сделать в нем ремонт, за которым будет наблюдать лично. Ни просьбы, ни угрозы мужа не помогли, Матеуш из себя выходил, но все впустую, и один уехал домой. Надо же было кому-то присмотреть и за их маленькими детьми, и за сенокосом, и за коровами, которым аккурат пришла пора телиться, и на конюшне за молодняком. Пришлось выбирать — терпеть огромные убытки, бросив дом и хозяйство без присмотра, или уехать, оставив жену в старом бабкином доме. Нет, разориться он никак не мог себе позволить, амбиция заела, не станет он беднее жены!

Матильда вернулась только в конце июля, взаимное раздражение и страшная ссора кинули их в объятия друг другу, в результате чего в следующем году родился сын Лукаш. А через месяц и произошло то уникальное событие.

Они сидели за ужином, когда из Блендова, загнав лошадь, прискакал посланец и привез страшную весть. В барском доме произошло ужасное и непонятное преступление. Один труп лежит совсем мертвый, а второй ранен, во дворе же какой-то чужой человек того и гляди кончится, а какие-то черные сбежали...

Вот тогда-то, выслушав это сбивчивое и маловразумительное сообщение, Матильда первый раз в жизни пала духом и признала превосходство мужа, с рыданиями припав к его груди. Матеуш не столько поразился необычному происшествию, сколько необычному поведению жены, увидев в ней вдруг слабую женщину, и в нем заговорило желание проявить себя рыцарем и сильным мужчиной, чего до сих пор ему не давали сделать. Он велел немедленно запрягать и мчаться в Блендово, хотя была уже глубокая ночь. Правда, в июне ночи короткие, к тому же светила полная луна...

Все это Матеуш припомнил сейчас, и его охватило непреодолимое желание действовать.

Некогда, в молодые годы, он просто поднимал высоко вверх кресло с сидящей в нем супругой, наслаждаясь испуганными криками и неприкрытым восхищением, что выражали ее большие глаза. Да, именно так и надо поступить! Позабыв о возрасте и о том, что с годами жена стала намного тяжелее, сорвался Матеуш с места и, схватившись за ручки кресла, в котором восседала раздобревшая Матильда, поднял его вверх. От неожиданности Матильда вскрикнула, а на текст завещания капнула громадная чернильная клякса. Матеуш намеревался, как это делал в молодые годы, поднявши кресло с женой, описать им круг и опустить на прежнее место, но кресло вдруг с грохотом брякнулось туда, где стояло. Вцепившись в подлокотники, застыла в нем Матильда, а за ее спиной, вцепившись в те же подлокотники, в полупоклоне застыл Матеуш. Страшная боль в позвоночнике пригвоздила его к месту.

Матильда оказалась словно в западне — колени зажаты под столом, сверху, стиснув зубы, навис муж. Ни выбраться, ни отодвинуться. Даже до звонка не дотянуться, чтобы позвать слуг. Чистое светопреставление! Наверное, со стороны они напоминали скульптурную группу в камне или бронзовые фигуры. К счастью, обе фигуры все-таки не были каменными. Матильда дергалась, и каждое ее движение заставляло Матеуша испускать дикие крики, которые в конце концов и привлекли внимание прислуги.

Постучав, камердинер решился заглянуть в барский кабинет. Милостивая пани при виде слуги громким голосом распорядилась: во-первых, забрать милостивого пана и уложить в постель; во-вторых, тотчас же послать за доктором. Второе распоряжение выполнили немедленно, первое же не сразу. Милостивый пан не позволял к себе прикоснуться, так и стоял за спиной супруги, согнувшись и продолжая вопить благим матом. Потерявшая свободу действий барыня вскоре потеряла и терпение.

— Ладно, нет худа без добра! — решила она. — Пусть хоть одно дело закончу.

И, размашисто подписавшись под своим завещанием, приказала камердинеру:

— А вы, Феликс, здесь распишитесь. И пришлите еще из прислуги кого-нибудь, только грамотного, ну хотя бы Словиковскую.

При таких необычных обстоятельствах закончилось оформление завещания Матильды Вежховской, вот почему не упоминалось в нем о наполеоновских дарах, вот почему отсутствовало предполагаемое красочное завершение документа с перечислением имущества, завещаемого дальним родичам и прислуге. Какие тут родичи, когда за спиной стенал и кричал супруг, а это при составлении завещания не очень подходящий аккомпанемент, и уж слишком долго, по мнению Матильды, он продолжался. Большой силой воли обладал ее супруг, даже в старости, и сознание потерял лишь в момент прибытия доктора. Только благодаря этому удалось оторвать его от кресла и перенести в постель.

Местный знахарь с полного одобрения врача вставил на место выскочивший позвонок, и вскоре Матеуш восстановил пошатнувшееся здоровье. Матильда же после всего пережитого не возвращалась более к своему завещанию, полагая, что все нужное в нем написала. Не перечитывая, сунула в конверт, заклеила лаком и припечатала своей печатью, после чего занялась мужем.

А происходило это в 1930 году от Р.Х., в самой середине между двумя войнами.

Что же касается страшных происшествий в Блендове, которые так потрясли Матильду и первый раз в жизни заставили ее искать помощи у мужа, то их подробно описала одна бедная родственница Вежховских, некая панна Доминика Блендовская, домоправительница в тамошнем поместье. Упомянутая Доминика, уже не очень молодая девица, не скрывала своего недовольства тем, что приходится занимать такую должность в доме, некогда принадлежавшем ее семье. Да, да, ведь Блендов совсем еще недавно был собственностью ее предков, а вот поди ж ты, как судьба играет человеком... А все потому, что постарались ее прадедушка, дедушка и папочка, все силы приложили, чтобы разорить фамильное гнездо и оставить бесприданницей девицу некогда славного рода. Спасибо и за то, что теперешние хозяева хоть в экономки ее наняли, все есть крыша над головой. Да и работы не так уж много. И поскольку свободного от работы времени у панны Доминики было хоть отбавляй, дневник она вела подробный и систематический, к тому же очень деловой. Мало было в нем охов и ахов, зато множество конкретики, ибо от скуки панна Доминика записывала чуть ли не каждое снесенное курицей яйцо. Неудивительно потому, что уж такое сенсационное происшествие она описала во всех подробностях.

16 июня 1878 года от Р.Х.
Только сейчас, вечером, обрела я возможность сесть и спокойно описать все те страшные и непонятные происшествия, что случились

16

здесь минувшим днем. Разве в силах кто такое себе представить? До сих пор не могу прийти в себя, не могу успокоиться душевно, рука моя, пишущая эти строки, дрожит, а разум отказывается понять весь ужас. Вот и попытаюсь описать все в очередности, в надежде, что поможет мне это разобраться во всем и успокоение обрести.

С детства обучали меня порядку и систематичности, пусть же теперь пригодятся мне эти навыки, столь необходимые при данных обстоятельствах.

Итак, вчерашний день прошел, как я в своих записках давеча его запечатлела. Молитвы прочитав на сон грядущий, легла я почивать, и послал мне Господь сладкий сон, яко человеку с чистой совестью. Уж не припомню, что снилось, но пробудил меня шум непонятный, вроде бы крики и стуки оглушительные. В первую очередь мысль пришла — не иначе как пожар приключился, однако крика "горим!" слышно не было. Сорвавшись с постели, вся дрожа, стояла я, как под ногами внизу грохот ужасающий раздался и затем крик отчаянный, и вдруг все разом стихло, только оглушали меня удары собственного сердца, что билось как молот. Трепеща всем телом, без сил, опустилась я на ложе, но тут долг заставил меня помыслить, ведь хозяйка я в доме, за все и всех ответственная, права не имею лишь о собственном животе печься.

Мысль таковая сил мне прибавила, вскочила я на ноги, халат накинула, ноги в домашние туфли сунула и к двери бросилась, да вспомнила, что темно ведь в доме, так еще свечу засветила и, в руки ее взяв, на лестницу вышла.

Тишь в доме стояла, но вот донеслись до меня будто шепот и стоны, а со стороны кухни свет пробивался, не иначе как прислуга набилась — грохот страшный, надо думать, всех перебудил. Страх немного отступил, взбодрилась я духом и тихим голосом позвала слуг. Должно быть, не своим голосом, хриплым и дрожащим, да ведь дивиться еще надо, как сама на ногах стояла. А Кацпер, старый камердинер, распознал все равно и служанкам велел замолчать, говоря: "А то, случаем, не панна Доминика будет?"

Я самая, отвечаю, что здесь приключилось, откуда шум такой?

Не один раз упоминала я в этих записках, что прислуга ко мне большое уважение питает, и тут незамедлительно дверь в кухню распахнули. Глядь — а там за Кацпером вся челядь столпилась и говорить начали, перебивая друг дружку, так что ничего понять было невозможно. Велела я все по порядку поведать.

Первой услышала какие-то неведомые шумы и стуки Ядвига, кухарка, ей колотье в боку и теснение в печени спать не давали. Вертелась она с боку на бок и шум услышала, вроде кто по дому ходит и мебеля двигает. Вставши с постели, поспешно к Кацперу, свояку своему, побежала и его ото сна пробудила. Сон у Кацпера легкий, тут же встал и велел лакею Альбину свечу взять и поглядеть, что в барских покоях делается, потому как шум доносился не то из гостиной, не то из столовой, а может, из библиотеки и кабинета. Альбин же, еще не совсем в себя пришедши, свечу прихватил и пошел, куда велели, совсем не оберегаясь и тишину не блюдя. Сразу поднялся шум еще страшнее, грохот и крики потрясли дом, сдавалось — стены рушатся. А как звон оконного стекла раздался, то буфетный мальчик... и тут я не сразу имя его вспомнила, пришлось перо отложить и память принудить, теперь знаю — Аполлоний, Польдиком его все кличут, — растолкал слуг и за Альбином устремился. И вновь воздух потряс страшный крик и грохот опрокидываемой мебели.

Только мне прислуга о главном поведала, вдруг девка кухонная Марта как возопит: "В окна сигают!" — и в гостиную. Кацпер ей пособил дверь распахнуть, и все, кто тут был, следом бросились. И я сзаду не осталась, а потому узрела какие-то черные тени, что в сад сбежали, а было их две или три — не ведаю. И одна из них наземь свалилась, у солнечных часов. Марта же, девка крепкая и силы немалой, на нее накинулась и, за голову схвативши, начала этой головой о мраморную плиту солнечных часов колотить, пока Кацпер злодея того у девки не отнял.

Войти в покои, где страшные вещи творились, духу ни у кого не хватало. Пришлось мне, перекрестясь и на милость Господню уповая, пример холопам подать.

В столовой ни одной живой души не было, и то же в гостиной, только два кресла переломаны, вазоны и зеркала разбиты, а в кабинете, у самого входа в библиотеку, зрелище ужасное предстало: лакей Альбин лежал мертвый в луже крови.

...Пришлось положить перо, нюхательные соли понадобились, чтобы в спокойствие прийти, как вспомню бедного Альбина, упокой, Господи, его душу, так сама чуть не трупом падаю.

Лежал, значит, бедный Альбин мертвый на пороге кабинета, а в библиотеке жалостливо стонал Польдик, мальчишка буфетный. И тут все было перевернуто, но не все побито, только один шкаф с книгами рухнул, вот откуда грохот, но не сломался, только книжки рассыпались.

В салоне одно окно было выбито, ради какой корысти — и не скажу, ведь там же есть двери на террасу, в сад выходящие. А того, из-под солнечных часов, Марта с Кацпером в дом заволокли, и я распорядилась немедля за фельдшером послать, а по дороге полицмейстера известить. И хотя по милости Господней не доводилось мне еще такого испытывать, слыхала, что разбои и грабежи непременно полиция разбирает. И сверх того, нарочного к Вежховским отправила.

И фельдшер, и полиция не замедлили явиться. Вердикт фельдшера был: наш Польдик жив останется, его раны не страшные, а вот злоумышленник — сомнительно, потому как голова его изрядно пострадала. И еще неведомо, сможет ли в чувство прийти и что сказать. Дескать, не надо бы столь рьяно головою его о камень колотить, полегше бы малость...

Мы же никаких претензий к Марте не питали, и ни одна душа не проболталась, что это она головой злодея по мрамору стучала, ибо всем было ведомо — с давних пор лакея Альбина втайне любила. Непохвально это и с добрым именем нашего славного рода несовместно, однако чувства ея можно понять.

Я же, отчаянию не предаваясь, хоть и много сил это стоило, к утру с возможным спокойствием поведала обо всем полиции, чем вызвала ее удивление и благодарность. Ассистент же полицмейстера, некий пан Анджей Ромиш, мужчина весьма обходительный, что со мною беседу имел, с восходом солнца даже на комплименты для меня не скупился, мол, все бы свидетели столь мудры были, как я, хоть и женщина, и потрясение испытала, а в истерике не бьюсь, рассудительно и с толком сообщаю о столь страшных вещах.

17 июня

Приехали кузен Вежховский с супругой, полночи заняло ознакомление хозяев с прискорбными событиями в их поместье, и лишь теперь могу к своим запискам обратиться. От себя скрывать не стану — страсть как хочется знать, что же произошло и по какой причине. Кузина Матильда очень переживала, сколько раз в отчаянии чуть сознание не теряла, а кузен Матеуш знай прислугу выпытывал, что из дому украдено. А что могли украсть, ежели никаких ценностей в доме и не было? Пан Ромиш с жандармами все окрестности доскональным образом огляделн и всех людей пристрастно опросили. И вышло, что злоумышленники в дом со стороны сада про-

21

лезли, а коль скоро гостиная в отдалении расположена, никто из домашних ничего бы и не услышал, кабы не печень Ядвигина. Не то, глядишь, чего бы и вынесли из дому, хотя голову ломаю — что? Вазы китайские? Говорят, они старинные и ценные. Портреты со стен предков наших? Рамы позолоченные, грабители могли и польститься, да уж больно несподручно и вазы, и рамы тащить. А денег и так бы не нашли, я шкатулку с ними загодя к себе в спальню перенесла, о чем ни одна душа не знает.

Сейчас свободная минута выдалась, кузен Матеуш с доктором, полицмейстером да старостой совещаются. Буфетный наш Польдик, в сознание придя, показания дал: как в столовую вбежал, узрел, что лакей Альбин, царствие ему небесное, на пороге меж кабинетом и библиотекой с двумя бандитами борется, ну и на помощь ему кинулся. Ухватив каминные щипцы, одного из злодеев по голове огрел изрядно, однако и сам пострадал и в беспамятстве на пол свалился.

А злодей, Мартой покалеченный, в людской лежит, и жандарм его стережет. Этот еще в сознание не пришел, и доктор его не велел шевелить, не то, не ровен час, помрет, тогда уж о грабителях узнать не у кого.

Порядок в покоях уже наведен, и видно теперь, что главный грохот получился от падения не шкафа в библиотеке, а алебастровой фигуры с того шкафа, осколками весь пол усыпан, а также от падения фамильного серебра в столовой вместе с буфетом старинной работы. Алебастровой фигуры мне не жаль, никогда ее не любила, ибо непристойная и для прислуги соблазнительная, так оно и к лучшему, что разбилась.

Кузина Матильда с обеда заперлась в библиотеке и наказала ее не тревожить, мол, скорбь великую переживая, в одиночестве желает побыть. Невдомек мне, с чего это на нее скорбь великая навалилась? Не ради же разбитой алебастровой статуэтки непристойной и не ради Альбина, которого она, почитай, и не знала вовсе...

О, вот уже меня и кличут...

19 июня
Вечер, совсем поздно, наконец выдалась спокойная минутка. Вчера такой вовсе не нашлось, да и сегодня форменное светопреставление. Ну да запишу все по порядку.

Давеча пришлось записи прервать, потому как сторож отыскался. С разбитой головой, но живой. Только сейчас поняла я всю пропасть душевных мук своих и нестройность мыслей, ни словечком не упомянула в записках о стороже, а ведь искали его два дня всем домом. Никто не знал, куда сторож подевался, да и собаки его сгинули. Кацпер уже позже разузнал — за сукой увязались, а как вернулись, так и сторожа отыскали. Учуяли в дальнем углу сада, лежал, болезный, листьями присыпанный, а люди-то его и не приметили. Привели в чувство, голос совсем слабый, но понять можно. Как псы за сукой бросились, уж он их кликал-кликал, пока его сзади чем-то не огрели, он и свалился без памяти. Пан Ромиш мне все разъяснил так, словно собственными глазами видел. Сторож, когда собак звал, за шумом и не услышал, как бандиты к нему сзади подобрались, а они, напротив того, сторожа не опасались и знали, в каком месте стену в саду перелезть. И пусть ваш сторож-растяпа, говорил мне пан Ромиш, Всевышнего хвалит, что жизнь ему спас, не до смерти злодеи прибили.

Вскорости и злодей в чувство пришел, да поначалу только стонал, говорить лишь под утро начал. Кузина Матильда спустилась на него поглядеть и в лице переменилась, однако слова не произнесла. Сдается мне, наверняка знает злодея, но раз уж знакомство с ним скрывает, то и я промолчу. А злодей этот, как только мне доверительно сообщил пан Ромиш, подручный одного кузнеца из-под Груйца. В бреду он всякое несуразное нес, будто по пьяному делу какой-то секрет выдал, а дурные люди и подговорили его на наш дом напасть. Да все как-то туманно, бессмысленные слова бормотал, все какую-то бочку поминал. Я-то теперь знаю, что Бочкой за свою фигуру один из бандитов прозывался. Так его, обещал пан Ромиш, того и гляди схватят.

А кузина Матильда все стояла в ногах кровати, глядя на раненого, и лицо у нее такое, что во мне все застыло, а он потом как вскрикнет: "Шимон!" Тут и дух испустил. Кузина Матильда только голову повесила и молча из людской вышла. Кем был этот Шимон, не ведаю, может, второй бандит.

И сразу, будто беспокойства еще мало, кузина Матильда надумала в библиотеке собственноручно порядок наводить, книги в ящики складывать, а затем одни ящики в подвал отнести распорядилась, а другие на чердак. Вдруг передумавши, велела те, с чердака, напротив, в подвал перетащить, и тем самым весь дом на голову поставила, так что я ни минуты покоя не знаю. Кузен Матеуш, с полицмейстером договорившись, помощь ему оказал, и уже на рассвете двух злоумышленников изловили, так что все с облегчением дух перевели.

Хвала Господу, сегодня почивать легли вовремя, наутро же Вежховские отбудут к себе, если еще чего не случится.

21 июня

В недобрый час написала я те слова, будто предчувствуя новые неприятности. Отбыли Вежховские лишь сегодня, ибо вчера еще за завтраком ссора между супругами вспыхнула, заставив о приличиях позабыть. Кузина Матильда заявила, что домой покамест не вернется, здесь дел у нее много, но муж согласия на то не дал. Слово за слово, к бранным выражениям перешли, холопья с утехой возмутительную сцену наблюдали, так что пришлось мне прислугу удалить. Кузина из-за стола сбежала, кузен ее догнал, и крик на весь дом подняли, а потом ехать уже поздно было. Вот и остались в доме еще на ночь, и опять кузина Матильда в библиотеке заперлась. Днем прибыли полицмейстер с паном Ромишем и о показаниях грабителей нам сообщили. Будь пан Ромиш один, уж от него я бы больше узнала, да и симпатию он вызывает, даром что полицейский.

Давеча писала я о подручном кузнеце. Сказал он, по пьянке бандитам проболтался, якобы в доме у нас великие сокровища упрятаны, а он доподлинно знает где. Места называть не захотел, только хихикал да обещался их самолично до тех сокровищ довести. А злоумышленники не иначе как тоже пьяны были, что ему поверили и в наш дом вломились. А кто из них больше вину несет, и в толк не взять. Пан Ромиш говорит — теперь все на покойника сваливают, тот себя оборонить не может, хотя полиция давно на примете всех четверых держит. Суку с течкой они и подпустили, чтобы псы сторожевые за ней увязались, но пан Ромиш об этом и без них догадался. Лакея Альбина, мол, тоже покойник убил. Да не получится у них все на покойника списать. Буфетный Польдик, пока сознания не потерял, много чего видел и Господом Богом клянется, что лакея Альбина два других бандита убивали, а кузнец в окно сиганул. Не миновать им теперь каторги, и пан Ромиш так полагает.

Слушая полицию, кузен Матеуш плечами пожимал, потом сходил за супругой, и уже вместе они дивились, какие это сокровища искали грабители в их доме, никогда никаких не было и нет. Разве книги в библиотеке, старинные фолианты, от руки писанные, в серебро и кожу оправленные, переплеты самоцветами украшены, да их всего четыре штуки, к тому же тяжести неподъемной. Да и кому бы их грабители продать могли? Истинная правда — с пьяных глаз нападение учинили.

И только полиция отбыла, как тут же к воротам подъехал старик на тощей кляче и кузину Матильду спросил. Не допустила я его до барыни, уж больно жалкий вид имел. Однако Кацпер мигом тут же оказался и к кузине доставил. Разгневанная, поспешила я следом и заметить успела, как кузина Матильда пустилась на хитрость — супруга своего Матеуша упросила незамедлительно в конюшню поспешать, там, мол, место для третьего жеребца освободить надо. Кузен по простоте души на мед ее сладкий попался и пошел в конюшню, а жена его с упомянутым оборванцем в библиотеке заперлась.

На попреки мои Кацпер с нижайшим поклоном пояснил — то старый слуга барыниной фамилии, некий Шимон, при внучке свои дни доживающий. Большие заслуги перед барыней имеет, видать, с какой просьбой приехал, так он, Кацпер, меня беспокоить не осмелился.

Вот и выходит, что тот Шимон, которого покойник выкрикнул, вовсе никакой не злоумышленник, а старый верный слуга. Какая между ними связь? И дознаться-то не удалось, библиотека ведь наша так устроена, что ежели кто под самой дверью впритык не встанет — ничего не услышит. Кузина Матильда со старым Шимоном в библиотеке до тех пор беседовала, пока кузен Матеуш из конюшни не воротился, а потом Кацпер того Шимона у себя угощал пивом и мясом, у меня позволения не спросивши. Однако пришлось промолчать, ибо кузина Матильда с явным одобрением к этому отнеслась, а хозяйка она.

Под вечер хозяева опять поссорились, причины так и не довелось уяснить, хоть я в кабинет к ним входила не однажды, принося вино и фрукты, и всякий раз при виде меня замолкали. Только и услышала — о Наполеоне речь вели да о моей благодетельнице пани Заворской, бабке кузины Матильды. Надо думать, секреты фамильные, над которыми кузен Матеуш вроде бы насмехался, кузина же злилась, а потом, желая совсем уж мне досадить, счета за год пожелала со мною просмотреть. И через это спать я отправилась почти под утро.

На заре кузен с кузиной наконец уехали, и в доме воцарилось спокойствие.

Далее в записках панны Доминики кровавые события последних дней постепенно вытеснялись будничными заботами домоправительницы. Пан Ромиш фигурировал в них все чаще и наконец, по прошествии года, ясно заявил о своих брачных намерениях. Очень возможно, что панна Доминика и закрыла бы глаза на такой страшный мезальянс, если бы жених в промежутке между предложением руки и сердца и получением от любимой решительного ответа вдруг стремительно не пошел на попятный. По всей вероятности, панна Доминика горько пожалела о том, что не тут же сказала "да", проявила свойственную скромной девице сдержанность, сыгравшую роковую роль. Не могла же девушка из хорошей семьи сразу ответить согласием на предложение молодого человека, попросила время подумать, а тот, наверное, обиделся...

Вскоре выяснилось, что дело было вовсе не в обиде. Пан Ромиш, человек в уезде новый, всего три года как приехавший из центра, был введен в заблуждение сплетнями провинциальных кумушек и собственным начальством. Он был уверен, что проживающая в Блендове панна Блендовская, представительница старинного шляхетского рода, располагает немалым приданым. Выяснилось, однако, что у девушки не было ничего, кроме ее должности домоправительницы, колечка, доставшегося от матери, и скромных накоплений за десять лет службы. Вот жених и отступился от благородной, но бедной невесты, возможно даже с сожалением, и предметом своих ухаживаний сделал дочку мельника. Та никаким благородным происхождением похвастаться не могла, зато была богаче панны Доминики ровно в двести раз. Последняя мужественно перенесла удар. Этому помогло убеждение в том, что поступить так жениха заставило отчаяние, ведь ее ответ он наверняка понял как отказ. Долгие годы панна Доминика горько себя упрекала...

* * *

Завещание Матильды, покинувшей сей бренный мир через два месяца после смерти супруга, было вскрыто в 1935 году.

Все в нем было ясным и понятным, пока читавшие не дошли до имущества, завещанного самой старшей правнучке. Как блендовское поместье, так и дневник в шкатулке привели в смятение и наследников, и исполнителей воли покойной. Поместье имелось, ничего не скажешь, и даже находилось в неплохом состоянии, а вот дневник обнаружить не удалось. А насчет поместья завещательница не уточнила, переходит ли оно к старшей правнучке целиком, со всеми коровами, лошадьми, гектарами пахотных земель, леса и рыбным прудом, или же правнучке полагается лишь сам дом с садом, а все остальное — прочим родичам. Учитывая, что, отписывая Пляцувку старшему сыну Томашу, Матильда четко обозначила "со всем, что в ней находится", а здесь вместо инструкций красовалась огромнейшая клякса, появились сомнения даже насчет обстановки барского дома, ведь имелись в нем весьма дорогие китайские вазы, в библиотеке — старинные рукописные книги, а на стенах гостиной и кабинета висели какие-то потемневшие портреты, тоже наверняка старинные и имевшие свою цену. Так они тоже предназначались правнучке или как?

А тут еще, будто этой путаницы было мало, и с самими правнучками дело осложнилось. У Дороты, старшей дочери Ханны и внучки Матильды, было две дочки, Хелена и Юстина, и старшей было в ту пору — а дело происходило в межвоенное двадцатилетие — двадцать лет. Более легкомысленного существа свет не видел! В средствах семья не нуждалась, вот и путешествовала девица по Европе в свое удовольствие. Сопровождала ее младшая сестрица Юстина и, приличия ради, тетушка Барбара, к тому времени уже овдовевшая и бездетная дочь Томаша, сына Матильды... Трудно описать, сколько хлопот и неприятностей причиняла своим близким ветреная Хелена! Это по ее вине все три не смогли прибыть на похороны бабки Матильды, не присутствовали

30

при вскрытии завещания, а все потому, что на Ривьере Хелена имела несчастье познакомиться с неким французским графом и влюбилась в него по уши. Ни о каком браке и речи быть не могло, поскольку граф, хоть и настоящий, был гол как сокол, к тому же оказался аферистом и мошенником, вдобавок страшно невезучим. Везучий давно бы при его художествах обогатился, этот же лишь глубже погрязал в нищете. Все благородное семейство дружно возмутилось и потребовало, чтобы Хелена выбила из головы глупую блажь, та уперлась — полюбила по гроб жизни. Ну и оказалось, в самом деле — по гроб. В рамках протеста против морального на нее давления строптивая девица выпила целую бутылку концентрированной настойки арники, и ее не удалось спасти. Перед смертью Хелена призналась: думала, настойка разбавлена, хотела лишь попугать родных, а умирать и не собиралась. Признание в ошибке позволило похоронить несчастную в освященной земле.

И сразу же возникла проблема — так получила Хелена прабабкино наследство или нет? Если получила, ее наследниками являются родители и младшая сестра Юстина, а если нет, наследство автоматически переходит... интересно, кому же оно переходит? Всему благородному семейству или следующей в очереди самой старшей правнучке Матильды? А тогда опять же Юстине, она выступает вроде бы в двойной роли.

Дело разрешили полюбовно. Дорота и ее супруг, родители Юстины, отказались от претензий на наследство в пользу дочери, остальные же члены семейства хоть и надулись, но волю Матильды уважили, тем более что, к счастью, от бедности не страдали. Пожелала Матильда отписать Блендово старшей правнучке, не назвав ее по имени, ладно, пусть будет старшая правнучка. Взамен Юстина, девица не в пример старшей сестре разумная, сама добровольно отреклась в пользу родичей от всех дополнительных богатств в лице упомянутых уже коров, коней, пруда и гектаров пахотных земель, согласившись лишь на дом с садом.

Оставшееся до второй мировой войны время прошло в поисках затерявшегося прабабкиного дневника.

Деньги в банке, знаменитые гарнитуры, поместья с угодьями — все оказалось в порядке и было роздано наследникам. Не нашли лишь дневника в шкатулке, и никто не знал, где его искать. Обшарили Глухов, Блендов и Пляцувку, в барских домах перерыли библиотеки, бумаги в секретерах и комодиках Матильды, платяные шкафы и сундуки со старьем на чердаках. Ошалев от поисков, наследники тупо всматривались в лица на портретах прабабушки и прадедушки, пытаясь в неподвижных чертах уловить какой-то намек на то, где же находится тайник, но напрасно. Дневника нигде не было.

Обнаружили его в самый неподходящий момент и в самом неподходящем месте. Он попался под руку глуховской служанке, когда та полезла в погреб за квашеной капустой. Долгие годы какой-то тяжелый железный ящик использовался в хозяйстве в качестве гнета при закваске. Железяка эта лучше камня исполняла свою функцию, потому что ровно придавливала обе половинки деревянного круга, которым прикрывали бочку. Кто приспособил шкатулку с дневником для этих целей, сама Матильда или уже после ее смерти, — так и не выяснили. Теперь же служанка, наслушавшаяся о поисках, набрав капусты, вылезла из погреба и сообщила случившейся в кухне барыне:

— Слыхала я, тут ровно с ума посходили, по всем углам какой-то короб или ящик ищут, а в погребе, на капусте, аккурат такая железная штука стоит. Не та ли, случаем?

Барыней оказалась сноха Томаша, жена его сына Людвика, потому что Глухов Томаш передал во владение сыну. Был этот Людвик большой любитель и знаток лошадей, ими и занимался, а дом целиком оставался на его жене. И надо сказать, супруга Людвика выказала себя намного глупее служанки. Когда служанка заявилась в кухню с капустой и с сообщением о таинственном железном ларце в погребе, барыню только капуста заинтересовала — подойдет ли для бигоса, который как раз собирались готовить.

Барыня лично опробовала капусту, долго жевала и наконец решила:

— Хороша, подойдет.

— Еще бы не подойти! — обиделась кухарка. — Небось завсегда сама за девками присматриваю, как капусту рубят. — И, в свою очередь продемонстрировав умственное превосходство над барыней, обратилась к служанке: — Ты что там в подвале нашла? Принеси, покажи милостивой пани, пусть она сама скажет, то или нет по всему дому ищут.

— Не могу принести! — возразила служанка. — Как я капусту без гнета оставлю?

— Камень какой найди да положь, большое дело!

— Недосуг мне, сами же приказали индюшек скубать.

Жена Людвика вполуха слушала перебранку прислуги, но наконец и до нее дошло.

— Минутку, вы о чем? В подвале какой-то ящик обнаружился?

— Ну да, большой, железный, в самый раз круг на бочке прижимать, — подтвердила служанка, а кухарка от себя добавила:

— А тут и господа, и вся прислуга уже, почитай, четыре года ищут какую-то железную коробку, вроде как покойная пани, да будет ей земля пухом, в своем завещании ее помянула.

Глупая барыня была шокирована.

— Где это видано — дневником вашей покойной барыни капусту придавливать? Что за люди, за всем хозяйский глаз нужен! Да не забудь грибы замочить, что в бигос положишь, а железный ящик, так и быть, как камнем заменишь, наверх принеси. Индюшек ощипанных и вымытых на лед положи, пусть мясо помягче станет.

Уже вовсю шла подготовка к свадьбе Юстины, из-за дневника прабабки считавшейся в роду самой главной правнучкой, а потому свадьбу решили играть в Глухове, фамильном гнезде предков. Небольшой помещичий дом в Косьмине, как и апартаменты родителей невесты на Новом Свете в Варшаве, представлялись недостаточно репрезентативными. Отец Юстины, потомственный дворянин, продав земли предков и став директором банка, занимал скромную квартирку всего в девять комнат, где никак невозможно было сыграть свадьбу, достойную его дочери. В двух гостиных с трудом помещалось шестьдесят пар гостей, а в столовой и того меньше — больше сорока штук за стол и не втиснуть.

Жена Людвика, носившая звучное имя Гортензия, была столь красива, что красота заменяла ей все остальное, в том числе и ум. Правда, она оказалась прекрасной хозяйкой и вот теперь с наслаждением принялась за подготовку к свадьбе племянницы. О железном ящике вспомнила лишь в тот момент, когда невесту обряжали в подвенечный наряд. Глядя на изящную фигурку перед зеркалом, вокруг которой суетились горничные, подружки невесты, тетки и собственная мать, Гортензия озабоченно произнесла:

— Сумеешь ли ты поставить свой Блендов на нужную ногу? Твой жених, может, и важное лицо, а все не мешает иметь собственное поместье, как следует обустроенное. Хотя, скажу тебе, дорогая, вести хозяйство такой крест Господень, что врагу не пожелаю. Сколько сил стоило мне прислугу вымуштровать, да и то... Взять хоть тот же бигос на твою свадьбу. Не прикрикни я на дуру кухарку, остались бы твои гости без бигоса. Вообрази, моя милая, вместо того чтобы немедленно стряпней заняться, кухарка предпочла железные ящики разглядывать...

— Какие ящики? — рассеянно поинтересовалась тетка Барбара.

— Да не знаю, какой-то тяжелый железный ящик, им прижимали капусту с незапамятных времен. И Марцыся туда же, вспомнилось им, что по всему дому ищут шкатулку с дневником бабки Матильды...

— Что? — резко отвернулась от зеркала невеста, старшая правнучка, особа заинтересованная. Незакрепленная белая вуаль взлетела легким облачком, тут же раздались женские вскрикивания.

— Что "что"? — не поняла Гортензия.

— Тетя, повторите, что вы только что сказали! — потребовала Юстина.

— Деточка, да стой же смирно, дай фату приколоть! — жалобно попросила дочку Дорота.

Тетка Гортензия в подробностях рассказала о тяжелом железном ящике, который много лет служит гнетом для бочек с капустой.

Тут и у тетки Барбары вывалились из рук волны кружев.

— Пятый год все мы ищем дневник бабки, ей завещанный, — злым голосом произнесла она, кивнув на невесту, — наконец он нашелся, пусть даже в капусте, да ты о нем позабыла?!

— Вот именно! — вздернула носик Юстина, опять поворачиваясь к зеркалу. Теперь можно было заняться и собственной свадьбой, эстафету надежно подхватила тетка Барбара.

Гортензия разгневалась.

— Да какое мне дело до того, что найдет в погребе служанка? Обе с кухаркой одно твердили: с давних пор капусту этим сундучком придавливают, так что с того? А если вы пожелаете на него взглянуть — воля ваша, только проследите, чтобы сначала Марцыся камень на бочку положила, не то капуста испортится. И вообще, заниматься этим следует уже после свадьбы.

— Никаких "после", немедленно! — решительно заявила тетка Барбара. — Тут подружки невесты и без нас справятся, а мы с тобой в подвал спустимся, раз уж до тебя не доходит. На свадьбу поспеем.

Продолжение диспута последовало уже в подвале, над бочкой с капустой. Тетка Барбара хотела сундучок сразу унести, да не тут-то было. Силы в руках не хватило, пришлось бы к животу прижать, а это наверняка нанесет ущерб кружевам и атласу сшитого к свадьбе платья. Призвать на помощь служанок не позволила Гортензия, ибо не оказалось под рукой никакого камня взамен, так что железный ларец оставили до поры до времени на прежнем месте. Обе дамы были компромиссом недовольны, не прерывая жаркого спора вернулись в покои и приняли участие в свадебных торжествах.

Сразу после венчания Юстина со свежеиспеченным супругом Болеславом поспешила на вокзал, к венскому поезду, увозившему их в свадебное путешествие. На ходу успела узнать от тетки Барбары, что действительно какая-то большая железная шкатулка стоит на бочке с капустой в погребе. Ответственная по природе, Юстина не забывала о завещанном ей прабабкином дневнике, однако нельзя сказать, что чувство ответственности помешало ей наслаждаться утехами медового месяца. Свадьба, собственно, и заставила новобрачную проявить некоторое легкомыслие по отношению к обязанностям наследницы.

Молодые отбыли в Вену, а в Глухове разобиженные друг на дружку тетка Барбара и жена ее брата Гортензия совместно навалились на Марцысю, чтобы нашла наконец какой подходящий камень. Камень нашли, и предмет спора извлекли из подвала.

А тяжелый ящик был страшно. Только тогда перестали удивляться тяжести не такой уж большой шкатулки, когда выяснилось, что, во-первых, очень толстые у нее стенки, а во-вторых, внутри оказалась еще одна — серебряный ларчик, изукрашенный очень тонкой гравировкой, причем на него тоже серебра не пожалели. Обе шкатулки удалось вскрыть без особого труда, и в меньшей обнаружился дневник бабки Матильды — крупного формата тетрадь, оправленная в красный сафьян.

Присутствовавший при вскрытии престарелый Томаш, старший сын завещательницы, с трудом удержал дочь и сноху от немедленного чтения дневника. Пришлось сурово напомнить любопытным бабам, что читать его автор дозволила лишь самой старшей правнучке, и никому больше. В данный момент правнучка моталась где-то между Бьяррицем и Монте-Карло, и следовало дождаться ее возвращения.

Томаш же позаботился о сохранности дневника, упрятав его в своем личном сейфе. Жил он в собственном доме на краю хутора Служевец, где в наши дни крупнейший в Польше ипподром. Уже в ту пору его начинали строить, но тогда еще это была и не Варшава вовсе, а от строящихся конюшен и беговых дорожек дом Томаша отгораживали дорога и довольно изрядная роща. Впрочем, Томаша лошади не интересовали, ими с увлечением занимался его сын Людвик, оставляя без внимания коров и прочую скотину, а также луга и пашни в доставшемся ему богатом поместье. Томаш с пониманием относился к страсти сына и не вмешивался в его дела. На жизнь хватало даже и без доходов из глуховского поместья, деньги поступали от международной компании по торговле древесиной в виде неплохих процентов.

Юстина же с головой погрузилась в новые, доселе незнакомые ей ощущения. До сих пор вся жизнь ее проходила в тени легкомысленной и несчастной Хелены, и с раннего детства Юстина инстинктивно пыталась противопоставить себя старшей сестре. Хелена вся отдавалась развлечениям — Юстина всерьез занялась искусством и культурой, презирая игры и забавы. Хелена была глупа и ленива — значит, Юстине приходилось проявлять рассудительность и трудолюбие, ставшие ее второй натурой. Хелена всегда любила наряжаться, предпочитая фривольные и вызывающие одеяния, — Юстина, в силу долга и вопреки собственным вкусам, выбрала спортивный стиль. И только теперь, когда Хелены уже на свете не было, а сама она вышла замуж, могла наконец дать волю натуре, позволить себе расслабиться и беззаботно отдаться радостям супружеской жизни. Ее молодой муж Болеслав, юноша из хорошей семьи, вежливый и сдержанный, вдруг потерял голову от любви к молоденькой супруге, сдувал пыль с ее ножек и незамедлительно выполнял всякое ее желание. В такой обстановке Юстина расцвела, похорошела и твердо решила до последней капли испить сладкую медовую чашу, отодвинув на потом все заботы и дела.

Медовый месяц не мог длиться вечно, Болеслав занимал высокое положение в железнодорожном министерстве, долг призывал его вернуться, более трех месяцев отсутствовать никак не мог. С тяжким вздохом Юстина сама ему об этом напомнила — все-таки ответственной она была натурой, и пришлось собственными руками положить конец волшебной сказке.

Вернулись, и не успела еще Юстина отдать все визиты, как встревожило ее самочувствие. Тошнота по утрам и головокружения говорили сами за себя, что ж, того и следовало ожидать. Юстина даже порадовалась, что будет ребенок, но неприятности со здоровьем не стали от того меньше, отнимая все силы. Их хватило лишь на то, чтобы убедиться — о прабабкином дневнике позаботился дедушка Томаш.

И тут дедушка Томаш преставился, а через месяц после его смерти на свет появился Павлик. А сразу за этим разразилась вторая мировая война.

* * *

Первая мировая не нанесла особого ущерба славному роду. Ну вполовину беднее стали, зато крыша над головой осталась. Вторая же с лихвой восполнила этот недосмотр истории.

В год смерти Матильды ее потомство состояло из четырех детей, десяти внуков и семерых правнуков. После окончания второй мировой войны личный состав семьи значительно уменьшился.

На фамильном сборище, состоявшемся в уцелевшем, хотя и вполовину разрушенном доме Томаша на Службце, присутствовало всего восемь прямых потомков Матильды и Матеуша: их младшая дочь Зофья, их внуки Барбара, Людвик, Дорота и Ядвига, двое правнуков — сын Людвика, четырнадцатилетний Дарек, и Юстина, дочь Дороты, — и, наконец, один праправнук, сын Юстины, шестилетний Павлик. Остальные были мужьями и женами прямых потомков: муж Зофьи Марьян, жена Людвика Гортензия, муж Дороты и отец Юстины, бывший директор банка Тадеуш, муж Юстины Болеслав и его пятнадцатилетняя сестра Амелия, после смерти родителей еще до войны свалившаяся на шею Болеславу и Юстине. Итак, в сумме тринадцать человек.

Подсчитав присутствующих, Гортензия впала в панику. Тринадцать за столом, чертова дюжина, не к добру это... С трудом удержалась она от бестактных причитаний, все равно не помогут, а куда ж бедолагам деваться, у многих и крыши над головой нет, вся Варшава — сплошные развалины. Господа надо благодарить, что хоть у нее есть возможность приютить родичей и сообща решить, как жить дальше.

Не вызывало сомнения, что дом, в котором они собрались, принадлежал Людвику, наследнику Томаша, последний и в завещании так написал, а дочери Барбаре оставил имение в Пляцувке, теперь совершенно разоренное. Ясное дело, глуховское поместье тоже досталось сыну, хотя это уже не имело никакого значения. Народная власть землю отдала крестьянам, а в барском доме устроила дом отдыха для трудящихся. Точно так же утрачены были владения Зофьи и ее мужа под Вышковом и блендовские угодья.

Уцелел, однако, Косьмин с его двадцатью тремя га земель, в настоящее время совместное достояние Дороты и Ядвиги. О многочисленных варшавских доходных домах нечего было и вспоминать, все они превратились в груды развалин.

Большая часть прежних доходов тоже оказалась утраченной. Приказала долго жить торговля древесиной, основательно поддерживавшая Людвика, канули в Лету доходы от земель, сдаваемых в аренду, пропали накопления в банках и ценные бумаги. Пожалуй, судьба милостивее всех обошлась с Барбарой. Дом на улице Мадалинского почти не пострадал ни от восстания, ни от бомбежек, правда, теперь он перестал быть ее собственностью, но это Барбару даже радовало.

— Будь он моим, сейчас пришлось бы целиком его штукатурить, — удовлетворенно рассуждала Барбара. — А поскольку стал государственным, так пусть государство и возится. Главное, у меня в нем квартира осталась.

Кроме этой пятикомнатной квартиры, в которой Барбара приютила каких-то двух посторонних, совсем ветхих старушек, у нее еще сохранилась развалюха в Пляцувке и очень неплохие деньги в швейцарских акциях, оставленные покойным мужем. Этот покойный Барбарин муж оказался единственным в роду разумным и предусмотрительным человеком, превратив все свое состояние в ценные бумаги и поместив их в швейцарском банке. После его смерти Барбара просто из лени не стала переводить их в польский банк. Свои заграничные доходы она тщательно скрывала от посторонних, рассказывая, что просто кто-то там, за границей, понемногу возвращает ей еще довоенный долг.

Итак, на семейном совете прежде всего стали обсуждать самый насущный, жилищный вопрос. Без крыши над головой оказались Дорота с Тадеушем, Зофья с Марьяном и Юстина с Болеславом, Павликом и Амелькой. Ни секунды не раздумывая, Барбара предложила им поселиться у нее. Ну, не всем...

— Юстинка с Болеком и детьми будет жить у меня, — не терпящим возражений тоном заявила она. — А Доротка с Тадеушем здесь останутся, у Людвика, в моей квартире все не поместимся. Теперешние власти такие безобразия чинят, Бога не боятся, к порядочным людям всякую голытьбу подселяют, лучше уж пусть своя родня живет. Вас четверо, нас с Марцелиной двое — более чем достаточно для четырех комнат. Официально считается, что у меня две комнаты старушками заняты, а они, если честно, в одной живут, так что мы, благодарение Господу, еще и удобно разместимся. И нечего нос воротить (это уже относилось к Гортензии), ты что, думаешь, вас не уплотнят? Еще как уплотнят. Ах, ты и слова этого не понимаешь? Ну так скоро поймешь. Говорю тебе — бери Доротку с Тадиком, пусть лучше свои живут!

Гортензия захлопнула рот, так ничего и не сказав, лишь в смятении покосившись на еще не пристроенных родичей. Зофья поспешила ее успокоить:

— Мы у Ядвини в Косьмине останемся. Марьянек поможет ей по хозяйству, самой не управиться. Людвись, у тебя же кое-какие лошадки сохранились, может, нам парочку одолжишь?

Людвик нервно вздрогнул и в ужасе произнес:

— Пахать на чистокровных скакунах!

— Привыкнут! — безапелляционно заявила Барбара. — Даже человек ко всему привыкает. Ядвиня там одна-одинешенька, без них ее совсем прижмут.

— А Блендов? — заикнулась было Гортензия.

— На Блендове можем крест поставить, — сухо информировал Болеслав. — Я проверил, Блендов отнесли к разряду помещичьей собственности, значит, теперь передан в собственность народа.

— И кроме того, все мы обязаны работать, поскольку ни один из нас не достиг еще пенсионного возраста, — подал голос самый старший из присутствующих, муж Зофьи, шестидесятилетний Марьян.

— И я? — удивился Людвик. — Что же я стану делать, ведь ничего не умею.

— Как это не умеешь? — возмутилась его жена. — А лошади? Кто ими всю жизнь занимался?

— Какая же это работа? — опять удивился Людвик. — Заниматься лошадьми — это удовольствие, а не работа. Помните, перед самой войной Каприз выиграл, а в разряде кобыл моя Звезда пришла третьей...

— Не о достижениях сейчас речь, — перебила брата Барбара. — Сколько их у тебя сохранилось?

— Шесть всего, два жеребца и четыре кобылки, пристроил их на Вычулках у знакомого мужика в коровнике, а немцы так драпали, что не успели забрать. Но... вроде бы уже восстанавливают ипподром, того и гляди скачки и бега возобновятся. Я бы опять мог держать конюшню...

— Нет, дядюшка, не можете, — грустно пояснил Болеслав, — теперь частные конюшни запрещены, все должно быть государственным.

— Что ты такое говоришь! — возмутился старый Людвик. — Человеку уже и коня не разрешат держать?

— Может, и разрешат, да что ты с ними станешь делать? — трезво заметила Барбара. — И где будешь его держать? В палисаднике? Всех шестерых туда запустишь?

— Коням надо бегать, — со вздохом констатировал Марьян, муж Зофьи. — Нет, это и в самом деле неплохая мысль — отправить лошадей в Косьмин. Я уж за ними присмотрю.

— И что, Каприза или Звезду в плуг запряжешь?!

— Вот как раз Каприза и Звезду запрягать не буду, для плуга подберу кого похуже.

— У меня никогда не было "похуже", только чистокровные!

— Да что вы все о лошадях? — вмешалась в спор Юстина. — Тут о людях думать надо.

За себя Юстина была спокойна. Беременность избавляла ее от необходимости принимать участие в расчистке завалов на варшавских улицах, муж при ней и на хорошей должности. Оккупацию оба пережили благополучно. Партизанам очень пригодились познания Болеслава в железнодорожном деле, он безошибочно определял самые уязвимые пункты подвижного состава для выведения из строя поездов с немецкими солдатами и боеприпасами, прославился на всю страну и после войны смог занять довольно высокий министерский пост. Проверенный патриот и замечательный специалист, Болеслав, собственно, вернулся на ту же должность, которую занимал до войны, и рьяно взялся за восстановление разрушенной не без его помощи сети железных дорог.

— Радоваться надо, что у нас Косьмин остался, — поддержала Юстину Барбара. — Просто чудо!

— И к тому же все мы здоровы, — промолвила до сих пор молчавшая Ядвига. — Трех сыновей я похоронила и мужа, осталась одна, надеялась, что и меня Господь приберет, да вот живу, сами видите. После всех этих горестей с головой у меня не совсем порядок, ну а физически я еще баба крепкая, поработать могу и вам подсоблю.

У всех отлегло от сердца, когда заговорила Ядвига. Потеряв в войну сыновей, а потом и мужа, умершего от рака желудка, женщина замкнулась, и родные опасались за ее рассудок. Никто еще не знал, что милосердная судьба ниспослала Ядвиге утешение, а сама она пока не решалась сообщить о нем родичам.

— А наши дети... — заикнулась было Зофья, но грубая Барбара не дала тетке договорить:

— Ваши дети по Америкам да Канадам ошиваются, и им наверняка лучше живется, чем вам здесь. Не волнуйтесь, когда-нибудь дадут о себе знать.

— А что же сейчас в Пляцувке? — с надеждой поинтересовалась Дорота.

Людвик рукой махнул, а Барбара только плечами пожала. Пляцувка принадлежала ей, но какое это имело значение теперь? В доме поселились неизвестные беженцы, сад и огород заросли, а от прежних конюшен и столбов не осталось, еще в войну пожгли в печах. О Пляцувке и вспоминать нечего.

Все эти разговоры здорово подпортили настроение Гортензии, и она, насколько это было в ее силах, постаралась поднять дух своих гостей. С помощью Гени, старой верной служанки, быстренько накрыли на стол, заставив его вкусностями: миндаль засахаренный и миндаль соленый, печенье собственного изготовления, несколько сортов самых лучших французских сыров, слоеные пирожки, крохотные бублики с тмином и каперсами и еще многое другое, а к этому — смородиновка, зубровка, рябиновка и легкий коктейль на сухом вермуте. Приготовленные собственными руками шедевры кулинарного искусства Гортензия умело сочетала с продуктами, которые получала Барбара в посылках из Швейцарии.

— Вот, ешьте и пейте, — не очень весело пригласила Гортензия гостей. — Давайте хоть этому порадуемся.

— Очень неплохой повод порадоваться, — согласился, поднимая рюмку с зубровкой, Тадеуш, муж Дороты, ставший теперь бухгалтером в том банке, где до войны был директором. — И еще можно радоваться тому, что под горячую руку коммунисты нас всех на фонарях не перевешали. Да, кстати, вспомнился мне давний приятель, в прошлом владелец крупной строительной фирмы, сейчас нанялся туда же прорабом, первоклассный специалист, так он жаловался — жена яйца всмятку сварить не в состоянии и понятия не имеет, из чего готовят бульон.

— А прислуга? — поинтересовалась Гортензия.

— Их кухарка открыла собственный ларек на Маршалковской, польская национальная кухня: фляки, пызы и грохувка*. Так мой приятель с супругой чаще всего у нее и обедают. А горничная в партию вступила, теперь возглавляет бюро пропусков какого-то важного учреждения. Уж и не знаю, как она справляется с орфографией. Лакей занялся продажей бижутерии и старинной мебели, пока это уличная торговля, но, кажется, у него большое будущее. Посудомойка же, особа молодая и смазливая, обслуживает иностранцев. Интересно, по-каковски она с ними болтает?

---

* Рубцы в соусе со специями, галушки из тертого картофеля, густой гороховый суп.

— Откуда ты все это знаешь? — удивилась Дорота.

— А мой приятель специально занялся расследованием, хотел выяснить, кем стал тот, кто был никем. И выяснил — лучше всех устроилась посудомойка. Это ему лакей проболтался.

— До поры до времени, — пробормотала Барбара. — Вот арестуют ее как вражеского шпиона...

— Погодите, — вдруг всколыхнулась Гортензия. — Неужели Блендов для нас окончательно потерян? Даже и дом не достанется?

— Дом расположен в самом центре парка, — напомнила ей Юстина. — Его от парка и сада никак не отделить.

— Значит, отберут?

— Отберут.

— Но там же полно добра! Мебель, картины, книги, фарфор. Все наше, фамильное. Не оставишь же ты все это на разграбление?

— Конечно, не оставит, — ответила за дочь Дорота. — Съездит, осмотрит все и вывезет нужное.

— Не так-то это легко сделать, — возразила Юстина. — Вывозить имущество из поместий запрещено. Возможно, лишь кое-что удастся забрать, если еще не растащили.

— Страшные, страшные пришли времена, — вздохнул Марьян.

И опять воцарилось похоронное настроение. Для поднятия духа гостей Людвик, как-никак хозяин, взялся за графинчик со смородиновкой и принялся наполнять рюмки, неловко смахнув при этом с тарелки слоеное пирожное. Его моментально проглотил обретавшийся под столом пес Глянсик, чистокровной дворняжьей породы, которого Людвик приютил под конец войны, потому как совсем без животных обходиться не мог. Двух котов ему было мало. На помощь хозяину поспешил Марьян, известный своей потрясающей неуклюжестью. Ему удалось сбросить со стола целое блюдо крокетов из птичьего мяса с корнишонами и под майонезом, причем некоторые из этих деликатесов проскользнули ему в рукав. Внезапно ощутив под мышкой что-то липкое и холодное, Марьян отдернул руку и опрокинул Барбаре на колени рыбное заливное, а водой из вазочки залил импортные сыры, украсив их еще и розочками из той же вазочки. Барбара же инстинктивно стряхнула все с подола на пол, к большой радости Глянсика. В отчаянии Марьян взмахнул рукавом, и последний притаившийся у него под мышкой крокет угодил прямо в лицо Дороте.

— Езус-Мария! — только и прошептала Гортензия, в ужасе глядя на весь этот разгром.

Катастрофа заставила позабыть о финансовых, жилищных и прочих проблемах, все бросились наводить порядок, мешая друг другу и усугубляя сумятицу. Поднялся неимоверный галдеж: "...тарелка из старинного сервиза, мое единственное платье, и что ты тут руками размахался, весь сыр пропал, осторожно, рюмка! Ну вот, так и знала, да не волнуйся, Глянсик все доест, прямо в декольте угодило, майонезик свеженький, хорошо, что не томатный соус, стряхни огурчик с носика, а что мне было делать? Не лезть с руками, раз обе левые, стаканы, стаканы держите! Ой, графин прихвати, ну так и знала, Геня, тряпку!!! Да нет, никакого пятна не останется, а бублики еще есть, сидите же спокойно, ничего не трогайте, вот, салфеточкой промокни, говорила же, тринадцать человек за столом — к беде..."

Со звоном посыпались на пол ножи и вилки. Глянсик не подвел, оправдал надежды, все так деликатно подобрал языком, что ни кусочка не оставил, а к фарфоровым черепкам не прикоснулся. Пес не был избалован, ел все подряд, даже корнишончик проглотил, что Дороте в декольте попал. Павлик, дитя воспитанное, вел себя смирно, со своего высокого стула, как из ложи, увлеченно наблюдая за представлением и тихонько похрюкивая от удовольствия.

Относительный порядок восстановили, и все тактично старались не вспоминать о случившемся. Барбара оптимистично уверяла, что Косьмин у них не отберут, так что там можно будет выращивать овощи.

— Только бы не в принудительном порядке, — трезво предостерег политически грамотный Болеслав.

— Какой такой принудительный порядок? — встревожился Марьян.

— Ну, ведь они как прикажут, так и придется поступать. У вас земли легкие, а они велят, скажем, сахарную свеклу сажать. Или, невзирая на сад, потребуют картофель поставлять...

— Так ведь это же глупо! С сельскохозяйственной точки зрения.

— Они одной точкой зрения руководствуются — идеологической. Однако, возможно, кое-чего можно по знакомству добиться. Вот у Людвика очень нужные знакомства.

— Правильно, нужные, — подтвердил Людвик. — Но если он собирается пахать на Капризе...

— У тебя одни Капризы в голове! — раздраженно одернула Людвика Дорота, уныло разглядывая расползающееся на груди пятно от свеженького и полезного для желудка майонезика. Для платья он оказался не таким уж полезным. — По-моему, разговор идет о Блендове, не так ли? Юстыся, придется тебе, дитя мое, съездить туда, посмотреть, что и как, ведь это же наследство бабки Матильды.

— Да! — вспомнила вдруг Юстина. — А где же дневник прабабушки, который мне завещано прочесть? В войну не до него было, знаю только, вроде бы дедушка Томаш его припрятал, а где он сейчас? Вы, дядюшка, случайно не знаете?

— Как же не знать? — возмутилась Гортензия. — Я специально о нем позаботилась. Для меня завещание предков — святое дело. Видишь же, вон портреты прапрабабушки и прапрадедушки, что в Пляцувке были, теперь у нас висят? Как эта наглая голытьба в Пляцувку повалила...

— Ну, не такая уж она наглая, — возразил справедливый Людвик. — Портреты нам отдали, слова дурного не сказавши, вежливо и культурно.

Собравшиеся дружно уставились на почерневшие от времени портреты предков в тяжелых, обшарпанных рамах, сомнительное украшение стен столовой. Видимо сознавая это, Гортензия поместила их в самый темный угол. Людвик тяжело вздохнул.

— А уж как трудно было их сюда перевезти, такая тяжесть! Рикшу* пришлось нанимать.

И опять в столовой повисло молчание. Им и воспользовалась Ядвига, чтобы поведать родным о своей тайне. Раз уж Зофья с Марьяном все равно к ней переедут, самое время раскрыть секрет.

— Вот и ниспослал мне Господь в своем милосердии утешение великое, — громко, отчетливо и так

_____

* Велорикша — чрезвычайно популярный вид транспорта в оккупированной немцами Польше и еще некоторое время после окончания войны.

неожиданно произнесла Ядвига, что все семейство, вздрогнув, как один человек, отвернулось от портретов предков и уставилось на нее. А она вдохновенно продолжала: — Лишь благодаря этому я выжила и с ума не сошла, хотя все вы считаете меня слегка чокнутой, уж я это знаю, из вежливости да из жалости только не признаетесь. Но вот теперь и вам все скажу.

Все сразу позабыли о предках, завещаниях и дневниках, с опаской взирая на Ядвигу и уже совсем не сомневаясь — помешалась, несчастная. Смотрели молча, не зная, как подступиться.

Удовлетворенно оглядев родичей, Ядвига продолжила свою исповедь:

— Я уж свыклась с тем, что одна на свете осталась, а тут выяснилось — нет. Только война закончилась, отыскал меня ксендз, что наших партизан перед смертью напутствовал, он же и отпущение грехов моему Юреку дал...

Задохнувшись, Ядвига проглотила ком в горле.

— Сказал он — в том отряде партизанском была девушка, и стала она женой моего сына, хоть в костеле и не венчались. Откуда-то из-под Варшавы, Евой ее звали. Как мой Юрек помер, головой о камень билась и выла, как волчица, а осенью... осенью у нее ребеночек родится, и это дитя моего сына.

Не переводя дыхания, слушали родные рассказ Ядвиги, та же от волнения голос потеряла, совсем охрипла. Схватила первый попавшийся бокал со стола, оказался коктейль из сухого вермута, и залпом опорожнила.

— Не сразу я поверила ксендзу, — помолчав, призналась Ядвига. — Просто счастью своему боялась поверить, ведь ксендз сказал, что узнал об этом на исповеди. Потом спохватилась, стала справки наводить. Семья жены моего сына проживала в небольшой деревушке, бедность страшная, все больные, несчастная Ева разрывалась на работе, ведь четыре рта прокормить надо. Наконец надумала и поехала туда — а было это, когда вы, Зофья и Матеуш, обыскались меня и уж решили, что, должно быть, утопилась я, и в самом деле чуть руки на себя не наложила, зачем жить, когда всех близких в войну потеряла? Приехала я к ним, а тут Ева родами умерла. Ребеночек здоровенький родился, мальчик. Забрала я его. Наш, не наш, а там все одно не выживет. Кто бы им занялся? Мать Евина только слезы лить умела, бабка вся ревматизмом скрюченная, отец инвалид, а дед, слава Богу, вскорости помер. Не могла я на таких ни в чем не повинное дитя оставить.

Тяжко вздохнув, Ядвига огляделась и схватила со стола рюмку со смородиновкой. Ужас обуял присутствующих: Ядвига никогда в жизни и капли спиртного в рот не брала.

— Дитя уже крещеное было, Юреком назвали, так мать пожелала. Отдала я его Флорианихе, та только что родила, двоих стала выкармливать. Баба здоровая, выкормила. А когда я вернулась, помните? — вы все меня не узнали.

Зофья с Марьяном, ни слова не говоря, одновременно кивнули. И все остальные молчали, потрясенные, а из Ядвиги, как лава из вулкана, изливалась долго скрываемая тайна:

— Мальчонка рос, я глядела, боясь еще поверить, и никому из вас не говорила. Но вот недавно... Он ведь уже большой, сидит, зубки режутся. Велела я его сфотографировать и старые свои фотографии разыскала. И теперь не сомневаюсь — ксендз правду сказал. Вылитый мой Юрек, не отличишь, кто есть кто. Мой это внук, кровиночка моя, от троих моих сыновей он один мне остался, и выбейте из головы, что я спятила! Молчала, пока не было уверенности, теперь не сомневаюсь. У меня есть внук! И мне есть ради чего жить на свете. Я его заберу в Косьмин, пусть ко мне переселяется Флорианиха со всем своим выводком, и ей хорошо, и мне помощь. На первое время еще осталось кое-что из бабкиных драгоценностей, а там дети подрастут, легче станет. А власть эта народная пусть хоть повесится, а Косьмин им не видать как своих ушей, у него законный хозяин растет! Только через мой труп отберут!

Переварив удивительные откровения Ядвиги, родичи радостно загалдели, поскольку трагическое одиночество несчастной женщины всеми переживалось глубоко. Родственные контакты с ней стали чрезвычайно затруднительны. Ядвига всегда удрученно молчала, говорить же с ней боялись, ибо что ни тема, то больное место. Ни о мужьях, ни о детях, ни о здоровье — вообще ни о чем нельзя было говорить, от Ядвиги в ее состоянии можно было ожидать самых ужасных поступков, как самоубийственных, так и опасных для тех, с кем она имела дело, начиная от поджога дома и кончая ядовитыми грибочками. Появление внука коренным образом изменило ситуацию и вызвало жаркую дискуссию.

Дорота осуждающе допытывалась, неужели тот самый ксендз не мог обвенчать любящую пару, пусть даже жених и на смертном ложе, ведь бывали же такие случаи, хоть бы епитрахилью прикрыть... Ей возражали — епитрахили у ксендза в партизанских условиях могло и не оказаться. Гортензия настойчиво вопрошала, какую же фамилию носит дитя и есть ли у него хотя бы метрика. Ей возражали — в войну столько бумаг затерялись, выправят новую, если нужно.

— Был под рукой ксендз, этого достаточно, могли сразу и обвенчаться...

— Где венчаться? В лесу? В землянке? Под мостами, которые взрывали?

— А ребенка завести время нашли!

— Так для этого двоих достаточно, ксендз не нужен...

В пылу спора совсем позабыли о малолетних Амелии и Дареке, которым не следовало бы слушать о таких вещах. Тем более что никто не осудил поведение грешной Евы, вот только надо было бы грех покрыть и ребенку законное имя оставить. Наконец Ядвиге удалось прорваться:

— Сказать не даете! Ксендз оказался человеком разумным и предусмотрительным, сам под присягой засвидетельствовал, что Юречек и Ева супругами были, что он лично их обвенчал по-партизански, и фамилия ребенка Савицкий будет, так и стоит в справке — Юречек Савицкий, сын Ежи Савицкого и Евы, урожденной Борковской. Свидетельство же о браке с другими документами при бомбежке погибло. Я внука признала. А сейчас и вы признайте.

Тут все занялись разглядыванием и сравниванием фотографий двух полугодовалых младенцев, и согласились — не отличишь. Для достоверности принесли семейные альбомы с фотографиями, где были кучи всевозможных младенцев, и оказалось — идентичными могут быть признаны лишь два вышеупомянутых мальца.

Юречек был единогласно принят семейством.

— Ну вот, а что я говорила, — каким-то странным пророческим голосом произнесла Гортензия, принимаясь собирать тарелки. — Как за столом тринадцать человек — непременно что-нибудь приключится...

* * *

Ясное дело, сенсационное появление внука у Ядвиги отодвинуло на задний план все прочие проблемы, в том числе и дневник прабабки Матильды. Не до него было, тем более что следовало незамедлительно заняться Блендовом, спасая реликты наследия предков. С Ядвигиным внуком родичам пока никаких хлопот не было, а поглядеть на него тоже оказалось просто, до Косьмина ходила груйцкая электричка, правда забитая пассажирами до последней возможности, но какого-никакого расписания все же придерживалась. Вот до Блендова добраться — целая проблема.

В принципе транспортных средств было предостаточно: дребезжащие военные грузовики, довоенные такси, все еще с грехом пополам передвигавшиеся не иначе как силой воли их владельцев, крестьянские телеги, велорикши и просто велосипеды, ну, и, если очень повезет заловить — русские "газики". Оставались еще, разумеется, и собственные ноги. Интересное положение Юстины решительно исключало как пешее передвижение, так и особо тряский транспорт, и в конечном результате в Блендов отправили двух скаковых лошадок Людвика, запряженных в очень ветхую старинную карету. В распоряжении Людвика была еще и бричка, тоже весьма немолодая, но остановились на карете, поскольку та была с крышей.

Отправились вдвоем, Юстина с Доротой, в сопровождении престарелого конюшего, в обязанности которого входило пуще глаза беречь хозяйских лошадей. Те в путь двинулись охотно, несколько удивленные и обрадованные отсутствием привычной тяжести на хребтах, то и дело норовя перейти в

55

стремительный галоп, от чего конюший их с трудом удерживал. До Блендова добрались за два дня, переночевав в Тарчине, а могли бы с легкостью и за день преодолеть весь путь, да конюший, памятуя наставления хозяина, не позволил.

Дорогу Юстина перенесла легко и сразу же принялась осматривать бывшие свои владения.

Оказалось, что имение не было разрушено и разграблено в первые дни обретенной свободы, а все благодаря энергичной и заботливой домоправительнице, сменившей на этом посту панну Доминику. Существенную помощь оказал ей Польдик, тот самый бывший буфетный мальчик, пострадавший от бандитского налета. И хотя он давно перешел восьмидесятилетний рубеж, но был мужиком могучим, жилистым и держался крепко, а бывшее барское поместье — дом со всеми угодьями — почитал своей святой обязанностью сохранять в целости. К тому же во всей округе о нем давно ходили легенды как о личности исключительной храбрости и воинственности, вот мародеры и оставили Блендов в покое, довольствуясь более легкой добычей.

Благодаря этим двум верным слугам Юстина нашла дом почти в таком состоянии, каким он был во времена ее прабабки. Ну разве что обветшавшим, нуждающимся в ремонте. И еще одно обращало на себя внимание — какие-то непонятные печати на некоторых предметах меблировки. Уж их-то во времена прабабки наверняка не было.

— Да как же это все сохранилось в оккупацию? — недоумевала Юстина, оглядывая мебель, ковры, зеркала.

— Польдик припрятал, — пояснила Дорота, успевшая уже кое с кем пообщаться. — А где — никто не знал. Но не в подвалах, туда немцы залезали в поисках вина, все вылакали, проклятые, до последней капли.

— Надеюсь, не на пользу пошло.

— К сожалению, хорошее вино всегда на пользу.

Тут появился очень гордый собой восьмидесятидвухлетний Польдик и в подробностях рассказал ясновельможным барыням, что как зеницу ока стерег барское имущество. В армию его не взяли по возрасту, и никому из этих дураков и в голову не пришло, сколько в нем, Польдике, еще силы сохранилось. Немцы даже глупее наших оказались, а он хорошо помнит доброту господ, знает, чей хлеб столько лет ел и благодаря кому такую силу накопил. Все вещи сам перенес и припрятал, а как немцев прогнали — на место перетащил. И теперь берется имущество барское оберегать, но при условии, что из панского имения сделают этот... как его... памятник старины, вот как! Музей, одним словом. Отсюда и печатей понавешали, чтоб прочие гиены не растащили, а он ответственный за государственное имущество. А не все равно, как его назвать? Главное, чтобы в целости осталось. До лучших времен, настанут же они когда-нибудь.

В итоге совещания с верными слугами вывозимые из Блендова вещи, достояние предков, поместились в одной карете.

— Мам, ты как считаешь, мы имеем право забрать вещи, принадлежавшие панне Доминике? — спросила Юстина, когда они с матерью укладывали в небольшую горку всякие мелочи.

Дорота была шокирована.

— Что ты говоришь, помилуй? И почему тебе вообще пришло в голову, будто в доме есть вещи панны Доминики?

— Так я ведь ее хорошо помню, — возразила Юстина. — Хоть маленькая была, а все помню. И как учила меня вести хозяйство, и кое-какие предметы запомнились. Вот, например, в ее комнате стоял секретер, она за ним всегда счета проверяла и расписки писала.

— Ну и что с того, что секретер стоял у нее в комнате? Ведь она приехала в наш дом вести хозяйство, своей мебели не привозила. Да в чем дело?

— А в том, что этот секретер — просто чудо! — мечтательно произнесла Юстина. — Он и теперь стоит на прежнем месте, небольшой, очень узенький, как раз прекрасно встал бы в моей спальне у тети Барбары.

— Ну так бери, какие проблемы? И в карете поместится. Только освободить его сначала надо, я смотрела — весь бумагами старыми забит.

Тут уж дочь оказалась умнее матери.

— Да нет же, я бы со всеми бумагами забрала. Мама, ты не представляешь, что за прелесть записи панны Доминики. Читаешь — и словно окунаешься в ту жизнь: о соседях и холопах, о коровах и лошадях, о том, какое необыкновенное яйцо снесла Пеструшка и как следует солить огурцы, старинные кулинарные рецепты, ну обо всем на свете!

Секретер тщательно осмотрели.

— Вот хорошо, все дверцы запираются, интересно, где ключи? — спросила Дорота.

— Да вот же, все ключи от дома на одном колечке. Не потерялись, просто удивительно! Панна Доминика была настоящим чудом. Я слышала, умерла скоропостижно, а хозяйство оставила в полном порядке, все на своем месте. Знаешь, мама, у меня такое чувство, словно эта необыкновенная женщина сначала проверила, все ли ключи на кольце, а потом только легла и отдала Богу душу. Хотя, возможно, где-то в этих бумагах запечатлена ее последняя воля.

Дорота вздохнула.

— Вряд ли, какая у нее могла быть последняя воля, когда бедняжка осталась на свете одна-одинешенька? Я-то ее помню лучше тебя. Почитай, всю жизнь здесь прожила, сирота, бесприданница. Не повезло ей с предками. Насколько мне известно — три поколения сплошных развратников да растратчиков, уже дед ее потерял Блендов, а отец разбазарил остатки состояния и совсем молодым в могилу себя загнал. Мать ее умерла еще раньше. А поскольку Доминика доводилась нам какой-то дальней родней, бабушка и приютила ее. Ох, что я говорю! Какая бабушка, бабка бабушки. Взяла ее еще маленькой девочкой и воспитала.

— В таком случае панна Доминика заслуживает того, чтобы и ее записи стали достоянием истории, — несколько высокопарно заявила Юстина. — Возьму их все!

— Бери, бери, никто тебе не запрещает. Раз ключики имеются, проверь, все ли ящики заперты, тогда можно будет отдельно снести в карету верх и низ, ничего не выпадет. Пожалуй, еще и стол письменный поместится, для отца прихвачу. И книжек немного.

Таким образом, кроме музея в Блендове, вещи из старинного барского дома перекочевали еще в три места: в Косьмин, к Людвику на Служевец и в квартиру Барбары на улице Мандалинского. Очарованная старинным секретерчиком, Юстина разыскала толкового столяра-краснодеревщика, который взялся отреставрировать этот ценный антик. Разумеется, перед тем как отдать столяру, Юстина выгребла из него всю макулатуру.

* * *

Образ жизни, который вела Юстина, многим мог бы показаться просто раем. Служить не было необходимости, заработков мужа и помощи тетки Барбары хватало на безбедную жизнь. Опять же благодаря тетке Барбаре был решен жилищный вопрос. Пятикомнатная квартира, официально заселенная пятью семействами, не подлежала дальнейшему уплотнению. Единственный ребенок, Павлик, никаких хлопот не доставлял, одну радость. Сестра Болеслава Амелька тоже не требовала особых забот, будучи девочкой умной, живой и совсем не капризной. В Барбариной квартире у нее была своя комната, где за ширмой нашелся уголок и для Павлика. Далее следовала комната Барбары, затем спальня Юстины и Болеслава, четвертая же, большая, была общей гостиной. В пятой тихонько и скромненько проживали две совсем дряхлые старушки, о которых, казалось, даже смерть позабыла. Марцелина, еще довоенная служанка Барбары, занимала каморку при кухне и больше ничего от жизни не требовала.

Чтобы счастье всех Барбариных жильцов было уж совсем полным, следует добавить, что проблема пропитания разрешилась очень неплохо по тем тяжелым временам. Продовольствие в основном поступало из Косьмина. Привозили то грудинку, то сальце, то кровяную колбасу, то яйца, то варенье на меду. В семье как-то не было принято упоминать о том, что некогда половина Косьмина принадлежала Юстининой матери Дороте.

Что же касается самой Юстины, то в роду она находилась на особом положении по причине не только завещания прабабки Матильды, но и благодаря отношению к жене Болеслава. Начиная со свадебного путешествия Болеслав окружил супругу прямо-таки языческим поклонением, заражая тем же всех сородичей. Все родные, и стар и млад, питали к молодой женщине высочайшее уважение и доверие, не пытаясь понять истоков этих чувств. Не было на свете другой такой умной, рассудительной, проницательной и вообще идеальной во всех отношениях особы. Юстина принимала поклонение как должное и ничего не имела против.

Итак, секретерчик панны Доминики забрал столяр-краснодеревщик, а вынутые из него бумаги устлали пол в спальне Юстины. С надеждой и радостью приступила она к их разборке, выбрав для этого подходящий день. Дома были лишь они с Марцелиной да Павлик, возившийся в совершенно заросшем палисадничке. Марцелина распевала в кухне, раскатывая лапшу домашнего изготовления, и Юстина с наслаждением разгладила первую попавшуюся старинную бумажку. Она обожала такие исторические записи, всю жизнь увлекалась историей вообще, а историей своего рода и девятнадцатым веком в частности. Сколько себя помнила, росла в окружении старинной мебели, портретов, фотографий, с детства наслушалась рассказов взрослых о всевозможных происшествиях в их роду и в противоположность старшей сестре, легкомысленной Хелене, время проводила не в развлечениях, а в библиотеке и в общении со старшими. Как, однако, изменились нравы с тех пор. Тогда тетка Барбара казалась ей совсем старой, хотя и было ей тридцать четыре года. Теперь самой Юстине под тридцать, а чувствует она себя совсем молодой женщиной.

С умилением прочитав на первом клочке бумажки, что 6 апреля 1887 года серьезно расхворалась индюшка, которую спугнул дворовый пес, и отказалась сидеть на яйцах, так что пришлось их распределять между курами-несушками, а девятого мая шустрый поросенок из хлева вырвался и изрыл свежепрополотую грядку с морковью, а птицы вконец запачкали сушившееся по двору после большой стирки белье, Юстина поняла — ей попались записки домоправительницы, и стала собирать разрозненные листочки. Впрочем, большинство записей и счетов аккуратная панна Доминика сложила в толстые пачки и даже переплела. Подобрав их в хронологическом порядке, Юстина обнаружила отсутствие самого старого дневника, еще времен прежней хозяйки Блендова, старой пани Заворской. После нее хозяйкой имения стала прабабка Матильда, которую панна Доминика везде упорно называет кузиной, подчеркивая свои родственные с ней отношения, хотя и служила у кузины в экономках. На одной из разрозненных страниц почти в открытую говорилось о том, что экономка подозревала свою новую хозяйку в похищении этого дневника с неизвестной целью, как и в умышленном "приведении в беспорядок" записей домоправительницы относительно ремонта дома. Ей же, Матильде, вменялось в вину похищение счетов за кирпичные и столярные работы при изготовлении встроенных шкафов в библиотеке. Дотошная экономка вынуждена была вписать эти счета в общую тетрадь на полях, там же поместив и свой комментарий относительно возможного участия в их пропаже самой хозяйки.

Прабабку Матильду Юстина хорошо помнила, уж очень яркой личностью та была. И теперь с большим интересом прочла строки о поведении взбалмошной хозяйки, так возмутившем педантичную панну Доминику.

Несколько дней заняло приведение в порядок бумаг панны Доминики, и наконец Юстина смогла приступить к последовательному чтению ее дневника, который сама домоправительница Блендова называла "записками".

* * *

Как уже говорилось, Юстина не работала, но в ее обязанности входило вести домашнее хозяйство. Оно и понятно, ведь тетка Барбара была занята другим делом. Она, видите ли, открыла небольшое частное кафе, где продавались пирожные и выпечка домашнего изготовления. Энергичная тетка получила все нужные для этого бумаги, и концессию, и разрешение, а помещалось кафе в строении, сложенном из кирпичей, какие собрали в завалах на окрестных улицах разрушенной Варшавы. Политически подкованный Болеслав немало дивился тому, что Барбара получила разрешение на частную деятельность, поскольку было это неимоверно трудно, и никто ей не препятствует. Барбара сочла нужным сама объяснить такое расположение к ней властей:

— А я тебе сейчас все расскажу, у меня секретов нет. Так вот, еще до войны пригрела я тут одного пацана из бедной семьи, очень ему учиться хотелось, ну я и помогла. Потом он уже совсем чувствовал себя здесь как дома, друзей стал приводить, я ничего против не имела, они еще пытались меня в коммунисты сагитировать, смех один. А при нынешней власти пацан этот большой шишкой стал, дружки его тоже, кто уцелел в войну. И теперь я все, что хочу, могу с их помощью получить. Поймите, мои дорогие, мир уж так устроен, что все в нем на деньгах да на знакомствах держится, и раньше так было, и теперь тоже так.

А ты, Юстинка, если в Доминикиных записках какой интересный рецепт найдешь, обязательно мне покажи, клиент любит старинные блюда, пусть вспомнит.

Барбара, разумеется, сама блюд в своей забегаловке не готовила, за кассой не сидела, продуктов не возила, да и вообще физическим трудом не занималась. Это делали нанятые ею люди. На Барбаре была вся организационная часть, ну и еще светская жизнь. Дом же охотно бросила на Юстину, у которой, можно сказать, в крови было искусство управлять владениями и подданными. А тот факт, что владения ограничились одной, пусть и большой, квартирой, а подданные — старой служанкой, дела не менял, напротив, только облегчал.

Итак, избавившись от домашних и отдав распоряжения по дому Марцысе, Юстина смогла без помех заняться чтением записок панны Доминики.

Задыхаясь от волнения, прочитала она страшную историю о бандитском нападении на дом. Неудачный роман с паном Ромишем заставил посочувствовать бедной деве и одновременно вызвал улыбку. Еще раз перечитав всю историю с нападением бандитов-грабителей, Юстина вдруг почему-то припомнила попавшийся в самом начале клочок бумаги, в нем панна Доминика обвиняла Матильду в краже первой части ее записок и счетов за библиотечные шкафы.

Не делая пока никаких выводов из этих открытий, Юстина естественным образом вспомнила о завещанном ей дневнике прабабки, которого до сих пор так и не видела. Двоюродный дед Томаш в свое время его припрятал — значит, надо поинтересоваться у дяди Людвика, сына Томаша, и его жены Гортензии. Минутку, ведь Гортензия на последнем фамильном сборище вроде бы что-то о дневнике сказала, да тут выступила Ядвига со своей сенсацией о внуке, и дневник вылетел из головы.

Вскочив, Юстина собралась было мчаться тут же на Служевец, но часы пробили три раза. Сейчас все соберутся на обед. Обед! А она на сегодня о нем не позаботилась. Что там предполагалось? Тефтели из вчерашнего мяса в бульоне. А суп? Суп какой?

Юстина принюхалась. По мощному запаху из кухни определила — луковый суп-пюре с пармезаном, к нему гренки. Отлично! Молодец Марцелина, сама сообразила. А на десерт... Кажется, говорили о яблоках, запеченных в тесте.

— Извини меня, Марцелина, — входя в кухню, покаянно начала Юстина, — совсем забыла про обед. Вижу, с супом ты сама разобралась, умница. И десерт будет?

— Так я уж и тесто поставила, яблоки в нем будут стружками, как пани любит, — отвечала очень гордая собой прислуга. — Что же касается супа, ничего особенного изобретать не пришлось: если готовятся блинчики или вареники, так к ним непременно или луковый, или томатный. Томат весь вышел, луковый готовлю. А за десерт пани мне вчера еще намекнула, дважды повторять нет потребности.

— Вы, Марцелина, просто наш ангел-хранитель, — убежденно заявила Юстина. — Может, насчет десерта я и намекнула, да тут же забыла. Голова у меня другим занята. А панну Доминику из Блендова вы помните?

Отвернувшись от сковороды, Марцелина чуть ли не с возмущением заявила:

— Да кто же ее не помнит? Еще девчонкой я у нее хозяйству училась, она до войны меня к себе взяла. Померла панна Доминика в двадцать девятом, к тому времени я овдоветь успела и к милостивой пани Барбаре нанялась, весь дом, почитай, был на мне, потому как милостивая пани всю жизнь в разъездах, по заграницам. Вот интересно, что же в своих бумагах панна Доминика понаписала? Были у нее свои секретные рецепты. К примеру, королевская мазурка. Эту сдобу вроде бы все знают, да у панны Доминики были особые приправы, она их в тайне держала, так, может, не унесла с собой в могилу эту тайну?

В голосе верной служанки прозвучал столь неприкрытый интерес к старинным рецептам, что Юстина устыдилась и твердо решила впредь при чтении записок не допускать кулинарных промахов.

— Обещаю все рецепты передать вам, Марцелина, они у панны Доминики отдельно выписаны, и очень аккуратно. Только прошу вас оставить в покое абрикосовое суфле, оно у панны Доминики лишь на двенадцатый раз получилось. И торт мокко, его кухонные девки взбивали шестнадцать часов беспрерывно, сменяя друг дружку...

— А пани могла бы и сама взбивать, все равно без дела сидите, — наивно предложила служанка, явно испорченная социалистической пропагандой, но сразу спохватилась: — Хотя нет, в вашем интересном положении не стоит, вот если бы его ногами натоптать, то другое дело, это тяжелым бабам очень даже пользительно.

В замке входной двери заскрежетал ключ, возвратилась Барбара. Юстина позвала к обеду сынишку и, пока он добирался из палисадника, успела вручить Марцелине целую кипу разнокалиберных бумажек. И постаралась закодировать в памяти: обязательно выдать распоряжение насчет завтрашнего обеда, а то опять увлечется чтением и позабудет.

После обеда Юстина предложила мужу нанести визит родственникам.

Людвик, Гортензия и Дарек официально занимали в собственной квартире три комнаты благодаря тому, что Людвик со своими познаниями в лошадином деле стал официальным консультантом при ипподроме. Считалось, что он ведет научную работу, и это давало право на дополнительную жилплощадь. Он и в самом деле завел картотеку, располагал обильной справочной литературой и стал крупнейшим в стране специалистом по чистопородным лошадям. Дорота с Тадеушем занимали две комнаты, для чего пришлось оформить развод, разумеется фиктивный. Одна комната полагалась Гене, старой служанке. Поскольку над вторым этажом дома обвалилась крыша, весь этаж, до войны насчитывавший семь комнат, оказался непригоден для жилья и туда никого не смогли подселить. Вот так получилось, что полуразрушенная вилла оказалась заселенной только родичами.

Переступив порог, Юстина сразу взяла быка за рога.

— Дядюшка, я пришла за дневником прабабушки. Прошлый раз тетя сказала, что последняя воля — святое дело, так надо же ее наконец выполнить.

Кроткий дядюшка Людвик страшно озаботился и сконфузился.

— Правильно, дитя мое, ты совершенно права, дневник имеется, вернее, должен быть, ведь его еще до войны припрятал мой батюшка, твой двоюродный дедушка...

— И так хорошо припрятал, что никто после этого не видел, — недовольно пробормотала тетя Гортензия.

— Так вы не знаете, где он? — догадалась Юстина при виде смятения дяди и тетки.

— Почему же не знаем? — обиделся дядя Людвик. — Очень даже знаем. В сейфе лежит. В этом доме. Все время там и лежит.

— Так почему же вы мне его раньше не отдали?

Бедный Людвик поник окончательно.

— Да потому, дитя мое, что, откровенно говоря, не могу я этот сейф открыть.

— Я уж решил, что он пострадал, как и вообще ваш дом, — предположил Болеслав.

— Ты прав, сынок, пострадал...

— Ну так его и открывать не надо! — обрадовалась Юстина.

— Да нет, — смущенно возразил Людвик, — он не разлетелся на куски, не лопнул, а вроде как в нем что заело. Я уж и так, и сяк пытался, никак не открывается. Мне очень неприятно...

— И все эти годы вы, дядюшка, безуспешно пытались открыть сейф?

— Ну да! — вспылил кроткий Людвик. — Я же не по сейфам специалист, а по лошадям. Вот если бы в нем какие материалы о лошадях были, я бы, может, и более энергично его открывал, хотя за успех все равно не поручусь.

— Боже, как я рада! — просияла Юстина. — Выходит, не моя вина... А я-то себя упрекала, что до сих пор не выполнила волю прабабушки. Сколько же лет прошло со дня ее смерти? Уже десять? Полагаю, пора бы и прочесть дневник.

И опять дядя Людвик целиком и полностью оказался согласен с племянницей.

— Конечно, я виноват, я должен был позаботиться об этом. Да ума не приложу, как взяться за дело. Обыкновенный слесарь вряд ли справится, надо, наверное, такого... с этим, как его... кислородным пламенем.

— Ацетилен может повредить содержимому сейфа, — авторитетно заметил Болеслав.

— Тогда и не знаю. Лучше всего было бы пригласить какого-нибудь профессионального взломщика, что по сейфам специализируется. Может, у вас найдется знакомый, еще довоенный?

— А послевоенный не подойдет? — удивился Болеслав.

— А у тебя есть послевоенный? — обрадовался Людвик.

— Опомнитесь, о чем вы! — перебила мужчин шокированная Гортензия. — Не хватает нам только уголовников приглашать.

— Надо найти слесаря! — энергично потребовала Юстина. — Не может быть, чтобы не осталось хороших специалистов!

— Наверное, есть, да я не мог найти, — оправдывался Людвик. — Кузнеца вызову, если надо, а вот слесаря...

Болеслав потряс головой, отгоняя жутковатый образ слесаря-медвежатника, и припомнил, что ведь имеет дело с самым разнообразным техническим персоналом, наверняка помогут найти нужного человека.

Все с облегчением вздохнули и уже спокойно посмотрели на предмет спора. Томаш завел сейф как раз незадолго до начала войны, должно быть, для того, чтобы хранить в нем акции и ценные бумаги. Наследники Томаша о сейфе забыли, им хранить было нечего, а об акциях компании по торговле древесиной даже вспоминать было неприятно. К тому же сейф не бросался в глаза, так как его почти целиком закрывало зеркало до потолка, от старости покрывшееся радужными разводами.

— Хорошо бы заодно и зеркало восстановить или совсем убрать, — оживилась Гортензия. — В нем уже ничего не видать.

— Ни в коем случае не выбрасывать! — возразила Дорота. — Нужно постараться отреставрировать, такого хрустального стекла теперь днем с огнем не найдешь во всей Польше. Я и то удивляюсь, как еще у вас сохранилось?

— А то ты не знаешь как! Ведь я уже в феврале здесь была, сразу вслед за русской армией явилась! — похвасталась Гортензия.

И в самом деле, вспомнила Юстина, конец войны все просидели в Глухове, и Гортензия первая, не вытерпев, бросилась в разрушенную Варшаву присмотреть за домом. Наверняка и сейф лишь благодаря ей уцелел.

* * *

Операция по вскрытию замурованного в стену железного монстра началась через два дня. Болеслав разыскал-таки двух умельцев. Работа заняла полдня и вечер. Узнав о предстоящем вскрытии сейфа, к Гортензии, как на представление, поспешили все родичи, втихую надеясь: а вдруг орудовать все-таки будут настоящие довоенные взломщики?

Гортензия, как всегда, накрыла роскошный стол, за который уселось десятеро гостей, но усидели они недолго. Сейф находился в другой комнате, из столовой его не было видно, а всем хотелось присутствовать при операции. Вскоре за столом остался один Тадеуш, отец Юстины, а прочие гости столпились вокруг профессионалов.

Нельзя сказать, чтобы операция прошла без сучка и задоринки, сейф и в самом деле слегка перекорежило. Умельцы, обследовав пациента, единодушно поставили диагноз — рикошет. Не от бомбежки пострадал сейф, не от прямого попадания снаряда, как крыша, несчастного просто задело осколком. Ну да ладно, была не была, попробуют открыть нормально, уж если не выйдет — автогеном вырежут часть дверцы с замком.

Наличие большого числа зрителей вдохновляло, слесари ударились в амбицию и в поте лица копались в хитром механизме до тех пор, пока тот не поддался. Зрители оживленно комментировали ход операции и не спускали глаз с ловких рук работяг. Наконец те дуэтом облегченно выдохнули и, гордые собой, настежь распахнули дверцу.

С громким криком радости бросилась Юстина к большому ящику на полке сейфа, от которого все еще несло квашеной капустой. Он оказался таким тяжелым, что Юстина не смогла одна вытащить. На помощь поспешил мужской пол и в спешке уронил тяжесть, хорошо не на ноги. Падая, шкатулка раскрылась, и все увидели вторую — поменьше. Рядом вывалился и серебряный ключик. Юстина на полу дрожащими руками отперла серебряный ларец. Толстая тетрадь в красном сафьяновом переплете оказалась на месте.

Серебряный ларчик с дневником Юстина легко подняла с пола. Гортензия задумчиво осматривала опустевшую шкатулку.

— Надо же, и в самом деле гнет идеальный. Помню, в этой бочке капуста всегда была самой вкусной. Как думаете, может, опять взяться за квашение?

— Очень хорошо, — поддержала идею Барбара, — я стану в своем кафе и бигос подавать.

— Бигос в кафе? — удивился Людвик. Заглянул в сейф и воскликнул: — О, тут еще что-то есть!

И правда, в сейфе еще много чего было: никому не нужные ценные бумаги давно не существующих довоенных польских банков, никому не нужные довоенные польские денежные банкноты, три каких-то маленьких ключика на одном колечке и порядочная пачка иностранных дензнаков, хотя и запрещенных властями, но широко ходивших в стране.

— Ну вот, надо же, — опять озадачился Людвик, беря в руки толстую пачку долларов.

Оставив в покое капустный гнет, Гортензия поспешила к мужу посмотреть, что так его обеспокоило, а увидев, тревожно огляделась. К счастью, в кабинете остались только свои. Болеслав увел в столовую очень довольных слесарей, где все трое незамедлительно начали обмывать успех. Амелька с Дареком помогали Юстине относить ларчик и дневник. От Барбары и Дороты можно было не прятаться.

— И ты еще говорил, что не интересовался сейфом, поскольку ничего интересного в нем не могло быть, — упрекнула Дорота брата, качая головой.

— Я ничего не знала, я! — вырвалось у Гортензии. — Уж он бы у меня как миленький давно занялся сейфом! Оставь это, положи обратно, ведь чужие люди в доме!

Лишь деловая женщина Барбара заговорила о главном:

— Не сочтите меня мелочной, но как думаете, чье же это будет? Не наш ли папочка спрятал деньги в сейф?

— Наш, наверное, — неуверенно ответил ее брат Людвик. — А что?

— А то, — вмешалась Дорота с достоинством, — что вы оба и должны их поделить, ваш отец оставил. А мы живем в вашей квартире и сидим на вашей шее.

— Ну что говоришь глупости! — прикрикнула на нее Барбара. — Лучше, чтобы чужие сидели?

Гортензия открыла было рот, чтобы что-то сказать, но подумала — права Барбара, и сказала совсем не то, что собиралась:

— О шеях и не упоминайте, мы одна семья, и все помогаем друг другу. И я считаю, сделаем так, как Дорота предложила, — поделимся, но сейчас спрячем. И никому не говорите, а то отберут, и хуже того, еще и в Сибирь сошлют.

— Так убери в ящик стола, — распорядилась Барбара, потому что Людвик все еще нерешительно теребил доллары в руке. — Ну что размахался ими, как знаменем? Вот разойдутся посторонние, мы и займемся разделом наследства.

— Минутку, а это ключики от чего? — Гортензия взяла связку ключей на кольце.

Барбара и Людвик пожали плечами. Барбара задумалась.

— Слушайте, ключики рядом с завещанием бабушки... Что-то такое мелькнуло в голове... Как они лежали? Вроде о чем-то... Нет, не соображу.

— Так что станем с ними делать? Не выбрасывать же? И странные какие-то, совсем не старинные.

Взяв ключи в руку, Барбара внимательно их оглядела. Небольшие, но довольно длинненькие, все разного размера. И колечко тоже странное, как литое, запаяно печаткой, напоминающей листок клевера. Все почерневшее, наверное серебряное.

— Хорошо, — сказала Барбара, — могу их взять и сохранить. Юстинка любит исторические памятки, для нее возьму.

— Ну так бери.

Юстине не терпелось скорее ознакомиться с прабабкиным дневником, поэтому, предоставив мужу одному выражать благодарность слесарям-умельцам, она поспешила домой. Людвик с Барбарой уединились в дальней комнате и приступили к разделу валюты. Гортензия занялась хозяйством.

* * *

С самого начала, с первой же страницы толстенной тетради, несчастная наследница поняла, какую трудную задачу поставила перед ней прабабка.

Панна Доминика вела свои записи аккуратно и систематически, четким, красивым почерком, яркими чернилами, прабабкин же дневник был сущим кошмаром. Юстина сразу же перестала упрекать себя за то, что только сейчас приступила к его чтению, все равно раньше бы не справилась. Что с того, что Марцыся обнаружила дневник в бочке с квашеной капустой десять лет назад? Это же произошло в день ее, Юстининой, свадьбы, потом последовало свадебное путешествие, потом родился ребенок, потом разразилась война. В тех условиях у нее просто не было возможности заняться этим кошмаром.

Это еще ничего, что прабабка Матильда писала как курица лапой. Главное, чернила она выбрала какие-то несуразные, не чернила, а отвратительная зеленоватая жидкость, совершенно выцветшая от времени. В ужасе глядела Юстина на страницы прабабкиного дневника, с трудом разбирая в нем даже строки. Казалось, по странице металась пьяная муха, извлеченная из акварели, разбавленной спиртом. Нет, такой дневник читать просто невозможно, его надо расшифровывать, как древнеегипетские иероглифы.

Возможно, и в теперешние, более спокойные времена Юстина не взялась бы за расшифровку старинных письмен, если бы не допинг со стороны панны Доминики. И тут дело не только в бандитском нападении на помещичий дом в Блендове. Главное, в своих записках панна Доминика ясно намекала на какие-то секретные переговоры с прабабкой Матильдой ее благодетельницы, пани Заворской. Где же эта страничка из ее записок? А, вот она:

...человек перед смертью меняется, в последний путь готовясь отойти. Вот и моя благодетельница вдруг такая ласковая да добрая сделалась по отношению к кузине Матильде, ну просто жить без нее не могла! А я ведь помню, что раньше только фыркала да прочь ее гнала, так что после свадьбы кузен с кузиной всего раз у нас с визитом и были, да и то считанные минуты. Теперь же никого больше и видеть не желает, только и слышишь: "Внученька дорогая". Так эта внученька Матильда у ложа больной дни и ночи просиживает, а больше никому и входу нет, ни мне, ни прислуге, ни кузену Матеушу. Нет худа без добра — пользуясь свободным временем, сумела я всю вишню переработать и зимние вещи от моли персидским порошком пересыпать.

...Все во мне так и замерло, глазам своим не поверила, уж не привидение ли мне явилось? Чтобы благодетельница моя сама поднялась с постели и ночью по дому разгуливала — такого еще не бывало. Кузина Матильда ее поддерживала, из библиотеки шли, а я, шум услыхавши, спустилась и их узрела. Полагая, что помощь моя понадобится в постель больную уложить,

поспешила к ним, а благодетельница моя, словно в доброе старое время, когда еще хвори ее не одолели, как накричит на меня, как забранится, ноги подо мною так и подкосились. Разгневалась на меня — спасу нет. "Пока жива, делать буду что мне заблагорассудится, и никто мне книг читать не запретит". Хотя никаких книг обе не несли. В прежние-то времена пани Заворская много времени с книжками в библиотеке просиживала.

И все последние дни благодетельница моя кузину Матильду от себя не отпускала, все ей на ухо что-то нашептывала. И кузина Матильда ей какие-то старые бумаги показывала, вроде бы письма, не могла я их как следует разглядеть, не было мне входу в спальню хозяйки, услышала только, как наказала кузине их сжечь. Что ж, каждая женщина хранит у себя письма в память о своей молодости, а перед смертью часто сжигает, я и не удивлялась. Правда, другие велят с собой в гроб положить...

Вот такого рода замечания панны Доминики, разбросанные среди записей хозяйственного характера, и подстегнули Юстину на подвиг, очень уж загадочными представлялись некоторые события. В последние годы своей жизни предполагаемая дочь Наполеона, бабушка прабабушки, передавала внучке какие-то фамильные тайны... Подручный кузнеца по пьяному делу какие-то секреты выболтал... В дом вломились какие-то неведомые злоумышленники... Сокровищ, правда, не нашли, но для чего-то ведь в доме производились какие-то непонятные перестройки... А вот интересные строки. Пан Ромиш высказал панне Доминике предположение — не подручный кузнеца владел тайной, слишком был молод, вероятнее всего, сам кузнец каким-то образом что-то разведал, а на старости лет проболтался. Подручный услышал звон, да не знал толком, где он...

Ах этот пан Ромиш, сколько сердечных страданий доставил он панне Доминике! Юстина от всего сердца пожалела милую, работящую и скромную девушку. Должно быть, не очень красивую, раз уж никто на нее не польстился, выходили же замуж бесприданницы даже и в те времена. Вот интересно, почему бабка прабабки оставила ей по завещанию всего жалких сто рублей? Ведь Доминика была ее дальней родственницей, а не только компаньонкой, экономкой, ключницей и вообще домоправительницей. Оставь она хоть немного больше — уже было бы приданое.

Все более заинтригованная историческими загадками, Юстина решила: невзирая на трудности, дневник обязательно прочтет. С помощью лупы, при дневном свете... Вот только, пожалуй, имеет смысл по мере прочтения переписывать его заново, тогда можно второй раз прочесть уже со вниманием, не отвлекаясь на технические трудности. Да, хорошая идея, так и сделает. До рождения ребенка, глядишь, и успеет расшифровать хоть часть прабабкиного дневника.

Юстина отложила до лучших времен записки панны Доминики и принялась за работу.

* * *

Родившуюся в начале осени девочку назвали Марией Серафиной. Всю свою жизнь новорожденная скрывала второе имя, первое же как-то сразу переделали в Марину, Маринку. Павлик пошел в школу, прибавилось хлопот, по крайней мере первый год приходилось отводить его в школу и встречать. Школа недалеко, но дважды нужно перейти улицу, семилетнего ребенка одного не отпустишь. Привыкшая к множеству прислуги родня не могла оказать помощи, Дорота, к примеру, в детстве не показывалась на улице иначе как в сопровождении лакея или горничной. Правда, Амелька была самостоятельной, но она сама посещала гимназию. Барбара слишком занята, на Марцелину же нельзя было все свалить. И тем не менее именно Марцелина, отправляясь утром за покупками, по дороге отводила мальчика в школу, но забирать его оттуда после уроков приходилось Юстине. Это время она использовала для того, чтобы заодно и малышку в коляске прогулять. Неудивительно, что расшифровка прабабкиного дневника шла медленно, но все-таки продвигалась.

Вести дневник прабабка начала в шестнадцать лет, и с самого начала ей было о чем писать. Девицу рано стали вывозить в свет, где она сразу же стала пользоваться бешеным успехом. Начинался дневник с описания упоительного кулига*, и у правнучки в глазах зарябило от всевозможных шубок, салопчиков, муфточек, меховых сапожек, растрепавшихся от мороза и ветра тщательно завитых кудрей. Затем следовало описание первого бала, начавшегося обязательной мазуркой. Некий пан Анзельм предусмотрительно занял место в третьей паре, а они "хоть и третьи, всеобщее внимание привлекли, посрамивши панну Саломею, уже третий год блис-

---

* Кулиг — традиционное катание на санях, обычно в несколько упряжек, часто с музыкой и пением, с обязательным заездом по дороге к соседям.

тавшую на балах". И следовало подробнейшее описание бального платья со всеми его рюшечками, оборочками и ленточками.

Юстине очень хотелось знать, где же состоялся этот первый бал прабабушки, которому предшествовал грандиозный кулиг. Наконец удалось из каракуль выхватить название местности: "...на третий день из Борек в Кренглево воротились". Ну конечно же, ведь прабабка урожденная Кренглевская. Интересно, чье имение были эти Борки? Может, прадедушки? Да нет, прадед владел Глуховом.

С трудом перевалив через кулиг, Юстина собралась было перелистнуть несколько страниц с деталями описания нарядов, да жалко стало. Того и гляди чуть заметные зеленые чернила совсем выцветут, и тогда уже никто в целом мире не прочтет прабабкины каракули. Канут в Лету все эти милые детали помещичьего быта середины прошлого века. В конце концов, никто ее не подгоняет, может без особой спешки расшифровывать текст.

Придя к такому решению, Юстина не только всю свою будущую жизнь прочно связала с прабабкиным дневником, она еще и своей внучке оставила достаточно нерешенных проблем. Ибо очень скоро описание кружев, корсетов, вееров и салонов сменилось записями о чрезвычайно драматических событиях.

Бедная, бедная Зосенька, моя подружка драгоценная, я уж полагала — близок счастливый финал с паном Вацлавом, и надо же, из-за какой-то малости все рушится! Родители его согласия на брак не дают, не женится ясновельможный пан Пшеславский на нищенке-бесприданнице. Обозвать нищенкой мою Зосеньку с ее полусотенным приданым! Со слезами поведала бедняжка мне об этом. Ее служанка Петронелла слюбилась с лакеем пана Вацлава и подслушала, как родители пана Вацлава мою Зосеньку нищенкой обозвали. Я все не верила, утешала Зосеньку, что сердце пана Вацлава над хуторами возобладает, да тщетны оказались мои надежды. Приехал он с визитом, а сам такой весь замороженный, словно те ледяные горы, что, говорят, по морям плавают, так холодом от него и веяло, и глаза от Зоси в сторону воротит. Специально оставила их вдвоем, и что же вышло? Тут же распрощался, Зосеньку, почитай, полумертвой бросивши. Какое счастье, что бабуля мне все состояние завещает, нищенкой меня никто не назовет!

И еще вижу я, что Петронелла счастливее своей хозяйки будет, ибо не деньги главное, а чувства двух сердец.

Прошло не менее двух недель, и Юстина убедилась, что счастье Петронеллы тоже проблематично, ибо лакей пана Вацлава объектом своих чувств сделал вдруг некую Теодору, служанку престарелой гетманши Мщчоновской. Гетманша терпеть не могла своего единственного наследника, легкомысленного и не уважающего старших племянника, и, умирая, назло ему оставила все немалое состояние прислуге, скрупулезно расписав, кому что. Упомянутая Теодора неожиданно стала обладательницей огромного богатства — целой тысячи рублей, так что лакей вмиг позабыл о Петронелле, воспылав горячей любовью к богатенькой Теодоре.

Упомянутое событие заставило Матильду призадуматься. Хоть и молоденькая, девушка, судя по всему, была совсем не глупой. Вот и сделала для себя выводы.

...Довольно времени обдумываю, как бы свое состояние скрыть. Не стану надевать жемчужное ожерелье с алмазным замочком, хватит и кулона с маленьким изумрудиком, к тому же он лучше подходит к платью салатового шелку с зеленой отделкой и веточкой из зеленого бархата у оборки, что по низу идет. И пусть на коленях клянется, что любит меня, а не мое приданое, — не поверю!

...Счастливая Гонората! Ни копейки за душой не было, ведь никто не мог знать, что моя мать такое приданое за ней даст. Гоноратка мне молочная сестра, ее мать, а моя мамка, уже давно скончалась, и жила Гоноратка в нашем доме из милости, а лесник полюбил ее большой любовью и без приданого хотел в жены брать. Собственными глазами видела я в лесу, как друг к дружке тянулись, аж меня всю в жар бросило. Уже как к алтарю шла Гоноратка с лесником, известно стало, что моя матушка Гоноратке хорошее приданое дает. В ноги ей оба повалились, от счастья слезами заливаясь, а и так ясно — не ради денег брал лесник Гоноратку. Вот и мне бы так бедной девицей прикинуться...

И тут еще страшный скандал приключился из-за старинного веера с громадным рубином в ручке. Кому-то бабка дала поносить и забыла кому, скорее всего — тетке Клементине, а веер возьми и потеряйся. Всю родню на ноги подняли, один на другого кивает, и никто не признается. Опосля веер тот моя мать

*нашла и бабке вернула, бабка его спрятала,
и в родне ссоры прекратились. А я один раз
всего и видела тот веер, мала была, а не за-
буду. Рубин в ручке словно огонек горел!*

Не очень помогло, однако, сокрытие жемчужного ожерелья с алмазным замочком. Очередной претендент на руку панны Матильды, некий пан Флориан, глупо проболтался, что прекрасно знаком с иму-
щественным положением молодой девицы. Матильде
он явно не нравился, она во всеуслышание раскри-
тиковала его длинный нос, близко посаженные глазки и даже позволила себе сделать не только бестакт-
ное, но и просто неприличное замечание о его ногах.
Они, видите ли, кривые. А она не желала иметь мужа
с кривыми ногами. Неизвестно почему.

Прежде чем добраться до первого упоминания о
своем прадедушке, Юстине пришлось немало сил и
времени потратить на многостраничные описания
трех бальных платьев, одной амазонки для верховой
езды с вуалью, трагедии по поводу прыща на лбу,
романа Петронеллы с новым конюшим и отломав-
шегося на балу каблука золотой туфельки.

*...Как пан Матеуш мазурку отплясывал! Я
словно по воздуху плыла, а глаза его сияли не
хуже фонарей. Первый раз увидела я его, не
знаю, кто такой, слышала лишь — недавно из
вояжа за границу воротился. Кажется мне
весьма энергичным молодым человеком. Неужели и он ищет богатую невесту? Если так,
я его только разочарую...*

Далее в своем дневнике на многих страницах прабабушка расписывала, как именно собирается симу-

лировать бедность. Меж тем пан Матеуш появлялся почти на каждой странице и вызывал у писавшей самые противоречивые чувства. То он был милый, то ужасный, то позволял собою помыкать, то, напротив, пытался помыкать ею, то его ожидали с нетерпением, то не желали вообще никогда больше видеть. С первых шагов знакомства молодых людей четко обозначились зародыши их будущих ссор. Похоже, ошалевшего от любви пана Матеуша ловкая девица все-таки обвела вокруг пальца, ибо он явно поверил тому, что Матильда — робкая и покорная.

Года через три, никак не меньше, продралась Юстина наконец к свадьбе прадеда с прабабкой, еле расшифровав историю их романа: предложение руки и сердца, сватовство, отказ, бурный разрыв, примирение, нежные объятия, официальное обручение. Только подготовка к свадьбе заняла у Юстины полгода, ибо неразборчивые каракули Матильды стали от нетерпения совсем уж кошмарными, так что Юстина вынуждена была часто брать отпуск, давая отдых глазам. Хотя ей доставляли просто чувственное наслаждение все эти ленточки и тесемки, пеньюары, кокарды, монограммы, драгоценности, которыми одарили невесту и жениха родители, бабуля, тетка Клементина, крестный, все эти перчатки, веера, зонтики, хрусталь и фамильное серебро, ларчики, фарфоровые статуэтки, часики и кружевные умбрельки*, все эти безвозвратно ушедшие в прошлое предметы обихода дворянского быта минувшего века. Хотя не так уж совсем исчезли, часть их сохранилась и прибыла сюда из Блендова, другие Юстина помнила, ну а остальные была в состоянии представить благодаря ярким описаниям прабабки.

---

* От франц. ombrelle — зонтик от солнца.

И вот на страницах дневника появилась она, интерциза. Перед вступлением в брак Матильда настояла на заключении брачного договора. По тем временам вещь неслыханная, никак не подобающая скромной девушке из хорошей семьи. Это по инициативе невесты ее папочка с помощью доверенного нотариуса составил документ, резко ограничивающий права будущего мужа. Ясное дело, скромная девушка сама осталась в тени, шума не поднимала, а тихонько и незаметно, но твердо настояла на том, чтобы папочка такой договор оформил. А все потому, что хотела быть любимой ради себя самой, а не ради приданого. В дневнике Матильда не скрывала своего удивления, что жених так легко на все соглашается, и даже высказала предположение, что он не очень умен. Однако... это не такая уж плохая черта в муже.

...вот я и не знаю, ведь все — и тетка, и баронесса, и пани Вальдецкая, и Кларисса, и многие другие — в один голос говорят: глупый муж — дело хорошее, была бы жена разумная, тогда его вокруг пальца можно обвести. Одна лишь пани Яворская не согласна: по ее мнению, нет беды большей, чем глупый муж, ну да я считаю, это из-за того, что ее муж все состояние спустил. Еще и по этой причине хочу интерцизу составить, тогда муж никак не пропустит сквозь пальцы мою часть. Надо же — интерциза, еще год назад я и слова такого не слыхивала!

Возможно, однако, что Матеуш меня и в самом деле любит. Так говорит моя Зосенька, настоящий ангел небесный. Совсем мне не завидует, хотя сама до сих пор удрученная ходит, но за меня радуется, я ведь вижу. А может быть, в расчет входит пан Хенрик. Он как-то так всегда к нам подгадывает, когда Зосенька у нас бывает, и хоть сердце ее разбито, приветным взором на него смотрит. Матеуша моего все чудом почитают, потому как сей молодой человек никаких долгов не наделал, имущество, отцом завещанное, не только не растратил, но еще приумножил и жениться может на ком захочет. Для него главное панна, а не приданое. И света божьего за мной не видит. Так Зосенька считает, и, полагаю, это правда. Как на меня глядит, очи огнями светятся, и мне это отнюдь не в досаду...

Влюбленному Матеушу как-то не пришло в голову, что, оставляя жене в полное распоряжение полученное ею в приданое имущество, он теряет практическую власть над супругой, и свадьба ничем не была омрачена. Выйдя замуж, Матильда целиком погрузилась в новый для нее мир молодой супруги, времени на дневник никак не находилось. Вернулась она к своим записям после возвращения из свадебного путешествия, и на страницы дневника потоком хлынули очень интимные признания. Юстина получила возможность убедиться, что в прошлом веке дамы вовсе не были такими уж сдержанными и хладнокровными, как можно было решить по произведениям художественной литературы того времени. Это только в печатных публикациях они выглядели такими.

Как помыслю, что пан Флориан со своими кривыми ногами ко мне подбирается — дрожь охватывает. Какое счастье, что я Матеуша выбрала! А ведь и не ведала, сколь он красив! Греческим богам подобен, видела я в Италии их статуи, ну, может, были то римские боги, Матеуш же утверждает — я и богинь прекраснее, и в оные минуты должно мне пред ним представать только лишь в одеяниях прозрачных. Я так и горю вся, а он чинит со мной все желаемое и соблазн творит, хоть и не сразу я ему всего дозволила. И средь бела дня, бывает, на меня жар накатывает и сердце колотится, как вспомню, что ночью нет с ним никакого сладу, а он и не на то еще готов.

Давеча с утра ужасная весть меня постигла: Зеня несчастная за пана Фулярского идет. Визит нам ответный сделала только с пани Липовичовой, дядюшка уже почти с кресел не поднимается, ну и удалось мне наедине с ней словечком перекинуться, пока Матеуш пани Липовичовую итальянскими кошками развлекал, обожает она кошек и от рисунков оторваться не могла. Зеня со слезами на глазах призналась мне, что отец ее к этому браку склоняет единственно ради своих интересов, с ее чувствами не считаясь. Пана Фулярского она не любит, мерзко ей о нем даже помыслить, в чем я прекрасно ее понимаю. Пан Фулярский, однако же, сулит ее батюшке полное содержание обеспечить, а они уже совсем средств лишились, кредиторы дома их не покидают, а кто тому виной, как не любезный дядюшка? Жена его, матушка Зенина, с горя да печали раньше времени Богу душу отдала, он же не только все состояние за границей спустил, но и здоровье в распутстве загубил, о хворях, какими страдает, мне Матеуш не-

много растолковал, когда я к нему из любопытства приступила.

Да и выглядит пан Фулярский отвратительно до невозможности. Сам толщины неимоверной, весь уж облысел, да зато из ушей волосья торчат, лицо все в прыщах и буграх каких-то, нос словно губчатый, здесь синий, там красный, а сбоку шишка. За едой так чавкает и сопит, что аппетит пропадает. Увидеть такое чудище без сюртука, а тем более без нижнего гардероба, по мне так лучше сразу в речке утопиться. И как помыслю, что несчастной Зене придется за мерзкого урода выходить и нежности от него терпеть, так самой впору в петлю.

Слезы Зенины в такое расстройство меня привели, что я не выдержала и со всем моим пылом принялась ее к бунту побуждать и о себе помыслить, в отчаяние не вдаваться и духом воспрянуть, слишком она отцовской воле покорилась. Пусть же этот отец сам пьет пиво, кое наварил, а Зеня при ее красоте беспременно достойного супруга дождется. Отцом-тираном забитая, не посмела пакостному жениху отказ дать, только в слезах из салона сбежала. Пришло тут мне на ум просветить Зеню относительно предстоящих ей супружеских обязанностей, ибо темная девица неимоверно, хоть в деревне живет. Неужто никогда не видела коней или коров при случке? От моих разъяснений ей худо сделалось и дрожь ее взяла.

В себя пришедши, решила пану Фулярскому полный афронт учинить, а по крайности *перед алтарем "нет" крикнуть. Но это уж последний скандал будет, и я совет ей дала наперед отцу твердо волю свою сказать, а пана Фулярского заблаговременно известить, чтобы дела до алтаря не доводить. Поклялась так и поступить, но вижу я — девица она духом слабая, хоть и твердила бесперечь: "Один конец, хоть в омут головой".*

В сотый раз почитаю себе за счастье, что заблаговременно уразумела, сколь велика сила богатства, а Зеня может на всю жизнь несчастливой остаться, разве что пана Фулярского в скором времени на тот свет отправит, что я непременно бы на ее месте сотворила.

Юстину так захватила история затерроризированной отцом несчастной Зени, что она с ходу одолела огромный кусок неразборчивого текста, желая узнать, чем же все закончилось. Когда выяснилось, что девушка вышла-таки за мерзкого Фулярского, Юстина расстроилась ужасно и надолго оставила дневник, с головой погрузившись в события современности.

Денежная реформа основательно подорвала благосостояние всей родни. Тетка Барбара потеряла столько денег при обмене, что даже говорить об этом спокойно не могла, и вскоре все почувствовали последствия на собственных шкурах. А тут еще начались неприятности с Амелькой.

Две старушки из крайней комнаты померли одна за другой, чего Юстина почти не заметила, хотя участие в похоронах и принимала. Их жилплощадь унаследовала Амелька, оказавшаяся, к немалому изумлению Юстины, уже совершеннолетней. Девушка нашла себе жениха, юношу из хорошей, но совершенно разорившейся семьи, теснившейся в двух жалких каморках. Теперь, располагая отдельной комнатой, Амелька вполне могла приютить там жениха. К тому же она жутко гордилась тем, что сама стала зарабатывать. Ей удалось закончить какие-то фотографические курсы, она целыми днями снимала уличные сценки, видимо удачно, поскольку ее работы охотно брали разные газеты и журналы. Что ж, девица самостоятельная, выходить замуж ей никто не мог запретить.

Сын Людвика Дарек получил аттестат зрелости, но ни в один столичный вуз не прошел по конкурсу, не было у него подходящих рабоче-крестьянских предков. Пришлось ехать учиться во Вроцлав, так что прибавились расходы на оплату его содержания, надо же было парню есть и где-то жить. Он выбрал профессию археолога.

Ядвига, для которой внук Юречек стал смыслом жизни, прислала его учиться в варшавской школе, в Косьмине не тот уровень, и удрученная неприятностями с Дареком Гортензия приняла мальчика на место сына. Отец Юстины Тадеуш вдруг стремительно начал стареть, здоровье его тоже как-то сразу пошатнулось, обнаружились неполадки и с печенью, и с желчными протоками. Родные не сомневались, что причиной всему дурацкие порядки в стране. Потомственный банкир Тадеуш никак не мог примириться с таким безграмотным в финансовом отношении понятием, как неконвертируемая валюта, а будучи сотрудником банковской бухгалтерии, постоянно имел с ней дело. У Дороты же стало пошаливать сердце. Зофья и Марьян постоянно жаловались на нехватку рабочих рук, шестидесятилетнему Марьяну уже не по силам было самому обработать двадцать гектаров, батраков же в наши дни днем с огнем не найти. Если бы не Ядвига с ее неизбывными силами, наверняка не справились бы с хозяйством.

И тут Юстина вновь почувствовала, что беременна.

Трудно приходилось Юстине в последние годы. На ней были тринадцатилетний сын Павлик, пятилетняя дочь Марина, больной отец, постаревшая мать, свадебные перипетии золовки Амельки, угрюмая и растерявшая энергию тетка Барбара, ухудшающаяся ситуация с продовольствием и еще многое другое. Как ангел-хранитель, заботилась она о родных, вдруг оказавшихся в безвыходном положении и нуждавшихся в ее поддержке, помогая всем и советом, и делом, ровным обращением смягчая приступы отчаяния и восстанавливая душевное равновесие. Единственной опорой был верный муж Болеслав, пока полностью здоровый и даже получивший какую-то государственную премию за достижения в железнодорожном деле. Да оставалась еще верная и вечная служанка Марцелина, на которой словно годы не сказались.

Идалька родилась в очень трудное время. Родилась дома, в больницу Юстина не успела. Болеславу удалось в последний момент притащить знакомую докторшу, докторша потребовала помощи, которую ей оказали Амелька с Марцелиной, Барбары дома не было. Идалька родилась просто в рекордном темпе, и тем не менее присутствие при процессе произвело на Амельку незабываемое впечатление. Услышав, что это были на редкость легкие роды, что обычно они проходят намного тяжелее, Амелька поклялась в душе никогда не подвергаться такому кошмару. И клятву сдержала.

* * *

К чтению дневника Юстина вернулась, когда Идальке был уже год и месяц. Возможно, сказалась невыносимо тяжелая окружающая ее действительность, захотелось отдохнуть душой, убежать в прошлое, в те благословенные времена. И, опять размышляя, из каких соображений прабабка, можно сказать, силой навязала ей свой дневник, Юстина подумала — а вдруг предчувствовала, что когда-то он станет для внучки единственным прибежищем?

С трудом разбирая чудовищные каракули, узнала Юстина, что приятельница прабабки Зосенька, та, с разбитым сердцем, воспряла духом, судьба вознаградила ее уже упоминавшимся паном Хенриком. Хенрик этот оказался первым дворянином, занявшимся совсем не дворянским делом, — на небогатое женино приданое построил сахарный заводик. Заработав на нем некоторые средства, смог завести еще и кирпичный, а уж разбогатев окончательно, занялся какими-то непонятными прабабке спекуляциями с железнодорожными акциями, что принесло и вовсе баснословные барыши. Удивлялась прабабка — ведь к алтарю молодые шли чуть не нищими, пан Хенрик унаследовал от двоюродного дяди крохотное поместье, да и то все в долгах, а вот сколотил же крупное состояние. Правда, немало сил это ему стоило, Зосеньке не мог уделять должного внимания.

Зато такое выдающееся событие, как рождение первого ребенка, сына Томаша, проскочило в дневнике прабабки почти незаметно. Может, неудобно было ей писать в постели, но вероятнее всего ребенок не занял много места в сердце и жизни матери. И опять невольно подумалось Юстине — что же, лгут классики? Ведь в произведениях таких писателей прошлого века, как Диккенс и Теккерей, молодая мама, произведя на свет младенца, уже белого света не видит, ненаглядное чадо заменяет ей все, мамаша не пьет, не ест, наверняка не моется, ибо не выпускает из рук драгоценную крошку, как мыться с крошкой? Муж позабыт-позаброшен, неудивительно, что появляются только того и ждущие куртизанки. Так что же, классики лгут, а бабуля правду говорит?

Правда же была такая: о сыне ни словечка, только краткая информация о его появлении на свет. И вот, бросив новорожденного на бабок и нянек, молодая женщина считает нужным отправиться на похороны дядюшки, Зениного отца.

...Вот и следовало Зене потянуть немного, и года не прошло с ее свадьбы, а отец и преставился. Теперь, глядишь, могла бы пану Фулярскому фигу показать, хоть за лакея, хоть за конюшего выйти, все лучше, ибо выявилась вещь невероятная: отец-тиран, что из-за бедности единственную дочь заставил за чудовище пойти, оказывается, буквально на сокровищах сидел, покойницей женой оставленных, и только сейчас это обнаружилось.

Дважды прочла Юстина такую поразительную запись, потом перепечатала на машинке и снова прочла. Нет, надо расшифровывать дальше, из этого куска ничего не поймешь.

Все были уверены, что дядюшка все растратил и жену свою, царствие ей небесное, по миру пустил. А тут вдруг выясняется — скрывал завещание кроткой супруги своей, которая все драгоценности дочери отписала. Трогать их не мог, должно быть, в завещании жена ему карой господней пригрозила, если сироту вко-

нец оберет, вот они и сохранились, а долги дядюшкины зять его пан Фулярский заплатил. А на мой разум, так никакого гнева небесного он бы не убоялся, видать, припрятал сокровища в чаянии лучших времен, покамест болезнь не отступит и опять распутничать сможет, да хворость не отступала, вконец одолела. Уже и ходить не мог, и в мозгах, должно быть, помутнение получилось, запамятовал, где спрятал сокровища, пусть земля ему пухом будет, хотя нет, пусть как следует его придавит, прости меня Господи.

Итак, приводя в порядок дом после похорон отца, Зеня велела сжечь в печи отцовские кресла, которые совсем уж развалились и смрадный дух испускали. Я, рядом стоявши, нос платочком затыкала. Зося ножницы в руки взяла и принялась вспарывать обшивку на сиденье и спинке кресел да в огонь горящего камина бросать. И моим глазам под толстой, прогнившей обивкой сиденья предстала в большом количестве бумага помятая, а под нею плоская деревянная коробочка вовсе без замка.

Я так полагаю — это мать ее, с того света на дочь взирая, бессловесно повелела ей эту последнюю услугу отцу оказать и собственноручно кресла его сжечь, чтобы оставленные сокровища единственному своему дитяти передать. Слуги беспременно покрали бы все, а так отыскалось завещание покойницы и ее драгоценности.

Далее следовало подробнейшее описание доставшихся бедной Зене сокровищ, которое Юстина прочитала с огромным удовольствием. Нет, такое чтение и правда в наши трудные времена целительным бальзамом изливается на душу и сердце. Особенно целительным оказалось описание медальона на цепочке, в каждое звено которой были вделаны небольшие рубины одинаковой шлифовки, сам же медальон был украшен алмазом размером с лесной орех, в окружении рубинов покрупнее. В медальоне Зеня обнаружила волосики. Из завещания матери следовало, что это были волосы маленького братца Зени, умершего в трехлетнем возрасте. Юстина даже подумала, что из-за этой прядки отец-тиран не тронул оставленных женой драгоценностей, но потом одернула себя: вряд ли столь сентиментальная мысль могла его остановить.

Интересно, что же Зеня сделала с этим медальоном? Юстина наскоро пробежала описание какого-то кошмарно безвкусного украшения, изготовленного из золота, эмали и всевозможных каменьев, "хотя и не крупных, но огнем горящих", ага, этот кич оказался брошкой, а вот и опять упоминание о медальоне:

...над медальоном и волосиками братца Зеня даже всплакнула, а потом опомнилась и раздумывать начала, как ей поступить с богатством этим неожиданным. Хорошо, на тот момент я при ней оказалась, не иначе промыслом Божиим, и совет дала — от мужа все скрыть. Никто окромя нас о нем не ведает, одна только ея нянька престарелая Габрыся при том случилась. Чувства нянькины к пану Фулярскому самые недружественные, она, нянька, ровно змея подколодная аж шипеть начала: "Шкрыть шокровишша", зубов-то у нее, по-

читай, не осталось. Поначалу Зеня никак не соглашалась от мужа скрыть, мол, он ей Богом данный, да я, заставив ее пообещать наперед, что просьбу мою беспременно исполнит, пояснила, как сама поступила, придано от мужа оберегаючи. Так и ей сделать присоветовала, а старая Габрыся меня поддержала. Рыдала Зеня в голос над волосиками братца, а тут супруг ее, пан Фулярский, явился. Хорошо, я успела коробку с сокровищами и завещание в складки платья сунуть, если что и заметит, скажу, мое это, но он, ничего не углядев, велел супруге в другую комнату выйти, воздух тут тяжелый, да Зеня не согласилась и на своем настояла, из чего следует — не такая уж она робкая, гораздо смелее стала после смерти отца-тирана. Что бы тому уважение дочери оказать и на год раньше помереть?

Поболевши о Зене душою, чуть было не забыла о новом родиче написать, что давеча объявился. На похороны дядюшки приехал кузен Базилий Пукельник, из нас никто и не слыхивал о таком. А вот вдруг выяснилось, что сестра покойного в свое время сбежала с учителем музыки и остаток жизни в дальних краях провела. Припомнили тут некоторые, был такой скандал в благородном семействе, хотя тот учитель музыки, пан Теофил Пукельник, из обедневшей шляхты выводился, а родня его прокляла за приверженность музыке, ради которой хозяйство забросил. Сестра же дядюшки имя носила тоже Теофила и сочла такое совпадение указанием свыше. Влюбилась она без памяти в бедного учителя. Жили они тем, что пан Теофил музыкальные произведения сочинял и сам же их на концертах исполнял, хорошие деньги за то получая, вот и выходит — правильно музыку сельскому хозяйству предпочел.

Признаться, я про все это только сейчас прознала, а больше всего поведала мне о Пукельниках тетка Клементина, которая их в Париже встречала. Пан Базилий, по слухам, в наших краях у деда по отцовской линии иногда живал для поправления здоровья, видать, дед уже помер. Бабка, мать пана Теофила, по мягкосердечию женскому внука приняла, и пожил пан Базилий у нее довольно. Так я себе представляю, ибо по-нашему этот парижский Базиль говорит не хуже нас. А как его родители скончались, он вернулся на отчие земли родных искать. По отцу никого уже нет, жалкое отцовское поместье после смерти бабки в чужие руки перешло, так он о родных по материнской линии вспомнил и дядюшку нашел, правда уже в гробу.

Молодой этот Базиль, года 24, не больше. И собой приятный, воспитание тонкое, манеры отменные, но в глазах невесть чего, Господь его ведает... Не нравится он мне. Смотрит умильно, а тут вдруг взгляд такой, ровно иглой уколет. Не иначе и сам о том знает, глаза сразу прикрывает или в сторону отведет. Так случилось, когда пан Фулярский с присущим ему тактом ляпнул, а на какие такие денежки молодой месье живет? Базиль так и вспыхнул, но со всем почтением ответствовал, мол, от отца ценные бумаги остались, тем и живет.

Пришлось Зене, единственной родной душе, оставить Пукельника этого в своем доме на малое время, и пан Фулярский слова поперек не сказал, ибо компанию любит. Зеня же ему компанию никак не составляет. На груди моей выплакалась, и из головы теперь не идет, сколь тяжкие муки доводится несчастной терпеть из-за супруга. Как вечер наступает, так ее всю трясет. Пыталась мужа допьяну упоить или накормить сверх меры, тот ведь печенью и желудком скорбный, вот Зеня и подсовывает ему куски пожирнее, да толку нет. А супруг ее, будучи не в силах супружеских обязанностей нормальным образом исполнить, к изощренностям прибегает и ее принуждает, так что с души воротит. Вот и подумала страдалица, может, кузен этот троюродный Базиль хоть в карты с ним по ночам играть станет, а ей послабление тогда выйдет.

Вот и дописалась! Через все эти Зенины переживания сон ужасный привиделся. Будто пан Фулярский в коленку целовал, и невесть почему было на нем седло с уздечкою. Так и стоит в глазах это седло, узкой серебряной змейкой обшитое и бирюзой разукрашенное. С жутким криком проснулась и Матеуша разбудила, пусть сделает что-нибудь, дабы мне позабыть поскорее пана Фулярского с его седлом и поцелуями. Много смеялся Матеуш услышанному, однако меры принял, и помогло...

Юстине пришлось оторваться от чтения дневника, так и не узнав последующей истории медальона с волосиками братишки Зени. Суровая действительность заставила вернуться в современность.

В Косьмине умер Марьян, на хозяйстве остались пожилые женщины — Зофья шестидесяти восьми лет и Ядвига, которой стукнуло пятьдесят пять. Ну и еще девятилетний Юречек. Мальчик надежды оправдывал, учился прекрасно и твердо решил в будущем хозяйствовать на земле предков, однако пока даже водить трактор ему было не по силам. Ядвига делала что могла. В страдную пору — в сенокос, жатву и при сборе овощей и фруктов — нанимала студенческую молодежь, тех, кто из крестьян. Поскольку стипендии мало на что хватало, парни и девушки охотно нанимались к щедрой Ядвиге. Весной же и зимой появлялось все больше проблем.

Пришлось Юстине с Гортензией отправиться в служебную командировку в Глухов. Там среди потомков прежних крепостных они надеялись найти кого-нибудь, кто бы согласился перебраться в Косьмин на должность батрака, так это называлось до войны, а теперь неизвестно как. Да и неважно, как его назвать, лишь бы сильным был мужиком. Впрочем, и баба пригодится, Зофья одна не справлялась с дойкой коров. Доходили слухи об изобретении электродоилок, и Барбара даже пообещала выписать такую из Америки, но когда это еще будет... Пока ей, Барбаре, следовало сидеть тихо, не дай бог кто проведает о ее швейцарских сбережениях. Теперь за такое и в тюрьму посадят, а раз сидеть неохота, то придется подождать до лучших времен.

Делегаткам повезло, отыскалась в Глухове немолодая супружеская пара, которая охотно переехала в Косьмин, — дети совсем из дому выживали. Одной проблемой стало меньше.

Сын Людвика Дарек закончил вуз и по распределению поехал обследовать печи для обжига глиняных горшков тысячелетней давности куда-то под Немчу. Будучи юношей спокойным и покладистым, он легко примирился с изгнанием, здраво полагая, что три года отработать — пустяк, зато потом полная свобода. Зареванная Гортензия выплакалась в жилетку Юстине, а потом с ее же помощью принялась снаряжать сыночка в дальний путь. А это было непросто, настали как раз такие времена, когда ничего нельзя было купить, все — и продукты, и ширпотреб — приходилось доставать с боем или отстаивать километровые очереди.

Не успели отправить Дарека, как умер Тадеуш, отец Юстины, должно быть, так и не сумел примириться с официальным курсом неконвертируемой валюты и покинул сей идиотский бренный мир. Возникли неимоверные сложности с похоронами. Сначала казалось совершенно невозможным перевезти гроб с телом в Глухов, чтобы похоронить Тадеуша в фамильном склепе, потом эти сложности удалось преодолеть, на что пошли остатки денег от бабкиных драгоценностей.

Естественно, всем занималась Юстина, больше некому. Дорота совсем поникла, Гортензия просто не способна была заниматься делами, остальных одолели собственные проблемы. Бедная Юстина из сил выбивалась, ей казалось — в каменоломнях или на каторге и то было бы легче.

Когда правительство наконец допустило некоторые послабления и тетка Барбара малость ожила — свалилась Марцелина, безотказная, бесценная Марцелина, безропотно обслуживавшая весь дом и выстаивавшая в очередях долгие часы. Это уже была катастрофа. Юстина позаботилась о ее лечении, сначала в хорошей больнице, а потом достала путевку в санаторий. После чего по просьбе Марцелины отвезла ее в родную деревню, где внуки с радостью приняли городскую бабку, явно рассчитывая на хорошее наследство. А из этой же деревни Юстина привезла себе домработницу, которая Марцелине в подметки не годилась, но лучше уж такую, чем совсем никакой.

Тем временем между Амелькой и ее молодым супругом начались трения. Пока они ссорились в своей комнате, родные старались не вмешиваться, когда же принялись гоняться друг за другом по всей квартире, причем Казик убегал, а Амелька мчалась следом с кухонным ножом, Болеслав счел целесообразным вразумить молодежь. Постепенно в конфликт оказалось вовлечено все семейство, не исключая и новой домработницы. Общими усилиями враждующие супруги были опять загнаны в свою комнату. Не исключено, что на Амельку повлияли не нотации старшего брата, а здравые высказывания молоденькой деревенской Фели. Выдирая из Амелькиных рук кухонный нож, она ворчала:

— Опосля войны проклятущей мужика уважать надоть. Да и бабу тоже. Хватит того, что эта сволочь Гитлер народу извел!

Итак, на руках у Юстины оказалось трое детей, один муж, одна тетка, одна золовка, один золовкин муж и одна прислуга. Восемь человек, если не считать себя, требовалось накормить, одеть-обуть. Барбара умела великолепно заваривать кофе и смешивать коктейли, этим ее кулинарные таланты исчерпывались. Правда, в силу своей предпринимательской деятельности она знала множество отличных рецептов, но лишь теоретически. Болеслав с его прекрасным довоенным образованием даже яиц всмятку не сумел бы сварить. Амелька все силы расходовала на любимое фотодело и ссоры с мужем, на большее ее не хватало. Старшие дети, Павлик с Маринкой, в этой обстановке научились обслуживать себя сами, умели и постирать, и погладить, и пуговицу пришить. К тому же Павлик неизвестно почему просто обожал готовить.

Первой эту непонятную склонность "барчука" заметила Феля. Не шибко грамотная, но весьма практичная деревенская девушка с восторгом восприняла помощь добровольца в стряпне, ведь работы по дому было невпроворот. Павлик же, этот необыкновенный мальчик, предпочитал возиться с обедом, а не гонять с дружками в футбол. Блюда у него зачастую получались весьма оригинальными, но, учитывая кризис с продовольствием, взрослые относились к этому с пониманием.

— Помяни мое слово, твой сын станет со временем шеф-поваром в лучшем ресторане мира, — сказала как-то Барбара, отведав изготовленный Павликом гуляш из рыбы под сладким соусом. — Очень, очень недурно. У нас есть какие-то кулинарные училища для мальчиков?

— Понятия не имею, — отвечала Юстина. — А у него несомненный талант!

— А что мне было делать? — оправдывался Павлик. — Без очереди сегодня только треска продавалась. Завтра обещают выбросить мясо, мне Феля купит.

— Может, Ядвига что пришлет из Косьмина.

— А ты и в самом деле мечтаешь стать шеф-поваром в ресторане? — недоверчиво поинтересовался Болеслав.

— А чем они занимаются, эти шеф-повара? Придумывают и готовят?

— Что-то в этом роде.

— Тогда хочу. Еще бы, клево! Только никому не говорите, меня парни на смех поднимут.

— Я бы тебя к себе хоть сейчас взяла! — вздохнула Барбара. — Но поговаривают, что налог повысят, придется сворачивать производство. Не понимаю, ведь и им невыгодно! Ладно, сверну, пережду. А Павлик пусть пока учится.

Благодаря неожиданной помощи сына Юстине удалось наладить порядок в доме, и она получила возможность опять обратиться к дневнику прабабки.

Трехлетняя Идалька играет в палисаднике под окном с соседскими детьми, Павлик с Маринкой в школе, Феля в кухне, остальные на работе. Наконец-то можно выкроить время и для себя.

* * *

Прадедушкина помощь в ликвидации последствий страшного сна оказалась весьма действенной. Вскоре Матильда обнаружила, что опять находится в интересном положении. Об этом написала мимоходом и недовольно, ибо интересное положение изрядно мешало путешествовать, а это стало модным. Следовало непременно нанести визит бабушке в Блендове, навестить Зосеньку, оправившуюся от родов, многочисленных родных и знакомых, у которых устраивались обручения, свадьбы и балы, осмотреть заброшенное поместье в Косьмине, где новый управляющий цветник переделал в сад, и еще многое множество мест. И вот среди записей вновь блеснул рубиновый медальон.

...а так бы ей подошел! — раздраженно писала прабабка, и это раздражение отчетливо проявлялось в каракулях, накорябанных явно в спешке. — *К новому платью Зени лучшего не найдешь. Так нет, показаться в нем не смеет!*

С паном Фулярским дела все хуже обстоят, и даже по секрету призналась мне — не выдержит, сбежит. Продай она материны драгоценности — денег достанет, а как продать, коли там братиковы волосики? Дала я ей совет волосики вынуть и в другой медальон переложить, а тот, наиценнейший, продать, тогда и на побег хватит. Зеня согласилась, хоть и жаль. Я ей помогу, вот только, Бог даст, от бремени разрешусь. Бедняжка от благодарности горючими слезами облилась. А пан Базилий так коротко с паном Фулярским сошелся, что диву даюсь.

Два года понадобилось Юстине, чтобы добраться до поразительных страшных событий, продираясь сквозь тысячи ничего не значащих мелочей. Интересное положение несколько ограничило свободу Матильды, и она волей-неволей погрузилась в хозяйственные дела. Целые страницы были заполнены описаниями дней, похожих один на другой, и планированием нарядов, которые можно будет носить после рождения ребенка. Подробно излагался роман судомойки с конюхом, далее следовали рассуждения о копчении окороков в можжевеловом дыму, который, однако, как стало ясно, более подходит для колбас. Очень коротко сообщалось о рождении Ханны и сложностях с купанием, причем выяснилось, что никто лучше Матеуша не умел ее, Матильдиных, ножек после купания вытереть.

Сенсации начались после визита Зени.

...верхом на коне прискакала! В полном отчаянии, не иначе как пан Фулярский в разуме

помешался, козни строит и жену от себя ни на шаг одну не отпускает, так его ревность обуяла, даже ко мне с визитом уперся ехать, а где это видано, чтобы мужчина роженице визит наносил? Пришлось Зене, пока спал, велеть верховую лошадь приготовить, дабы лишнего шуму не наделать, не то окаянный пробудится и бед натворит. Вот и прискакала ко мне на своей Мариетке, с одним только конюшим, дабы о состоянии здоровья из моих уст услыхать. Много тем радости мне доставила и аж до слез умилила. В своем здоровье я совершенно благополучна и давно бы на ногах была, кабы повивальная бабка не твердила, что от раннего вставания после родов фигура у дамы портится. Тут часы пробили и Зеню спугнули, ведь вроде как на краткую прогулку верхом выбралась, а конюший этот — лицо доверенное и барыни не выдаст.

...и что же узнаю? Только Зеня мой дом покинула, как навстречу ей слуга скачет, видать, не один конюший о визите ко мне извещен был, и слуга тот громким голосом о несчастье, случившемся в их доме, кричит. С ясновельможным паном случай страшный приключился, и навряд ли его в живых застанут. На эти слова Зеня Мариетку хлыстом стеганула и домой устремилась. А наш лесник все это слышал и к нам тотчас с известием прискакал.

Матеуш немедля к Фулярским поехал. И что же оказалось? После сытного обеда пан Фулярский в своих креслах у камина заснул, как имел обыкновение, особливо в последнее время, делать. Храпел изрядно, платком голову накрывши, и камердинер обязательную старку ему принес, на пальцы ступая, дабы грозного барина не разбудить. Чарку на столик поставил и тихо из комнаты удалился. А барин все спал и спал, слуги уж судачить стали. Тем временем пан Базилий из охотничьего домика воротился, где себе оружие для охоты на кабанов готовил, и, о долгом сне барина прознавши, в кабинет пошел. Время, мол, кузена пробудить. Двери отворил, страшным голосом вскричал и в кабинет вбежал, а следом за ним и лакей Петр.

И предстал им вид ужасный: пан Фулярский лежит на полу, головою на камнях, что перед камином выложены, и жизнь его уже покинула. Матеуш своими глазами то видел, как доехал, ибо боялись пана Фулярского с места сдвинуть, покамест доктор не прибудет, однако водой болезного поливали и в уста ему старку влить исхитрились. Медвежья шкура, что перед креслами с давних пор постелена, на тот час сбитая в ком у камина валялась, и Матеуш предположение сделал: должно быть, пан Фулярский, нездоровье почуявши, с кресел встал, об эту шкуру поскользнулся и головой о каминные камни ударился. Затылком аккурат на камень угодил, и доктор того же мнения.

Со смертью мужа Зеня свободу обрела и Господа благодарит в душе, наружно скорбь должную проявляя. Мне одной в скрытости духа призналась — за столь благодетельную перемену в ее жизни молитвы Всевышнему возносит, а могла и на преступление пойти, потому как сил не стало долее супруга ненавистного ласки выносить. Молвила мне втайне и того более: о ли-

шении жизни пана Фулярского помышляла, ножом горло извергу перерезать или же камнем тяжелым голову разнести вдребезги: в последнее время муж ровно с цепи сорвался, Зеня, почитай, беспрерывно мылась да терла тело, кое ей самой немило стало. Многократно мужа допьяна напоить пыталась, да и сама напивалась, чтобы ничего не чувствовать. Столь страшные признания услышав, с ужасом глядела я на подругу, ведь по наружности и не подумаешь, сколь тяжкие муки она претерпевает. Пригожести у Зени нисколько не убавилось, хотя заботы о наружности не проявляет и волосы постоянно в беспорядке по плечам рассыпаны.

А вот еще о чем непременно следует запись сделать...

И Юстина узнала о ряде совсем уже детективных подробностей, которые Матильда, перебивая сама себя, торопилась запечатлеть на страницах дневника. Оказывается, покойный Фулярский недавно оформил у нотариуса новое завещание. По нему все состояние переходило к его супруге, в то время как в соответствии с прежним завещанием немало оставалось каким-то дальним родственникам. То обстоятельство, что склонил его к перемене завещания Базилий Пукельник, заставило было Юстину сделать кое-какие предположения, но, как оказалось, она поспешила с выводами.

Детективная фамильная история развивалась в хорошем темпе. Сначала выяснилось, что пана Базиля в момент кончины Фулярского все-таки не было в дальней лесной сторожке, где он якобы готовился к охоте, хотя лошадь его там и видели. "Конь на привязи стоял, а самого барина не было", — утверждал лесник, оказавшийся у сторожки как раз в то время, когда, предположительно, при столь странных обстоятельствах скончался пан Фулярский.

Потом Зенин батрак, с трудом упросив горничную Матильды, чтобы допустила его к барыне, лично признался последней в своем наблюдении. Сбежав от работы в коровнике, он по барскому двору шлялся и из любопытства прокрался под окно кабинета. Сквозь кружевные занавеси парень заглянул внутрь и, по его словам, видел "двух человек в комнате, как один другого словно из кресел поднимал, на пол его клал, и тот словно неживой был". А потом, схватив подушку, неизвестный мужчина, вместо того чтобы "неживому" подложить под голову, что-то с ней делал, пригнувшись к полу, — занавески мешали разглядеть, что именно, — а потом швырнул обратно в кресло. Тут батрака окликнули, и он, опасаясь наказания за безделье, отскочил от окна и помчался к себе в коровник, но, обернувшись, успел заметить, как мужчина какой-то вылезает из кабинетного окна. Мужчину батрак не опознал. А сенсационное признание Матильде сделал не сразу, а лишь после того, как по деревне поползли слухи о кончине барина при подозрительных обстоятельствах. Наверняка, выслушав показания батрака, Матильда вздохнула с облегчением, ведь не могла не заподозрить свою подружку Зеню, хотя та со своим конюшим у нее же в гостях находилась, когда пришло известие о скоропостижной кончине пана Фулярского. И подговорить кого-нибудь убить постылого мужа — рассуждала автор дневника — тоже не могла, одно у нее доверенное лицо — конюший, так он был в это время вместе с хозяйкой у Вежховских.

События следуют одно за другим. Торжественные похороны пана Фулярского, на которых Зеня "на гроб не кидалась, горючими слезами вдовьими не заливалась, но под черной траурной вуалью как надлежит, благопристойно выглядела", а после поминок опять верхом в сопровождении конюшего приехала к подруге. Не только у Матильды, но и у Юстины уже возникли весьма серьезные подозрения насчет этого конюшего, слишком уж часто сопровождает он свою хозяйку в ее прогулках верхом. Ну, так и есть.

...Эдмунд его зовут. Поначалу ужас меня обуял, но, умом пораскинув, одумалась я, может, оно и к лучшему? Фамилия Ростоцкий, шляхетского роду, хотя и мелкопоместного, а мало ли достойных дворян не по своей вине разорились? А дивиться не след, молодой да пригожий, ровно мой Матеуш, где там пану Фулярскому. И теперь наставляю Зеню, остереглась бы показывать склонность свою к конюшему, а особливо бы ребеночек не приключился, да Зеня заверяет — не дошли они еще с Эдмундом до таких интимностей.

В этом месте драматическое повествование прабабки прерывалось длиннющим, в полстраницы, предложением, по всей вероятности содержащим в себе развязку сенсационных событий. Юстина с пылом бросилась его расшифровывать, потратила уйму времени и впала в бешенство, выяснив, что совершенно нечитаемый текст заключал описание каких-то сногсшибательных подвязок, глубоко потрясших прабабку. Цвет, ленточки и эластичность новомодного изобретения выбили из головы легкомысленной основательницы рода все прочие события.

Прежде чем опять приняться за сизифов труд, бедная Юстина должна была как следует передохнуть и успокоиться. Пообщалась с Фелей, выпила холодной воды, выглянула в окно. Убедилась, что ее дочурка спокойно играет в песочнице, в данный момент пытаясь свое жестяное ведерко насадить на голову соседскому мальчику. Успокоившись, Юстина вновь взялась за чтение. К счастью, прабабке удалось придерживаться темы, лишь немного отвлеклась на описание неудобных подушек, на которых пришлось спать в доме Зени. Писала она уже после возвращения домой.

Муж Матильды Матеуш сразу заподозрил убийство, не поверив в естественную смерть соседа, у которого в недоброжелателях, учитывая характер последнего, недостатка не было. И решил лично осмотреть место преступления.

Я так подгадала, чтобы Зени дома не оказалось, и довольно времени мы с Матеушем одни в их салоне пробыли. Матеуш немедля в кабинет прошел, лично кресла пана Фулярского опробовал, в них посидевши, а также шкуру медвежью ногами сбить в ком попытался. После чего головой покрутил и заметил, мол, вовсе не просто это, никак нельзя на такой поскользнуться. И была это чистая правда, ибо и я, сколь ни старалась, скомкать шкуру не сумела. Матеуш же, камин со всех сторон оглядев, причиндалы каминные в руки брал и, на колена опустившись, плиты каминные внимательно оглядел.

Короче, Матеуш на свой страх и риск провел самостоятельное расследование: осмотрел место преступления, со двора заглянул в окно кабинета и убедился, что сквозь занавеску батрак действительно мог видеть момент убийства, потом порасспросил прислугу, которая подтвердила: "Ясновельможный пан опосля обеда почивать изволил, а ясновельможная пани с конюшим верхами уехали, панич же Пукельник еще раньше, взявши ружье, в охотничий домик отправился". Все слуги, воспользовавшись отсутствием господ, собрались в кухне и устроили себе на свободе пиршество. "Известно ведь, кот из дому — мыши в пляс, а тут и пани Липовичовой не было, к сродственникам поехала. Кухарка в тот день на вечер новое блюдо замыслила, шарики какие-то чудные из мяса разного, и все пробовать рвались, а кухарка с охотою теми шариками всех потчевала, больно ей интересно было, которое мясо наилучшее. Прислуга меж тем косточки господам перемывала, а больше прочих панне Зажецкой, что намедни с Парижа воротилась, и скандал там какой-то с французиком учинился".

Потерев слезившиеся глаза, Юстина оторвалась от вкривь и вкось разъехавшихся, чуть различимых строк. Легкомысленная прабабка, ничего не скажешь. Впрочем, может, Павлика заинтересует старинный рецепт? А тут еще какая-то панна Зажецкая невесть откуда взялась. И без того голова идет кругом от бесконечных родных и знакомых, сколько же их еще всплывет? Как бы то ни было, за шумом и гамом прислуга могла ничего не услышать. А главное, из дворовых никто не отлучался, сидели все кучей, так что алиби у них железное. "До тех пор сидели, покуда панич Базилий не воротился, сразу его услыхали, ибо с великим стуком ворота отворял и людей громко звал, чтобы коня привязали".

Убедившись, что пан Фулярский убит, а не умер по неосторожности, поскользнувшись на медвежьей шкуре, Матеуш принялся настаивать на немедленном вызове полиции, однако бабы воспротивились. "Зеня Матеуша со слезами просила все свои сумления при себе оставить, не желает она, Боже упаси, полицию в дом пускать, скандал ведь получится на всю губернию, от сплетен да пересудов житья не будет, и я с нею во всем согласная".

...Всю обратную дорогу с Матеушем в карете ссорилась, Кларчу на козлы отправивши.

Злость меня разобрала на мужа, не внимал Матеуш голосу рассудка, за благо почитая непременно убивца на виселицу спровадить. Решил по всему уезду шум великий учинить, полицию на злодея напустить, а для того с рассветом к полицмейстеру отправится и все свои изыскания представит. На то я в гневе вопросила: никак пан Фулярский ему братом или сватом приходится, иначе на кой ляд себе тягости причинять? На то Матеуш: ни сват, ни брат, а справедливости ради. На то я: хороша справедливость — жандармы в доме. И чем бедная Зеня провинилась, пошто ей такой стыд на всю округу, ведь подозрение и на нее пасть может. Матеуш на то, голос возвысив: каким это манером на Зеню подозрение падет, коли она аккурат в ту пору в нашем доме пребывала? На то я ему незамедлительно: не токмо мне, но и тебе доведется на Библии клясться, что фактически у нас Зеня была, тем самым и против себя подозрения возбудишь. Матеуш, ошалевши малость, в полный голос вскричал: "Какие такие подозрения?!" Тут я с улыбкою отвечаю: "Лжесвидетельства перед полицией своей по-

любовнице выставляешь". Самую малость не задохнувшись, прохрипел Матеуш, мол, спятила, видать, баба, его в Зенины полюбовники приписавши. Неведомо, говорю, кто из нас более спятивши. А то не знает, с какой легкостью люди сплетни распускают, из мухи слона делают. Из справедливости своей еще и жену родную по жандармам затаскает, тиран, изверг, мучитель, небось прислуга видала — Зеня у постели моей почитай все время просидела.

Пером не описать, сколько я сил на мужа упертого положила. Фыркал, кипятился, "не по справедливости это" твердил, однако же по-моему вышло. Дабы Матеушу справедливость облегчить, припомнила, что злодей никакой корысти из своего преступления не получил, из дома ничего не украл, понапрасну, выходит, живую душу загубил, разве мстил за что, ну так Господь его покарает. Уж напоследок Матеуш грозился, коли опять какое злодейство обнаружится, непременно по справедливости все учинит и уж тогда спуску не даст. На это я была согласная.

* * *

Разумеется, эту потрясающую историю прочесть одним духом Юстина не могла, хотя ее и очень увлекла, так сказать, многосерийная детективная повесть середины XIX века. К сожалению, приходилось все время отрываться по всяким уважительным причинам современности. Первой из них явилось жестяное ведерко. Идальке удалось-таки непонятным образом вбить его на голову соседского мальчика, при этом ведерко погнулось, и снять его не было возможности. Мать мальчика устроила Юстине громкий скандал, требуя немедленной помощи, сам пострадавший ревел трубным голосом, так что по крайней мере ясно было — не задохнулся, но оставлять несчастного с этим сомнительным украшением на голове тоже нельзя. Взрослые сбились с ног, и только уже ближе к ночи с ведерком удалось расправиться. Профессионала-жестянщика запыхавшийся Болеслав разыскал аж на вокзале Варшава-Западная, ближе не оказалось.

Следующие три недели отняла Амелька. Она вдруг принялась толпами водить в квартиру молодых и красивых девушек, которых фотографировала в своей комнате, превратив ее в фотоателье. "Художественное фото" — так назывались портреты, от которых, как утверждала Амелька, зависела и ее собственная карьера, и карьера ее моделей. От этого нашествия для Юстины во всем доме не нашлось спокойного уголка, чтобы почитать дневник; мало того, что девицы оказались на редкость непоседливыми, их еще надо было целыми днями кормить-поить, не держать же впроголодь этих симпатяг, а на каждый портрет у Амельки уходила прорва времени.

После Амельки на сцену выступила Марина, старшая дочь Юстины, девочка в принципе смирная, уравновешенная. Никогда раньше она не доставляла матери хлопот, а тут вдруг Юстину вызвали в школу, ибо ее старшая доченька в кровь расцарапала лицо однокласснице. Выяснилось, что та обозвала Маринку "наполеоновской любовницей". Классная руководительница в подробностях описала предысторию случившегося, явно осуждая Маринку. Видите ли, она хвасталась своим происхождением по прямой линии от французского императора! Это, естественно, вызвало раздражение одноклассниц, воспитанных на уважении к своим рабоче-крестьянским предкам, лучше всего — неграмотным, чернорабочим, безлошадным и безземельным. Контраст между неграмотным батраком и знаменитым императором был столь велик, что современная молодежь такого не выдержала и позволила себе неуместные инсинуации, в результате чего не выдержала Маринка.

— Что за дурацкие вымыслы с Наполеоном? — в изумлении спросила дочку вернувшаяся из школы Юстина.

— Почему же дурацкие? — хлюпая носом, возразила Маринка. — Ведь бабуля сама говорила.

— Какая бабуля?

— Бабушка Дорота.

В это трудно было поверить. Юстина хорошо знала свою благоразумную мать, никогда она не была склонна ни к фантазированию, ни к вракам. И склеротичкой пока тоже не была.

Видя сомнения матери, Маринка добавила:

— И дедушка Людвик тоже.

— А что они говорили? Напомни мне, пожалуйста, что-то я позабыла, — попросила Юстина.

— А тебя, мамочка, при этом не было, — высморкавшись, оживилась Маринка. — Очень давно говорили, я еще маленькая была. Что на том портрете их бабушка, которую император Наполеон полюбил больше жизни, когда у нас в Польше оказался, в войну это было, и женился на ней, может не взаправду, но детей у них было множество, и все эти дети — как раз наши родственники.

Ну конечно, у ребенка все в голове перепуталось. Основательницей их рода была прабабушка Матильда, но на портрете изображена вовсе не она, а ее прабабка.

— Да ведь Наполеон вовсе не нашу прабабку полюбил! — вырвалось у Юстины. И хотя тотчас же прикусила язык, дочка подхватила:

— А чью же?! Расскажи, мамуля!

— Совсем другую прабабушку, которая еще раньше жила. И не женился на ней, потому что... потому что времени у него не было, война ведь шла. И никто не знает, были ли у них дети, так что вовсе неизвестно, от них ли мы происходим. Но все это было так давно, что уже не в счет.

Дочка долго молчала.

— Так ведь было же! — упрямо повторила она, подумав.

— Я же тебе объясняю — точно никто сказать не может. А раз не точно, так и говорить нечего. Вот я сейчас читаю дневник нашей прабабушки, так там об этом ни единого слова. А ведь она наверняка знала, чья она внучка, особенно если была внучкой императора. В те времена это имело значение, а сейчас об этом лучше не упоминать.

— А почему? Теперь это не имеет значения?

— Теперь от этого могут быть одни неприятности.

— А почему?

Юстина поняла — чтобы ответить на такой вопрос, придется подняться от простой материнской заботливости до высот дипломатии и даже политики.

— Потому, — рискнула она, — что очень много людей не любит императоров. А также королей и царей. Очень много народу жило в нищете, а все эти правители — в богатстве и даже роскоши. Люди, которые теперь, после войны, пришли к власти, не хотят вспоминать о прежних несправедливых временах. Теперь наверху оказались те, что раньше были бедными, и просто бестактно напоминать им об их прежней бедности.

Девочка вроде бы ухватила суть.

— Это как попрекать кого-нибудь, что не умеет есть культурно, не научился пользоваться ножом и вилкой?

— Что-то в этом роде. Некрасиво. Научится и будет есть культурно.

— Ну ладно, скажу девчонкам завтра, что я ошиблась, пусть отвяжутся. И еще я сама хочу прочитать дневник прабабушки.

— Хорошо, вот подрастешь немного...

— А я сейчас хочу!

— Сейчас тебе нельзя.

— Почему?

— А потому... — начала Юстина, чувствуя, что ее запасы материнской дипломатии уже иссякают, и вдруг сообразила: — Впрочем, читай, если хочешь.

Она оставила дочери дневник, убрав лишь перепечатанную на машинке часть. Маринка жадно накинулась на добычу, но очень скоро поняла, что разобрать каракули прабабушки ей не по плечу, и охладела к истории. С этой проблемой на время было покончено.

Следующую создала Барбара. В последнее время она стала очень нервная, главным образом по причине того, что с каждым днем ухудшалось ее материальное положение из-за дурацких порядков в стране. В нервах она с такой силой крутанула кран в ванной, что вырвала его со всеми потрохами, в результате чего пришлось делать ремонт и менять всю сантехнику. Три недели в квартире был совершеннейший бедлам, семейство лишилось удобств, а за рабочими, разумеется, присматривала Юстина.

Только через два месяца сумела Юстина спокойно засесть за дневник прабабки и вникнуть в запутанные перипетии похождений панны Зажецкой. Похоже, и Матильду они увлекли не на шутку, так как описаны были одним духом, без перерывов и посторонних вставок.

Богатая наследница рода Зажецких по достижении шестнадцати лет для завершения образования и приобретения великосветского лоска была отправлена в один из дорогих французских пансионов. Шустрой девице надоели скучные порядки полумонастырской жизни, и с помощью разбитой горничной-француженки панна Зажецкая ухитрялась тайно покидать пансион, предаваясь ночным развлечениям славного города Парижа. Большое, а возможно, и решающее участие в этом мероприятии принял некий виконт по имени Жан-Поль и неизвестной фамилии, ибо пользовался несколькими, и наверняка ни одна из них не была настоящей. Роскошные формы молоденькой польской панны возбудили в виконте пламенную страсть, поначалу на расстоянии, а потом вплотную, что привело к совершенно ужасающим последствиям. Правда, сомнительный виконт соглашался покрыть законным браком эти самые последствия, но кто же станет выдавать родную дочь, пусть и падшую, за какого-то французского голодранца?

Благородное семейство энергично принялось за дело. Раструбив повсеместно о болезни панны, ее увезли в глухую деревушку, где она и произвела на свет потомка, оставив его в той же деревушке здоровой бабе, которой теперь предстояло вместо одного выкармливать двух малышей, а панну Зажецкую в отличном состоянии доставили на родину. Правда, за нею тянулись длинным шлейфом сплетни, предполагалось, что того и гляди следом явится влюбленный виконт, ибо полюбил панну безумно;

да и она к нему расположена. Весь уезд буквально гудел, все возмущались папенькой и маменькой Зажецкими, которые как ни в чем не бывало вывозили дочь в свет, словно выставляя напоказ в салонах и на балах. Случись такой конфуз с кем другим, объявили бы единодушный бойкот проштрафившемуся семейству, однако миллионы Зажецких сделали свое дело, и скандал потихоньку догорал, придавленный золотым плащом.

Красочное описание громкого скандала заняло у Матильды целых пять страниц убористого текста, а у Юстины — полгода. После чего в дневнике опять всплыл детективный сюжет.

Довольно времени прошло, и Зеня вновь, чуть развиднелось, верхами с конюшим своим прискакала, хоть погода и ужасная, сама будучи в состоянии еще более ужасном, так вся и тряслася, словно лист осиновый. Пришлось бедняжку отпаивать водою студеною, коньяком французским и соли нюхательные применять, тогда только в себя чуток пришла и речь связную повела, а не одни восклицания без смысла. Уразумевши, что приключилося, и я в ужас пришла и тоже коньяка глотнула, хоть отвратное это питие паче всякия меры.

Намедни эта вещь ужасная приключилась, как Зеня прием у себя устраивала. Шумские князь с княгинею письмом извещали, желают-де с нею свидеться и с нотариусом Вжосовским, поскольку они проездом здесь случились, а то Зене не в диковинку, у нее чуть не каждый день гости пребывают в доме. И меня с нарочным приглашала, да мне не с руки было к ней выбираться, свои гости нагрянули, о чем теперь и сожалею, да кому же загодя промысел Божий ведом?

И вот вчерась под вечер Зеня принарядилась, дабы гостей достойно встретить, и быстрым шагом из гардеробной вышла, что на втором этаже ее дома помещается. К лестнице шагнувши, почуяла вдруг, как застежка в панталончиках отпустила, и панталоны почитай до полу сползли. За благо сочла, что еще сама с лестницы не сошла, лишь ногу занесла, и тут ее ровно что за щиколотку ухватило. Как в землю врытая наверху лестницы замерла, однако же покуда ничего дурного не помыслила. В гардеробную воротившись, громким звонком горничную свою Флорку снизу в нетерпении вызвала, ибо времени совсем не осталось, уже стук кареты княжеской слышался. И тут же грохот и крик в доме раздалися.

Выглянула Зеня на лестницу и свою горничную Флорку узрела. Девка как раз со смехом с полу встала и перед барыней извиняться принялась за свою неловкость, мол, поспешаючи на зов, по лестнице взбежала, на последней ступеньке споткнулась и на пол свалилась. И тут, молвила Зеня, меня ровно что кольнуло и все поняла. Надела другие панталоны, Флорке велела в гардеробной остаться и прочие туалетные принадлежности в нужный вид привести, дабы впредь такая конфузия не приключилась, сама ножнички прихватила и из гардеробной вышла, двери затворив. У лестницы на колени встала и, как там темно было, на ощупь у первой ступеньки препятствие обнаружила, что давеча за щиколотку ухватило.

119

Не дыша внимала я Зене, то в жар, то в холод меня кидало, и дурное предчувствие в душе зародилось. Ну, так оно и обернулось. Нитку Зеня нащупала в полутьме, привязанную одним концом за балясину под перилами лестницы, а другим — за гвоздь в деревянной панели на стене. Кабы в спешке за ту нитку — нитка-то не обычная, а такая, которою мешки сшивают, тонкая да крепкая, — кабы, молвила, за ту нитку в спешке зацепившись ногою, с самого верха лестницы свалилась, все ступеньки пересчитавши, в живых мне не быть. Вот и получается — панталончикам жизнью обязана.

И я о том же подумала, и опять мы с подружкою коньячком подкрепились. В Зенином доме никаких шаловливых детишек не водится, что могли нитку крепкую поперек лестницы привязать.

Тут Зеня, подружка моя бесценная, и о других злодействах мне поведала. До сих пор молчала, меня беспокоить не желая, а теперь молчать мочи нет...

"Злодейства" заключались в нескольких покушениях на жизнь Зени: то на нее с высоких консолей при входе в вестибюль свалилась массивная мраморная фигура, лишь чудом не прибив, то ее пытались отравить, подбросив яд в любимое черносмородиновое питье (отравилась вылакавшая его собака), то оказалось надрезанным крепление ее седла, которое непременно свалилось бы вместе с Зеней во время бешеной скачки по оврагам. К счастью, в последнем случае конюший Ростоцкий вовремя заметил непорядок и как следует закрепил седло, сообщив об этом хозяйке лишь после прогулки.

120

Услышанное заставило Матильду призадуматься, ведь она обещала Матеушу обязательно сообщить, если опять станет известно о каких-нибудь преступлениях, а рассказ Зени несомненно свидетельствовал о злом умысле. Пока она решала, как быть, в комнату вошел Матеуш и был весьма изумлен, "двух баб средь бела дня за коньяком увидев. Слова злого не молвил, только поучил маленько, дескать, даже актриски пить лишь ближе к вечеру начинают".

.....Я молчала, все еще сомневаясь. Зеня, однако же, доверие большое к Матеушу питая, просила добрый его совет, наперед заставив пообещать, что без ее согласия ничего не предпримет. Мне бы Матеуш никогда на уступки не пошел, но как Зеня ему не жена, хоть и дальней родней приходится, пообещал.

А услышав обо всем происшедшем, сам коньяку довольно хлебнул и даже о втором завтраке мне припомнил, однако неудовольствия не выразил, хотя и мой то был недосмотр. Признать надобно, часто так вот Матеуш хорошим мужем себя показывает и не совсем глупым. И тут он прав, мужчине натощак мыслить никак невозможно, а в Зенином случае видится ему дело весьма серьезное.

Распоряжения по хозяйству на скорую руку выдавши, накрыла я изрядный стол, и мы втроем принялись за еду. Любопытно мне было, какие светлые мысли мужнин разум осенят. В дневнике перед собою признаюсь, истинно светлые.

Матеуш поинтересовался, не имеется ли в Зенином доме каких ценностей, ради которых преступники идут на такие ухищрения. Получив ответ, что за сто лет ее предки не только не приумножили семейных богатств, но последнее растратили, так что никакие припрятанные клады не могут соблазнять злоумышленников, Матеуш спросил — а как же с унаследованным ею имуществом покойного мужа? Оказалось, Зеня перевела его в бумаги, которые хранятся в банке. Похвалив Зеню за такую предусмотрительность, Матеуш задал бестактный вопрос, написала ли она завещание. Смутившись, Зеня призналась, что пока нет, ведь она молода, здорова, к чему спешить? "Я-то истинную причину знала, — писала Матильда, — да помалкивала. Матеушу же, как всякому мужчине, ничего путного на сей предмет в голову не пришло, хотя навряд ли о пане Ростоцком не слыхивал".

И тут Матеуш удивил своих собеседниц, предложив им поехать на воды. Его супруга с радостью ухватилась за эту мысль — щегольнуть и развлечься она всегда любила, да Зеня неожиданно отказалась, не желая оставлять хозяйство без присмотра. Обе женщины понимали, куда он клонит: на время Зене следовало бы покинуть опасное для нее место. Зеня проявила недюжинную сметку, сама задав вопрос, не лучше ли ей выйти замуж и тем самым решить проблему, завещав все имущество супругу, тогда неизвестным преступникам не будет смысла лишать ее жизни. "Матеуш душевно возрадовался и ну выпытывать, аль приглядела уже кого в мужья?"

Не успел Матеуш, поев, отправиться по делам, подружки принялись обсуждать самый животрепещущий вопрос — о замужестве Зени. Против замужества Зеня ничего не имела, но мезальянс очень смущал ее, Матильда же не сомневалась — выходить, и баста! А на возражения, что пан Ростоцкий простой конюший, подруга произнесла горячую речь, из которой следовало — главное, что шляхетского происхождения, а если ему еще будущая жена подбросит тысячу-другую на покупку пусть самого завалящего именьица, так и проблем не будет, в свете пана Ростоцкого примут с распростертыми объятиями. Запись в дневнике заканчивалась фразой:

Со слезами на глазах от радости меня расцеловавши, Зеня поспешила к пану Ростоцкому, что коней под уздцы держал. Издали глянула я на него и на поклон ответила. Эх, кабы не Матеуш...

Потрясающая история Зени так увлекла Юстину, что она почти не заметила, как ее младшая дочь Идалия выросла и пошла в школу. И вообще, дети не доставляли Юстине особого беспокойства, так что выполнить прабабкин завет и прочесть ее дневник сам бог велел.

Один за другим Болеслав, Барбара, Амелька, Павлик, Маринка и даже Идалька лично убеждались в том, что занятие это требовало неимоверных трудов, терпения и уйму времени, о чем и сообщили остальным родичам. Остальные родичи тоже уверовали в каторжный труд, на который обрекла прабабка бедную Юстину. А главное, никто не имеет права облегчить ей сей каторжный труд. Юстина, бедняжка, может быть, предпочла бы галеры, да выбора у нее не было, вот почему все семейство по мере сил пыталось помогать несчастной, поддерживая ее материально, морально же Юстина поддерживала их, пользуясь авторитетом самой старшей правнучки.

...По своему обычаю, Зеня опять прибыла чуть свет, полагая, что в эту пору нам без помех удастся переговорить, а как сама себе хозяйка, ей без разницы, что подумает прислуга, в худшем случае — пани Фулярская с ума спятила, отправившись на утиную охоту с восходом солнца. Ружье с собой Зеня прихватила, а пан Ростоцкий за время нашей беседы постарался настрелять уток.

Уединившись в беседке в дальних аллеях сада, ибо гостила у меня в ту пору тетка Клементина, чрезмерно проворная и любопытная, я в пеньюаре, а Зеня в амазонке, мы повели разговор о Зениных намерениях. Она бы рада за пана Ростоцкого хоть тотчас выйти, да не пристало ранее года по смерти мужа торопиться к алтарю, да еще с конюшим. А ежели скрытно с паном Ростоцким обвенчаться, злоумышленник, на Зенину жизнь покушавшийся, не ведая о том, жизни все равно лишит понапрасну.

Так и сяк прикидывали мы с Зеней, как оно лучше сделать, и ни одна светлая мысль в наших головах не являлась, как вдруг в кустах зашелестело и тетка Клементина собственною персоной нам предстала, тоже в пеньюаре и чепце ночном. Всполошенно мы обе вскочили со скамьи, тетка же, напротив того, на скамью уселась и, утреннюю росу с пеньюара отряхнув, стала упрекать нас, почему ей ранее не доверились, две головы хорошо, а три лучше, особенно если эта третья годов на двадцать разумнее будет. Тетушка малость годочков себе убавила, на добрых трид-

цать она постарше нас, ну да то без разницы. Потом сесть велела и не таясь призналась: "Слышала я, неразумные дивчины, ваши речи, специально на тот случай за вами в сад пошла, и за то Бога благодарите, а теперь мне расскажите обо всем в подробностях".

Ободрясь ласковыми речами и зная ее доброе сердце, во всем мы с Зеней признались. Зазябли мы все три, и велела нам тетка Клементина в дом воротиться и там в столовой за горячим шоколадом все и обсудить.

Поспешили мы в дом, и там я решила одну мою Кларчу потихоньку разбудить, чтобы остальная прислуга не стала помехой нашей тайной беседе, шоколад же Кларча отменный готовит. И что же? Прокравшись в каморку Кларчину, обнаружила я при ней сладко почивавшего галанта, коего Кларча, с криком вскочив, попыталась от меня под одеялом скрыть. Я же, ей рот заткнувши, с гневом повелела немедля завтрак нам подать и Господа благодарить, что гораздо важнейшее дело имею, нежели ее целомудрие блюсти. Шустрая девка вмиг обернулась, и я еще до столовой не дошла, как шоколад уже на столе стоял.

Совещание трех дам оказалось очень продуктивным. Многоопытная тетка Клементина, выслушав в подробностях историю несчастной Зени, так посоветовала поступить: пусть тот и в самом деле купит себе на Зенины деньги именьице, как раз такое у тетки есть на примете, оформит втайне купчую на свое имя и распустит слухи, что имение досталось ему от дальних родственников. Причем с условием — владеть может только женатый, этим, мол, и объясняется поспешность в оформлении брака. И епископ знакомый у тетки сыщется, без придирок обвенчает молодых тайным венчанием, поскольку не прошло года со времени кончины первого супруга новобрачной, а в роли свидетельницы, кроме Матильды, выступит сама Клементина, обожавшая свадьбы. Завещание же Зеня все равно непременно должна написать, причем пусть и молодой муж одновременно пишет завещание в пользу жены. На всякий случай.

Через неделю-две молодые вернутся и еще с месяц от людей поскрываются, но уж она, тетка, позаботится, чтобы все узнали "истинную" подоплеку неприличной спешки со свадьбой. Корысти ради произошла, а ведь известно, "чувства сердечные шокируют, корыстные же интересы всегда в людях найдут понимание". Месяца через три можно и официальные извещения о свадьбе рассылать.

Воспрянувшая духом Зеня поскакала к себе с утками и паном Ростоцким, а Матильда с теткой принялись готовиться к отъезду в Варшаву на тайную свадьбу Зени. Мужу Матильда рассказала о брачном заговоре, и тот его одобрил, только посоветовал в Варшаве не останавливаться у родни, чтобы раньше времени тайное не стало явным, а жить в гостинице.

Юстина не пожалела времени и добросовестно изучила подробнейшее описание взятых прабабкой в поездку предметов туалета (целых два сундука), опасаясь, как бы между рюшечками, вуальками и кружевцами не проглядеть подробностей, существенных для расследования преступления. Их не оказалось.

Прабабка Матильда отправилась в Варшаву. Затем в ее дневнике следовали десять страниц, хаотично заполненных отрывочными описаниями знаменательной операции по венчанию Зени с ее конюшим. Все сделали так, как посоветовала мудрая тетка Клементина. Венчались Зеня с паном Ростоцким на рассвете в боковом притворе маленького костела на Старом Месте, присутствовали четверо свидетелей: Матильда, Клементина, доверенный нотариус и какой-то очень дальний родственник жениха. Слуг оставили на улице, охраняя фамильную тайну, хотя Матильда за свою Кларчу ручалась.

Удалось также организовать тайную скупку угодий для пана Ростоцкого, и все вздохнули с облегчением.

Потратив целый месяц на расшифровку десяти страниц, Юстина в один прекрасный день впервые отдала себе отчет в том, что читает намного медленнее, чем прабабка писала, и задумалась — а хватит ли всей жизни на это дело? И не пора ли и ей позаботиться о наследницах, перепоручив ознакомление с дневником одной из дочерей? Хотя вряд ли их это заинтересует, придется, видно, внучек дожидаться. Тяжело вздохнув, Юстина обреченно продолжила чтение:

И когда мы все устроили таким хитрым образом, могла я и о своих туалетах позаботиться, заказала дюжину платьев в модных мастерских, да тут вдруг весть худая из Блендова аж до Варшавы долетела, что бабка моя при смерти, меня к себе призывает и поспешать велит. Только два новых платья и успела приобрести. Все под Богом ходим...

...С бабкой, к счастью, не столь уж худо, пока живу в своем доме, к ней только наезжаю почитай каждый день. Матеуш же мне рассказал, взяв наперед слово в тайне все сохранить,

что выписал полицейского агента и тот агент страшную вещь раскрыл. В голове не укладывается, однако всему пан Базилий причиной. Агент тот первым делом проведал про настоящее имущественное положение пана Базилия, и что же выявилось? Гол как сокол, бумаг ценных, что якобы от отца остались, никогда и не бывало, а все это время пан Базилий у еврея-ростовщика чуть не каждый месяц немалые деньги под процент брал и через то в окончательную крайность пришел.

У нотариуса же, пана Вжосовича, агент доподлинно разведал, кто подговорил пана Фулярского завещание на Зеню переписать, и тем человеком оказался пан Базилий.

В охотничьем доме его не было, где же он в момент убийства пребывал и что поделывал? Агент самолично испытание произвел — за полчаса от домика охотничьего до барского дома добежал, в кустах прошмыгнувши, и в дом пролез не заметным ни для кого образом. А чтобы иметь полную уверенность, агент загодя подговорил двух смышленых дворовых в ту пору с особым тщанием дом стеречь, по рублю пообещав, коли его выследят. И те со всем их усердием целый день с дома глаз не спускали, а агента не приметили, пока он, из дома выйдя, им со смехом не дал по десять копеек для утешения.

Теперь уже Матеуш не сомневается, что злодеем был пан Базилий, это его скотник в окно кабинета заметил. И кто бы еще мог фигуру мраморную с консоли обрушить, задумав Зеню жизни лишить? Агент тот прислугу собрал, стал выпытывать и на лакея попал, который углядел, как пан Базилий на самом верху лестницы у балясины чего-то мастерил. Увидев лакея, тот притворился, будто с сапогом его неладно, и лакей сбежал, опасаясь, как бы пан за дурно вычищенные сапоги его за вихры не выдрал.

А пан Базилий имеет большой интерес в смерти Зени, ибо все по ней наследует, будучи ее единственным родственником, а она девица незамужняя. И теперь, объяснил мне Матеуш, а сам от гордости аж раздулся, как петух, ждать не много осталось. Как Зеня из Варшавы воротится — нечего там чрезмерно на балах отплясывать, — тут агент и поймает пана Базилия, пока он еще какое злодейство против нее не замыслит. Матеуш считает, что лучше нет, как злодея на месте преступления ухватить. А меня прямо дрожь проняла, как себе Зеню в новых кознях представила.

Мы с Зеней, вестимо, бабы дуры, а оказались разумнее этих мужей горделивых, Матеуша с его агентом. Рассказала я мужу своему о венчании Зени, так что козни на ее жизнь теперь без надобности, коли о том венчании и злоумышленник извещен будет. Тогда, ответствовал Матеуш, убивец без кары останется, ибо нет у полиции против него доводов твердых, без коих суд его к повешению не присудит. Разозлилась я сверх всякой меры на такое рассуждение. Неужто убивец в почтенной шляхетской фамилии к ее чести и славе служит? Не лучше ли втихую все покончить? На что Матеуш тоже в гневе "с бабьем ни-

какого сладу нету" вскричал, за великую обиду себе и агенту такие слова приняв. Кабы не в постели наша ссора приключилась, уж не знаю, к чему бы привела, а так всегда дело миром покончить способнее. Матеуш с агентом уж после посовещались и решили, чтобы мне к Зене письмо написать.

Бабке полегчало, однако совсем доброе здоровье навряд ли обретет. Я же не только живому человеку, но и бумаге доверить опасаюсь, о чем она мне поведала, отдать Богу душу готовясь...

Дочитав до этого места, самая старшая правнучка с раздражением подумала: и совершенно напрасно опасалась, этакие каракули и кошмарные зеленые чернила на веки вечные гарантировали сохранить самую кровавую, самую страшную тайну. Спасибо, она, Юстина, от природы ответственная, да еще историю любит и волю прародительницы почитает. А так лежал бы дневник спокойно, и ни одна живая душа в мире ни о чем бы не узнала, даже если эта самая Матильдина бабка собственными руками половину уезда вырезала. Да нет, наверняка речь пойдет о фамильной тайне, о Наполеоне. Вспомнила о Наполеоне и вернулась к дневнику.

...Похоже, правда это, что император на прародительницу нашу польстился, была она матерью бабки, для меня прабабка; выходит, я прихожусь Наполеону родной правнучкой! Хотя нигде об этом не написано, да и не пристало такие вещи разглашать, однако не без причины прабабку мою монарх золотом да ка

меньями осыпал, веер же я своими глазами, еще в девушках будучи, видела.

А с Доминикой особая история, не зря говорится, что за грехи отцов дети отвечают. Страшные вещи когда-то в Блендове творились, бабка о том мне все как есть рассказала. Во времена короля Понятовского молодая пани Блендовская мужа до гроба довела, сам на себя несчастный руки наложил, а она уж потом дитя, во грехе зачатое, родила и, задушив, в саду закопала. Но тайна та по прошествии времени раскрылась. И так из поколения в поколение на всех Блендовских от бесовского наваждения проклятие лежит, последнее разорение роду пришло, и Блендов на Зворских перешел. Из Блендовских никто, кроме Доминики, не выжил, и бабка моя Заворская, сжалившись над сиротой, в доме своем пригрела, а как Доминика подросла, ключницей ее сделала. Но наследства ей поклялась не оставлять, только крыша над головой да хлеб насущный до самой ее смерти. И меня поклясться заставила, что, Блендов во владение получив, никакого состояния Доминике не выделю, и я на Библии клялась, хоть и жаль мне Доминику сердечно...

Наконец-то выяснилась причина бедственного положения панны Доминики. Юстина уже давно ломала голову над этой загадкой, ведь, судя по всему, та же Матильда скрягой не была, а вот такую заслуженную домоправительницу, к тому же родственницу, в черном теле держала, на приданое поскупилась, из-за чего панна Доминика так и осталась старой девой. Ведь тогда, если девица не была хорошенькой, никаких шансов на замужество у бесприданницы не оставалось. Интересно, знала ли сама панна Доминика о причинах такого к ней отношения? В записках ее об этом ни слова не встретилось. А вот что о внешности панны Доминики писала разговорчивая Матильда:

...хоть бы пригожая собою была, так нет же! И с детства такая какая-то ото всех зашторенная, сухая, не то чтобы чрезмерно костлявая, а кости из нее так и выпирали, глазки махонькие, зато нос велик, волосы колеру сивого и не сказать чтобы слишком густы. Видно, со времен блендовской распутницы бабы этого рода основательно наружностью сдали.

Когда мы с панной Доминикой о хозяйстве речь вели и много я дивилась ее рассудительности и умению, сказала она напоследок, что знает о завещании благодетельницы своей пани Заворской. Все на меня перейдет, ей же никакого наследства не может быть оставлено, причина того ей известна, более о том судить не станет, и я ни единого слова больше не услышу.

Бабка же о своих драгоценностях мне одной поведала, да и то не до конца. Все мы под Богом ходим, молвила, вот и императорские дары не держит она на видном месте, много чего за ее долгую жизнь в нашей Польше многострадальной происходило, и войны, и раздоры, и правители глупые, о подданных своих нисколько душою не болеющие, так она сама о своем состоянии заботу проявила. Укрыла все в потайном месте, последний раз в бриллиантовом ожерелье по Парижу разгуливала годов этак пятьдесят назад, в Опере и салонах у француженок глаза на лоб вылезали при виде того ожерелья, а потом уже и негде в нем было щеголять, разве что при копчении колбас. При себе только жемчуг держит и носит, потому что всякий знает, жемчуг сам собою помирает, коли его не носить. Платьем тот жемчуг прикрывала, да соседки глазастые все равно приметили, правда, думают, ненастоящий он.

Говоря это, бабка тут же ожерелье из ларца вынула и мне презентовала. У меня и самой на манер тех француженок глаза на лоб вылезли, уж до того отменный жемчуг, десять нитей, в каждой посередине жемчужина черная с орех, а застежка алмазная. Дух от такой красоты перехватило, глаз не отвести...

Дочитав до этого места, Юстина остановилась, ибо и у нее перехватило дыхание. Вспомнилось вдруг, как в раннем детстве видела она на прабабке эти нити жемчуга! В Глухове отмечалась золотая свадьба прабабки и прадеда. Сколько же ей самой тогда было? Лет восемь, большая девочка, ну конечно же, обращала внимание на такие вещи. Например, прекрасно запомнила платье матери — золотистое, с длинным шлейфом, а на тетке Ядвиге была золотистая шаль, длинная-предлинная. Тетка Барбара, к тому времени недавно овдовевшая, в черном платье с кружевным жабо, вышитым золотом, какая-то дама в платье с роскошным золотым бантом. На всех гостьях непременно было что-то золотое, только прабабка в простом черном платье. Ну и на шее те самые жемчуга фамильные. А в руках... да, вот отчетливо вспомнилось — прабабка держала золотом разукрашенный веер с рубином. Тот самый. Куда же все это подевалось?

Единственная надежда на дневник, в нем должна быть разгадка, уже достаточно ясно Матильда дала понять, что получила от своей бабки сокровища. Что ж, надо расшифровывать записи дальше.

"...а ты носи не снимая", велела мне бабка и платья наказала под жемчуга подбирать. Тут я Господа возблагодарила, что дочь у меня растет, так она тоже жемчуга поносит, на что бабка подхватила — и внучек дождешься, видишь же, не мать твоя мне наследует, а ты, внучка моя. И по тебе не дочь поместье унаследует, а опять же внучка. И сказала мне, что с даром императорским сделала. Так вот, укрыла его, да не больно хорошо, и это ее заботит. Есть потайное место гораздо лучшее, со времен покойницы ее прабабки сохранилось, да его требуется привести в порядок, и это должна сделать я. А тайник тот соорудил с напарником довоенный слуга прабабки, оба клятву давали никому сей тайны не открывать. Слуга мне знакомый, Шимон, на все руки мастер. Года его уже престарелые, только ждать, как преставится. Бабка мне на бумажке о тайнике написала, а бумажку я по ее смерти получу. На одно лишь мне бабка намекнула: дом этот старый при жизни ее матери перестраивался и переделывался, однако же старые фундаменты сохранились, так чтоб я про них помнила. Особенно те три ключа беречь велела, что на одном кольце вместе висят.

Долгое время так мы с бабкой беседы вели, случалось и ночь за полночь. Я обстоятельно обо всем сколько возможно выпытывала, а она без утайки, облегчая душу, фамильные наши тайны передавала. А Наполеонова полюбовница, прабабка моя, портрет свой только в Пляцувке держать велела, потому как то поместье для нее особую ценность имеет. Тут я догадалась, не иначе как император в Пляцувке с прекрасною полькой рандеву устраивал.

Бабка меня о Матеуше много выспрашивала, как мы с ним живем, ладно ли все у нас, на что, не кривя душою, призналась ей, что, слава Господу, муж мне любезен, хоть и ссоримся постоянно, да и так же легко миримся, а я полагаю — только интерцизе этим обязана, иначе из его рук на мир бы глядела. Бабка меня за интерцизу много хвалила.

Легок на помине, Матеуш наутро за мной прискакал, домой мы воротились вместе, за один день проделав весь путь, потому как он загодя коней переменных на пути порасставил. И о новых Зениных горестях по дороге мне поведал.

Оказывается, Базилий Пукельник отнюдь не отказался от козней против Зени и к ее возвращению из Варшавы основательно подготовился. Зеня должна была умереть, выпив на сон грядущий своего любимого черносмородинового напитка. Однако нанятый Матеушем агент видел, как негодяй подсыпал отраву в графин, Зеня на напиток и не взглянула, сразу после ванны поспешив к возлюбленному мужу. Доказательств преступной деятельности пана Пукельника было более чем достаточно, и полиция собиралась арестовать преступника. Зеня с Матильдой были по-прежнему против его ареста, не желая подымать шум, и Матильде удалось убедить мужа поступать так, как они хотели.

На следующий день Матеуш со своим "многомудрым" агентом отправились к пану Пукельнику и приперли его к стенке неопровержимыми доказательствами совершенных им злодеяний. Сказали и о замужестве Зени, и о ее завещании, после чего негодяю был предъявлен ультиматум: или его упекут за решетку, или он скроется в дальних краях, "дабы роду своему позора не приносить". И что же? Вместо ожидаемой покорности и страха они столкнулись с такой беспринципной наглостью, что Матеуша чуть кондрашка не хватил. "Уж коли они о чести рода так пекутся, — заявил мерзавец, — пусть мне тысячу рублей за спасенье оной чести выдадут, а иначе нету моего согласия". Импульсивный Матеуш уже с кулаками хотел наброситься на него, да агент удержал, "и на пятистах рублях сторговались".

Получив пятьсот рублей и возможность скрыться за границей, Базилий Пукельник оказался верным себе и по дороге из вредности трепался направо и налево, выбалтывая тайну о Зенином замужестве, хотя ему и велели держать язык за зубами. В результате Зене пришлось раньше времени сообщение о свадьбе рассылать, и ее дом от наплыва гостей трещал по швам.

А пан Ростоцкий на удивление достойно себя поставил, сразу видно — из благородного семейства, и теперь все соседи совершенно уверены, что в конюшие лишь из великой любви к Зене подался, ища возможность хоть издали на

предмет свой любоваться. Поскольку же такой
великий роман еще состоянием немалым под-
креплен, то весь уезд от пересудов сотряса-
ется, а родня ближняя и дальняя, о которой
раньше и не слыхал никто, валом на свадьбу Зени
повалила. Сундуков, укладок и коробьев про-
пасть навезли с подарками да нарядами.

На этом благополучно закончились Зенины перипетии. Ознакомление с ними заняло у Юстины столько
лет, что за это время ее сын Павлик успел получить
гастрономическое образование, косьминский Юрочка — вырасти и поступить в сельскохозяйственный
вуз, Амелька — начать бракоразводный процесс, а
Маринка — найти жениха. Тетка Барбара отправилась
в Швейцарию, уточнила там свое финансовое положение и вернулась не слишком довольная, ибо средств
осталось кот наплакал. Зофья в Косьмине умерла, однако Ядвига держалась неплохо благодаря наличию
обожаемого внука. От Людвика городские власти по-
требовали немедленного приведения в порядок его по-
луразрушенного дома, что было элементарной при-
диркой, ибо Людвиков дом приглянулся кому-то из
новых богатеньких. Вот когда пригодились оставленные предками в сейфе доллары. Наличие валюты к
тому времени перестало быть уголовно наказуемым
преступлением. Доллары помогли справиться и с ремонтом дома, и с городскими властями, и с богатым
претендентом. Людвик восстановил две разрушенные
комнаты, починил крышу, оборудовал вторую ванную
и внезапно оказался владельцем столь обширной жилплощади, что это опять грозило санкциями.

К счастью, к этому времени в Варшаву вернулся
сын Людвика Дарек, отработав в провинции срок, что

получил по распределению, причем приехал с женой, которая к тому же ожидала ребенка. Три человека на две дополнительные комнаты решили проблему, Дарек же устроился на работу по специальности, в варшавский Институт археологии. Провинциальная богатая родня Дарековой жены в качестве свадебного подарка преподнесла молодым машину, да не просто машину, а "мерседес", чем потрясла столичную родню мужа. Благородное семейство к тому времени никаких машин не имело и жило тоскливыми воспоминаниями о довоенных роскошных средствах передвижения. Теперь же все молодые представители благородного семейства в полном составе устремились на курсы вождения. Старшее поколение в лице Барбары, Болеслава и Юстины имели еще довоенные права времен своей молодости, которые признавались в Народной Польше, поскольку предусмотрительная Юстина на всякий случай заранее позаботилась об их восстановлении, и теперь опять все родные хором восхваляли ее за то, что проявила такую инициативу, заставив и остальных последовать своему примеру. Очень неплохое начало, решили все, глядишь, за "мерседесом" последуют и другие автомобили...

— Дурацкая у нас система, — раздраженно ворчала Барбара, — нельзя просто пойти и купить машину. Талоны даются только заслуженным, да и то в очереди настоишься не один год. Вот разве что Славеку светит.

— У меня уже есть служебная, — с сожалением вздохнул Болеслав. — С шофером.

Амелия только фыркнула:

— Машина! О чем вы говорите! Я себе приличный увеличитель никак не куплю, хотя без него как без рук.

138

— Я бы и за мотоцикл не обиделся, — пробурчал Павлик.

Опытный в автомобильных делах Дарек просветил родных:

— Можно и у нас купить без талонов. Частным образом, моряки привозят, но в основном подержанные, так что очень рискованное дело, деньги заплатишь, а что после ремонта выйдет — неизвестно.

Такие разговоры велись на фамильном сборище, устроенном в честь молодоженов. На нем же предполагалось выразить всеобщее родственное осуждение Маринке, которая собралась замуж в семнадцать лет, не окончив средней школы.

В последние годы именно Маринка стала доставлять Юстине больше всего хлопот. Уже было ясно, что высшее образование не для нее, Юстина прекрасно понимала, что по умственному развитию ее дочь вполне соответствует своим прославленным прародительницам, в наши же дни этого явно недостаточно. Теперь без аттестата зрелости никуда не сунешься, поэтому хоть его Маринка обязана получить.

За столом Гортензии сидело тринадцать человек: Людвик с Гортензией в качестве патриархов; Дарек со своей женой Иоасей; Ядвига с уже восемнадцатилетним Юрочкой, не сводившая взгляда с обожаемого внука; очень постаревшая и слабая здоровьем Дорота; Барбара; все еще разводившаяся Амелька без мужа; только что получивший диплом Павлик; семнадцатилетняя глупая Маринка и самая молодая, Идалька, одиннадцати лет. И Юстина.

Для начала Людвик произнес речь.

— Так вот, мои дорогие, гм... значит... мы рады приветствовать в нашем кругу Иоасю... что?.. а, вот жена мне подсказывает, хорошо, что Иоася ждет ребенка, а то опять было бы за столом тринадцать человек, а это приносит несчастье...

— Какое еще несчастье? — строго вопросила его сестра Барбара.

Сбитый с толку Людвик не находил аргументов, пришлось отвечать его жене Гортензии:

— Ты что, не помнишь? В прошлый раз, как нас было за столом тринадцать человек, Доротины брюссельские кружева были безнадежно испорчены. И вообще все поразбивали, попроливали, все измазались, страшно вспомнить...

— Что ты говоришь? — поразилась Барбара. — Может быть, не помню. Ну ладно, продолжай.

— Да я уж забыл, о чем собирался говорить, — смущенно признался Людвик. — О том, наверное, что нашего полку прибыло? Нет, не то... О том, что дети растут?

— А средств не прибывает, — подсказала Барбара.

— А средств не прибывает, — повторил Людвик со вздохом. — Но мы все равно рады приветствовать, и вообще... за ваше здоровье!

На этом официальная часть была закончена, и все заговорили на интересующие их темы. Барбара, Дорота и Амелия уделили внимание сильно робевшей Иоасе, Павлик вцепился в Ядвигу и Юрочку, расспрашивая их о некоторых сельскохозяйственных продуктах, Людвик вдохновенно посвящал Болеслава в лошадиные проблемы, Маринка пыталась привлечь на свою сторону молодожена Дарека, Гортензия без устали потчевала всех гостей, Юстина, по своему обыкновению, не сводила глаз с портрета прапрабабки, совсем уже почерневшего, и думала о своем, Идалька хранила вежливое молчание.

140

— Дядюшка, а нельзя ли немного помыть пра-прабабушку? — спросила вдруг Юстина у Людвика. — Дядя! Как ты думаешь, портрет возьмут в реставрацию? И сколько это будет стоить? Дядя Людвик, я к тебе обращаюсь!

Людвик с трудом оторвался от красочного повествования о рождении потрясающего жеребеночка женского пола и никак не мог сообразить, при чем тут прапрабабка новорожденной. Наконец до него дошел смысл вопроса племянницы. Он тоже перевел взгляд на совершенно черный портрет, на котором уже и не разобрать было, женщина там изображена или мужчина.

— Наверное, можно. Я не знаю...

— И второй тоже. Раз прабабка в завещании уделила этим портретам особое внимание, значит, надо о них заботиться. Тетя Гортензия сколько раз говорила, завещание — святое дело.

— Ну говорила, а что? — недовольно ответила Гортензия, поскольку ее отвлекли от любимого занятия. — Иоася, детка, обязательно отведай этих грибочков! А разве я не забочусь? Висят в парадной комнате, в безопасности. Чего еще надо?

— Черные они какие-то...

— Я и сама думала, может, помыть, да побоялась, вдруг от мытья испортятся?

— Да что тут сомневаться, теперь реставрируют много старинных картин, и это им совсем не вредит, напротив, — скороговоркой бросила Амелька, специалист в области произведений искусства, и поспешила вернуться к интересному разговору с Иоасей.

— Должно быть, дорого это, — предположила Гортензия.

— Даже если и дорого, не разоримся, — высказала свое мнение Барбара.

— Кто как, — возразила Гортензия. — Все наши сбережения пошли на дом.

Юстина едко заметила:

— Может, и бестактно поднимать этот вопрос, но, в конце концов, прабабка с прадедом не только мои предки, от них по прямой линии происходят многие из присутствующих. Раз мы все собрались, давайте решать.

Людвик привычно озадачился. Как-никак он был в некоторой степени главным в роду, хотя Дорота и постарше его. Поймав неуверенный взгляд брата, Дорота пожала плечами.

— У меня лично нет никаких средств, — с достоинством ответила она на невысказанный вопрос. — Живу из милости у кузена. А дочь мою до сих пор содержит тетка.

Болеслав не выдержал и громко напомнил теще, что он всю жизнь работал, содержал семью, и сейчас работает, причем очень неплохо по теперешним временам зарабатывает. Юстина не стала высказываться, а уж она-то знала, что хороших заработков мужа с трудом хватает лишь на еду и, если бы они не жили у Барбары, если бы Барбара не подбрасывала им на одежду и обувь, концы с концами не свести.

Уловив, что разговор ведется на повышенных тонах, Барбара оторвалась от Иоаси и приняла в нем горячее участие, напомнив родне, что еще со времен войны они все сидят на шее Ядвиги, беззастенчиво пользуясь продуктами из Косьмина, а теперь вот еще и Юрочке на шею садятся. Ядвига отмахивалась от этих преувеличений обеими руками, а бедный Юрочка напрасно пытался перекричать старших, найдя момент самым подходящим для сообщения, что намерен хозяйство в Косьмине поставить на широкую ногу, целиком переключившись на витамины, для чего строит теплицы и увеличивает сад, так что с мясом теперь у всех будут трудности. Гортензия пыталась напомнить, что в эту семью она пришла не с пустыми руками, приданое у нее было о-го-го, а теперь ничего не осталось. О прадедушке с прабабушкой напрочь позабыли.

Ядвиге удалось наконец пробиться сквозь общий галдеж и напомнить присутствующим, что Косьмин перешел к ней от матери, чьей дочкой была и Дорота, так что если честно — половина Косьмина принадлежит Дороте. Конечно, нет смысла разделять несчастные двадцать га, да и не станет Дорота кормить кур и собирать яблоки, но половину дохода получить должна. В ответ на это Дорота возразила: доход от Косьмина — это целиком заслуга ее сестры Ядвиги, она же не имеет на него никакого права, так что, хоть убейте, ни гроша не возьмет, тем более что теперь еще вкалывает и Юрочка.

— Не стану я эксплуатировать родную сестру! — раскипятилась Дорота. — Даже ради дочери родной!

— Вот уж дочь твоя не очень-то нуждается, обойдемся, — сухо заметила Барбара.

Гортензия же подошла к вопросу реалистически:

— Половину не половину, а четверть дохода получать можешь с чистой совестью.

— Да эту четверть мы уже давно получили и съели. Что, мясо, сыры и прочие продукты не в счет?

— Однако деньгами никогда гроша не получали! — упорствовала Ядвига. — Теперь станешь получать. Сделаем с помощью специалистов оценку имения, и Юрочка постепенно начнет с тобой расплачиваться. Постепенно, сразу, боюсь, не сможет. В расчет принимаются и Юстинка, и Болечек, и их дети.

Несколько ошарашенные родственники долго молчали, а переварив сенсационную неожиданность, радостно загалдели. Еще бы не радоваться, ведь нежданно-негаданно решилась финансовая проблема. Успокоившись, Людвик вернулся к рассказу о лошадях, теперь к ним с Болеславом подключился и Юрочка, его интересовало все, связанное с сельским хозяйством. Павлика же интересовала Европа. Правда, он уже получил замечательное распределение — разумеется, благодаря Барбаре — в ресторан варшавского отеля "Европейский", но теперь ему и этого было мало, захотелось настоящей Европы, ни о чем другом не мог говорить. Юстина пояснила тетке Гортензии причину своего интереса к старинным портретам: ей очень хотелось увидеть лицо прапрабабки, правда ли ее красота достигала поистине императорских высот? За всеми этими сенсациями и проблемами совсем позабыли о Маринке, однако по глупости она сама о себе напомнила, громогласно заявив:

— Что ж, теперь мы станем богатенькими, хватит на мою свадьбу. На свадебное платье и фату. А свадьбу можно и в этой квартире сыграть, гостей пригласим не много, по-скромному.

Услышав такое заявление, родичи сразу прекратили посторонние разговорчики, даже Юстина отвлеклась от внешности легкомысленной прапрабабки.

— Идалька, доченька, пойди погляди, как бабуля обставила новые комнаты наверху, — ласково, но решительно обратилась Юстина к младшей дочери. — Ты ведь еще их не видела?

— Видела, — так же вежливо ответила доченька, — но могу и еще раз поглядеть.

— А заодно полюбуйся сверху садиком, — не преминула Барбара подбросить свои три гроша.

— Да, да! — подхватил Павлик. — Садик особенно хорош именно в эту пору, в ноябре.

Бросив иронический взгляд на дорогих родственничков, девочка вышла из столовой. Дорота озабоченно поглядела вслед внучке.

— Наконец-то догадались! — проворчала она. — Где это видано при ребенке толковать о Наполеоновых амурах?

Людвик, как всегда, попытался смягчить напряжение.

— Так ведь как-никак он — личность историческая! Взять, к примеру, Цезаря и Клеопатру, тоже не бог весть какой пример моральной чистоты, а молодежь их в школе проходит.

— И плохо делает! — стояла на своем целомудренная Дорота.

Маринка вконец рассердилась. Опять отвлекаются!

— Это как же понимать? — гневно начала она. — Вы советуете мне заключить союз по примеру Цезаря и Клеопатры? Не регистрировать брак? В костеле не венчаться? Хорошо! Но жить мы будем вместе!

— Интересно, где именно? — вопросила практичная Гортензия.

— У него. У Янушека. Сейчас они живут в четырехкомнатной развалюхе на улице Кошиковой, дом сносят, есть шансы трехкомнатную получить. А у меня ребеночек будет.

— Езус коханый! — прошептала побелевшая Юстина, почему-то некстати вспомнив панну Зажецкую. — И ты мне ничего не сказала!

— А разве тебе можно что сказать? Я пыталась, да ты не слушаешь, тебе гораздо интереснее история какой-то Зени из прошлого века.

— И кто же этот негодяй Янушек? — прокурорским тоном допытывалась бабка Дорота.

— Извините, только не негодяй! — вспыхнула Маринка. — Только не негодяй!

Вместо невесты ответила Амелька:

— Студент политехнического, факультет электротехники, отделение слабых токов. Кончает, на последнем курсе. Кстати, из богатой семьи, сейчас у них четыре комнаты, очень надеются на снос, потому как наметилось три самостоятельных семьи: старики, дочь с мужем, теперь вот Янушек с Маринкой. Я знаю, потому что на свадьбе их дочки фотографировала, кстати, заплатили хорошо.

— А богатство их откуда?

— Всю войну Маринкин будущий тесть просидел в Англии на какой-то большой должности по научной части. У него легальный счет в лондонском банке.

— А в Польшу зачем вернулся?

— Из патриотизма.

— И все-то ты знаешь. Откуда?

— Так говорю же — свадьбу их дочери фотографировала, все выдоила. Не то что эта вот влюбленная идиотка, — Амелька кивнула на Марину. — Всю семейку их узнала.

— Простонародье! — вырвалось у Дороты.

— Ну и что? Зато богаты, не то что мы. Так они обязательно получат три квартиры?

— Сами считайте, по закону положено. Вот только доплатить придется, ну да они в состоянии.

— В таком случае пусть выходит, — поставила точку в дискуссии Гортензия. — И живет у мужа. А поскольку у нас, похоже, появятся деньги, никто не скажет, что берет ее в одной рубашке.

— Тетя, ведь ей же всего семнадцать лет! — взмолилась Юстина.

146

— А сколько было прабабке, дневник которой ты уже двадцать лет читаешь?

— Извините, не двадцать, а всего восемнадцать! — обиделась Юстина. — Прабабка действительно семнадцатилетней замуж выходила, да ведь тогда другие времена были!

— А школа? — спросила Барбара. — А аттестат зрелости?

— Зачем ей аттестат, в университет не собирается поступать, а созрела и без него...

— Да нет же! — отчаянно защищалась Юстина. — Школу она обязательно должна закончить, ведь в последнем классе учится! А если замуж выйдет — ее исключат.

— А если родит внебрачное дитя — тоже исключат, — рассудительно заметила Амелька.

— Рожу! — заверила Маринка. — Непременно рожу! И никто меня не отговорит!

— В прежние времена девицу в таких случаях вывозили куда-нибудь в глухие места, чтобы никто не знал и сплетен не распускали, — вздохнула Дорота. — А теперь? Все на виду, какой стыд!

— Может, к нам в Косьмин вывезти? — неуверенно предложила Ядвига.

— В Косьмине я тоже не сдам экзаменов на аттестат зрелости, — возразила Маринка.

И все поглядели на Юстину: в конце концов, решающее слово — матери. А та вдруг замолчала, отключившись от дискуссии, словно мысли ее были далеко. Они и в самом деле увели Юстину в прошлый век, к истории с панной Зажецкой. Интересно, что с ней дальше будет, с панной Зажецкой? Хоть и родила, хоть и пристроила ребеночка какой-то бабе в деревне, а все еще вздыхала по французу-любовнику.

Тряхнув головой, Юстина вернулась в современность и не стала больше осуждать глупую дочку. Не она первая, не она последняя...

Слово взяла Барбара, привыкшая самостоятельно разрешать сложнейшие жизненные проблемы.

— Что теперь плакать над разлитым молоком! Маринка поступила глупо, ну да ничего не поделаешь. Пусть женятся, пусть прописываются в развалюхе, а она потом закончит вечернюю школу. Поступит в выпускной класс, сдаст выпускные экзамены и получит аттестат. При таких условиях я согласна и в случае необходимости доплачу, сколько надо, за отдельную квартиру.

— А я в таком случае беру на себя свадьбу! — вскричала Гортензия с прямо-таки непристойной радостью. Скрыть радость было свыше ее сил, ведь устраивать пиршества — ее излюбленное занятие, а в последнее время было так мало для того уважительных причин!

Заранее приготовившись к семейному отпору, Маринка в себя не могла прийти от изумления и со слезами на глазах по очереди облобызала всех бабок и теток. А на следующий день состоялась презентация жениха. Молодой человек произвел весьма благоприятное впечатление, продемонстрировав безукоризненные манеры, умение держать себя в обществе и знание иностранных языков. Правда, его можно было бы упрекнуть в непрактичности и излишнем жизненном оптимизме, но, в конце концов, жизнерадостность — не такой уж крупный недостаток, во всяком случае, появилась надежда, что как-нибудь с Маринкой выдержит.

Отпустить дочь замуж без приданого для Юстины, воспитавшейся на прабабкином дневнике, было совершенно невозможной вещью. Амелия была вправе поступать по-своему, откалывать номера, она ведь сирота без отца и матери, совершеннолетняя и платежеспособная, но Маринка не сирота, а времена к тому же наступили благоприятные, поэтому невесту снарядить следовало так, чтобы разбогатевшее простонародье не задирало нос. Отложив до лучших времен и дневник, и портреты, Юстина приобрела в комиссионке за деньги Барбары роскошное свадебное платье, а на свои собственные — всевозможные простыни, полотенца и прочее бельишко. Причем закупать все пришлось самой Юстине, Маринка, вынужденная до поры держаться за школу, занята была с утра до ночи.

Пышное венчание состоялось в костеле св. Михаила, Маринка с мужем поселилась у родителей мужа, но спокойствие оказалось недолгим, ибо дом их и в самом деле принялись сносить. Маринке с мужем выделили квартиру, и пришлось родным помогать в обустройстве. А потом родилась Эва, и пришлось помогать с ребенком. А потом Павлик засобирался в путешествие по Франции и отбыл. А потом Амелька решилась выйти второй раз замуж за коллегу по профессии, и они надумали совместными усилиями где-то на чердаке обустроить свое фотоателье, в чем им опять же пришлось помогать. А потом Людвик слетел с лошади и сломал руку, пришлось ухаживать за ним. И во всех этих делах в первую голову все сваливалось на Юстину, ведь она не работала, у нее было время, а она такая рассудительная, благожелательная, добрая и уравновешенная! Вот и искала она мебель Маринке, помогала советами и делом Амельке, хлопотала за Павлика, утешала Гортензию, сидела у постели Людвика и даже время от времени вывозила его полюбоваться на лошадок, без чего дядюшка непременно бы погиб.

К дневнику прабабки Юстина смогла обратиться лишь года через два и, когда усаживалась за него, поймала себя на ощущении, словно вступает в рай небесный.

* * *

...Вот и опять не менее недели в Блендове пришлось провести, поскольку бабка явно с жизнью расставалась. Все указания ее на маленьких бумажках я записала, потому как дневник свой дома оставила, потом перепишу. Перед кончиною бабка заговариваться стала, вот и не ведаю, что мне с толком говорила, а что в умственном помешательстве. Что могла, то по ее желанию сделала, записи еще прабабки, каракули невозможные, в потайном отделении секретера припрятаны были. И записи те бабка наказала мне свято сохранить, хотя прочесть их нет никакой возможности.

Более всего терзалась бабка из-за драгоценностей, перепрятать мне велела, много раз повторяла "перепрятать", я так поняла — некто или что подглядел, или подслушал, и я решила все драгоценности по-своему скрыть. Поначалу думала забрать их к себе в Глухов, но нет там достойного места потайного, а уж вещи-то больно лакомые, кто угодно польстится. И приметные, взять ту же табакерку с портретом императора.

Скончалась бабка, царствие ей небесное, и на меня все хлопоты по похоронам свалились: и гостей приглашать, и все в доме обустроить со сколь возможной пристойной пышностью. Полагаю, с делом этим я неплохо спра-

вилась, коль скоро никто слова злого не произ-
нес, а матушка моя очень хвалила и на комп-
лименты мне не скупилась, дескать, никак от
меня такой распорядительности не ожидала.
А что на богатых поминках никто из прислуги
ничего не украл, так в том сугубая заслуга
панны Доминики, блюла она хозяйское добро от
чужой прислуги, наша бы и без присмотра не
украла. К тому же блюда были на удивление хо-
роши, в особенности торт миндальный...

Описание тризны по бабке вместе с похвалами распорядительности панны Доминики заняло у Матильды страницы две. Зато целых десять потребовалось на подробное описание нарядов, в которых заявились гостьи на поминки, особенно запомнился туалет некой панны Клариссы, ставшей теперь баронессой Гардан и прибывшей прямо из Парижа. Оказывается, в Париже теперь царит мода на черные кружева, что просто потрясло всех местных модниц во главе с Матильдой. И еще запомнилось траурное одеяние тетки Клементины. Та выудила из глубин своих сундуков прямо-таки кладбищенское украшение, пришедшееся в данном случае как нельзя более кстати: искусно вырезанные из слоновой кости изящные черепа, которыми и украсила черное платье. Реакция гостей на черепа оказалась неоднозначной, всего хватало — восторга, зависти, страха и возмущения.

Сразу же после бабкиных похорон Матильда поссорилась с мужем, который намеревался немедленно увезти жену домой, и без того она пробыла в отсутствии несколько месяцев, ухаживая за умирающей. Но той уезжать никак было нельзя, ведь в соответствии с бабкиными заветами следовало сделать кое-какие перестройки в доме, чтобы перепрятать драгоценности, а говорить об этом даже Матеушу запрещалось. И как Матеуш ни злился, пришлось одному возвращаться в Глухов, надо же было кому-то за хозяйством присматривать...

...чем я была весьма довольна. Неправду ему пришлось сказать, пообещалась через два дня домой возвратиться, сама же почитай с месяц провела в Блендове. Сделав необходимое, домой вернулась, и по возвращении большой скандал меня ожидал, признаться, пламенно завершенный, как между супругами водится.

А я хоть и сделала все в Блендове как следует, но все же лучше бы мне там пребывать, сердце неспокойно, не стряслось ли чего. Прислугу, правда, я чуть не всю рассчитала, кроме самых доверенных, да и панне Доминике присматривать наказала. А ключи на одном кольце уже здесь заклепать велела.

И еще себя ругаю, зачем забрала из Блендова сервиз серебряный, камнями драгоценными изобильно изукрашенный, но уж больно опасно было оставлять его там. Сервиз этот никоим образом с Наполеоном не связан, лет на сто постарее будет, бабка его "ренессансным" окрестила. А и без императора свою ценность имеет, одни рубины да изумруды кого хочешь соблазнят. Сдается мне, нет подобного на свете, не стану же я его в буфете выставлять? Вот и думаю — не следовало его сюда везти, бед бы не натворил.

И опять Юстина не получила четкого ответа: так что же все-таки с этими драгоценностями?

...совсем плохие времена настали, шляхет-ский гонор уже в полный упадок пришел, доче-рей за кого ни попадя замуж выдают и женят-ся на первой встречной. Молодой пан Вальдец-кий купчиху себе приглядел, купецкую дочь, все наши от него отвернулись и поклялись ни за что их у себя не принимать, крик на весь уезд сто-ял, но они не слышали, ибо в Варшаве венчались. И чем же дело кончилось? Дворец восстанов-лен, семейство Вальдецких долги выплатило и к светской жизни обратилось, а как молодые из свадебного путешествия из Парижа верну-лись, так весь уезд в заново отремонтирован-ный дворец с визитами поспешил. Я же более всего тем потешалась, что рядом с купчихой наши дамы да девицы ровно мужики выгляде-ли, всем их обошла — и платьем, и манерами, и обхождением, ну что принцесса крови. Пан-на Потоцкая у нее в лучших подружках состо-ит. А сама купчиха наружности, прямо скажем, средней, ничего особенного, но уж больно силь-но позолочена и в высшем свете вращалась на-много поболе нашего. И признать следует, большого ума и учености.

А у Зени пани Липовичовая тоже себе по-клонника нашла. В ее-то года, ведь поболе со-рока будет. Правда, сама только в тридцати четырех признается, ну да она, по моим под-счетам, этих тридцати четырех уже лет де-сять держится. Ничего не скажу, лицо у нее совсем гладкое, без морщин, и хоть весьма фи-гура обильна, однако же свою прелесть имеет.

А все через Зосеньку мою приключилось, ведь Зося сама к Зене своего управителя послала, когда я ей о новом поместье Зениного супруга пана Ростоцкого сообщила и о намерении пана Ростоцкого это разоренное имение в настоящий вид привести, для чего хороший управитель нужен. Ну и Зосин управитель к пану Ростоцкому приехал. В доме ни его, ни Зени не застав, уже собрался уезжать, да пани Липовичовая, увидав в окно того управителя, решила его принять в отсутствие господ. И беседой до их прибытия развлекала. Зосин управитель с ходу насмерть в пани Липовичовую влюбился, теперь целыми часами у нее просиживает, а и она не против. Известно, что управитель этот у Зоси многим чем разжился, только ждать остается, как эти двое тоже обвенчаются, небось пани Липовичовой давно охота быть хозяйкою в собственном доме.

И еще одна история приключилась, какой свет дотоле не видывал. На ночь глядя громкий стук всполошил всех в нашем доме, кто-то в двери колотил, а поскольку в ту пору все уже были дома, не больно напугались. Открывать пошел Тымек, сильнейший из лакеев, а при нем Вавжинец с ружьем. В двери, однако, не злоумышленник колотил, а Веся Шелижанка. Темной ночью одна-одинешенька чуть жива прибежала к нам! В ноги мне повалилась, слезами горючими заливаясь, слова не в силах вымолвить. Что за беда у них случилась? Много мы с Матеушем, Кларчей моей да с другими горничными хлопотали, никак Веся в себя не приходила, так что Матеуш уже велел за доктором посылать. Веся, о докторе услыхав, "нет!" вскричала, на то Матеуш в сердцах

154

чуть не силою в нее изрядную рюмку старки влил, и помогло. Веся тотчас дрожать перестала и речь связную повела.

Я сразу поняла — не для ушей холопских те речи, и прислугу из кабинета удалила. Слезами горючими заливаясь, несчастная поведала нам с Матеушем, что наслышаны все о моем сострадании к Зениным несчастьям, как не однажды ко мне за помощью прибегала. Вот и она, Веся, ко мне со своими горестями явилась, да и соседи мы им самые ближние. Выслушав Весю, мы с Матеушем еще раз посетовали о повсеместном падении нравов шляхетских. А уж Веся себе и вовсе неизвестно что избрала — не обедневшего шляхтича даже, а управителя сахарной фабрикой в нашем уезде. Этот управитель у отца Веси земли под фабрику покупал, и так они с Весей познакомились. Без памяти Веся в того управителя влюбилась, и он в нее, у отца Весиного ее руки просил, старый же Шелига с сердцем отвечал — раньше кактус у него на ладони вырастет, нежели дочь родную за голодранца выдаст. Не дивилась я такому ответу, зная крутой нрав старого Шелиги. Хоть и вконец разоренный — высоко метит, сына на дочери Конецпольских женил, ради марьяжа с магнатами собственное поместье по ветру пустив и трех дочерей лишив всякого мало-мальски приличного приданого. Старшую успел еще до сына за графа Струминского выдать, так ради нее имение заложил. Сейчас у них в разоренном поместье нищета страшная, один шляхетский гонор остался. Мы с Матеушем в один голос Весе советовали смириться, но родителя не осуждать, тот вправе дочь родную навеки в девках оставить, но абы какому холопу не отдать. На что Веся, с гневом великим на ноги вскочивши, "ничего подобного" вскричала, ее избранник пан Потыра вовсе не холоп и не голодранец, а старого шляхетского рода, человек ученый, науки проходил в Берлине да в Вене, свой пай в той сахарной фабрике имеет, и немалый, будет им с чего жить безбедно. И без приданого ее с великой охотою берет, потому что полюбил великой любовью и без нее ему свет белый не мил.

Услышав это, вспомнила я еще о трех бесприданных дочерях Шелиги, ведь им мужей не найти, ибо ради старшей да сына Шелига всего имения лишился. А известно ли ее батюшке, что пан Потыра и без приданого брать согласный? — спросила я. Веся ответила: когда пан Потыра в их дом сватать ее явился, батюшка после первых же слов сразу за саблю схватился, так что до приданого дело не дошло, ибо пан Потыра счел за лучшее в бегство обратиться. Ведь откуда ему знать, что не сабля на стене батюшкиного кабинета почитай от полувека красуется, а пустые ножны на ковре висят. Весе давно известно, что на приданое никакой надежды не имеет и ради батюшкиных шляхетских амбиций старой девой останется, а теперь появился достойный жених, так и его прогнали. Другой-то не скоро сыщется, и, коли замуж за пана Потыру не пойдет, придется ей дни свои влачить из милости приживалкой в доме старшей сестры или брата, тогда уж лучше сразу в монастырь идти. Но она несогласная и пойдет за пана Потыру хоть вопреки отцовской воле.

Очень огорчила меня Весина исповедь, жаль девушку, тем более что пригожеством бедняжка не блещет, равно как и младшие сестры, да и старшая, что за графа Струминского выдана, страшна была как смерть, граф на приданое польстился, что старый Шелига с трудом великим наскреб для нее с обидою для остальных.

И так Веся рыдала, так меня о помощи молила, что велела я ей на Бога уповать и помочь пообещала. Пока что спать ее отвела, а коли в ее поисках пан Шелига к нам заявится, сама с ним говорить решила, на Матеуша не полагаясь, ибо и для него пан Потыра представляется недостойным претендентом на руку благородной девицы.

Ночь прошла спокойно, а наутро каретою поехала я к пану Шелиге одна. Мне придавало смелости то обстоятельство, что со времен ранней моей юности пан Шелига всегда мне большое внимание оказывал, хотя женатый и семейством обремененный. Ручки без устали целовать норовил и подпругу на охоте без потребности поправлял, счастье еще, что супруга его, матушка Весина, хоть собою невидная, здоровьем и крепостью всегда отличалась и мужа в железных рукавицах держала. Так теперь я на сантиментах пана Шелиги свои расчеты строила.

Шелига с почтением меня принял, а я, тотчас быка за рога взявши, вопросом его огорошила: какое он приданое своим дочерям определяет? Пан Шелига даже в лице переменился и рот от изумления раскрыл. Придя в себя, в сердцах запамятовав, что я уже давно замужем и мать двоих детей, как рявкнет грозно: "А какое милостивой панне дело до моих дочерей и их приданого?" Я с улыбкой на то отвечала, что, будучи с их семейством в давнем приятельстве и соседстве и душою о паннах Шелижанках изболевшись, могу им приискать достойного жениха. И так при этом на старого баловника поглядела, что враз о беглой дочери забыл и ко мне с любезностями разлетелся, ну да я с такими старыми проказниками давно научилась обходиться, в три мига его усмирила.

Тогда старик сокрушенно мне признался — нет у его дочерей приданого, ни гроша, и что с ними делать, ума не приложит. И тут я слово за слово, исподволь до пана Потыры добравшись, представила ему всю выгоду замужества Веси с управителем. Совместно мы порешили — пусть Веся свадьбу уходом играет, а он, пан Шелига, гонора своего шляхетского не уронит и своего согласия на дочернин мезальянс не даст, язык на то не повернется. А потом они ему в ноги покаянно падут, он же проклинать их своим отцовским проклятием не станет, а гнев его в том проявится, что ослушливую дочь лишит приданого. И хотя сама я все придумала, тут же усердно принялась расхваливать чванливого голодранца за его разум и умение, благодаря которым он и гонор шляхетский соблюдает, и дочь при-

строит. Распрощалась и с доброй вестью к беглянке поспешила.

Веся с паном Потырой по задумке моей поступили и спустя немного времени сбежали, не слишком скрываясь, да и погоня не слишком усердствовала...

С трудом продираясь сквозь историю бедной Веси, Юстина позабыла о главной цели расшифровки прабабкиного дневника — императорских сувенирах. Теперь Юстина уже переписывала текст дневника на новой пишущей машинке, добытой для нее Барбарой, увлекшись всеми этими перипетиями столетней давности. Ее интересовали дальнейшие судьбы людей, окружавших когда-то прабабку, и она с большой неохотой отложила в сторону и дневник, и отпечатанные на машинке листы, ибо на семью вдруг одна за другой обрушились беды и неприятности.

Сначала умерла Дорота. Ее смерть не явилась для родных неожиданностью, здоровье Дороты уже давно оставляло желать лучшего, много лет она жаловалась на сердце, и вот оно совсем отказалось биться. Просто остановилось. Дорота спокойно умерла во сне. Похоронили ее в глуховском фамильном склепе, рядом с мужем, и похороны матери лишили дочь надежды на новое зимнее пальто.

Потом родной дом покинул Павлик, навсегда покинул, уехав в Штаты. Выехал он легально, по приглашению земляка, открывшего в одном из американских городков польский ресторан, в надежде заработать состояние на национальной польской кухне. Павлика земляк пригласил к себе шеф-поваром. Перед отъездом Павлик сообщил родным, что возвращаться не имеет желания.

Смерть матери и расставание с сыном лишили Юстину душевного равновесия. А тут еще, словно этого было мало, на Барбару что-то нашло и она решила выйти замуж. За отставного полковника польской армии.

Страх обуял все благородное семейство, так как это был не просто отставной полковник, не какой-то там артиллерист или сапер, а бывший сотрудник армейской контрразведки, и работа его была такой ужасно секретной, что к нему и приближаться-то было страшно. В связи с чем все посторонние лица должны были покинуть Барбарину квартиру.

— Девочка моя, это ненадолго, — утешала Барбара жутко расстроенную Юстину, — я поживу с ним немного, мы ведь старенькие, скоро помрем. Относительно прописки-выписки Антось все оформит в лучшем виде, тебе не придется хлопотать, а квартира мною приватизирована, и могу сообщить — завещана тебе. И не только квартира, а все, что в ней имеется. И Пляцувка будет твоя, и мои вклады. Ты не волнуйся, я оформила все путем, официально, у нотариуса. Может, думаешь, я совсем спятила на старости, но просто он мне очень нравится, а ты сама видишь, как он еще держится...

— Так он же моложе вас, тетечка, — хлюпала носом Юстина.

— Подумаешь, большое дело, всего каких-то четыре года. А был бы старше — так бы не держался. А жить вы будете у Гортензии, они с Людвиком одни остаются.

— Как же одни? Ведь там Дарек с семьей.

— Как, ты разве не знаешь? Дарек с Иоасей отправляются куда-то в Африку на археологические раскопки и Стефанека с собой забирают. Людвик с Гортензией остаются вдвоем в семи комнатах, еще прицепятся к ним, а тут вы как раз и переедете. У Болеслава наконец свой кабинет будет.

— Так они же тоже приватизированы!

— Ну и что? В наше время ко всему придраться можно, лучше уж вы там поживите, а то чужих вселят. А мой дом пока мне оставьте, сделайте это для меня.

Совсем оглушенная всеми этими бедствиями и новшествами, Юстина не сопротивлялась. Да и то сказать, долгие годы они жили в прекрасных условиях, не зная горя, лишь благодаря Барбаре, как же теперь не пойти ей навстречу?

Переезд занял два месяца.

Семикомнатная вилла в Служеве и в самом деле оказалась очень удобным жилищем для пяти человек, хотя Идальке и пришлось сменить школу. А переезжали так долго потому, что Барбара по непонятным причинам просила увезти с собой почти всю мебель из ее квартиры, буквально опустошив ее. В общем, устроились весьма неплохо. Геня еще существовала и отлично делала свое дело, Гортензия вела хозяйство, так что, казалось, Юстина наконец получила возможность целиком посвятить себя проблемам прабабки. Но так только казалось, поскольку Гортензия не только вела хозяйство, но и очень любила поговорить.

— Ты что думаешь, Барбара действительно потеряла голову из-за любви к этому своему Антосю и потому за него вышла? — как-то таинственно начала она. — Ничего подобного, у нее совсем другое на уме.

— А что именно? — заинтересовалась Юстина, зная, что от Барбары можно всего ожидать.

— Что-то они комбинируют... Антось с подозрительными личностями встречается, знаешь, всякие там шпионы...

— Какие шпионы, тетушка, ведь он уже в отставке.

— Да какая там отставка! То есть он в отставке, это так, но официально, а в действительности... говорю тебе, они что-то замышляют и Барбаре понадобилась квартира, чтобы облегчить ему эти встречи.

— А как вы полагаете, тетя, что же они замышляют?

— Казино! — выпалила Гортензия.

Юстина так и села.

— Казино?!

— Ну да, для того ей и понадобился свободный дом. На короткое время, как она уверяла.

— Так ведь казино у нас нелегальные!

— Ну и что из того? Для таких, как он, у нас все легальное. Власть им все дозволяет, на все глаза закрывает, а объявления в газете они давать не собираются. Подпольный бизнес!

— Тетушка, да откуда вы все это взяли?

— Думаешь, тетка на старости лет спятила? Из достоверных источников. Знаешь ведь, Барбарина Феля с моей Геней старые приятельницы. А Феля — женщина неглупая, к тому же не слепая и не глухая. Правда, Барбара с Антосем не разрешают ей по вечерам в салоны заходить, да она все равно кое-что услышала и увидела и моей Гене рассказала. А Геня мне. По-твоему, если в комнатах столы для покера и рулетки, так это что? Однозначно! Столы для рулеток и карт они завезли сразу же, как вы свою мебель вывезли, для того и надо было помещение освободить.

— Тетушка, ох! Просто в голове не укладывается! А как же они Феле такое доверие оказали, оставили ее в игорном притоне? Барбара, понятное дело, знает Фелю с детства, верная служанка, но Антось же не привык доверять людям!

— Феля говорила — Барбара с таким условием на казино согласилась, чтобы ее, Фелю, оставить, потому как сама Барбара в хозяйственных делах что коза в опере. А к тому же Барбара заставила Фелю на распятии поклясться, что никому ни слова. Если кто станет интересоваться, так ответ один: хозяева гостей любят, в бридж по вечерам играют.

— А вот вашей Гене разболтала.

— Так ведь Геня не в счет, свой человек. Она никому не проболтается и не донесет.

— В таком случае, наверное, и вам, тетушка, тоже надо хранить тайну?

— А разве я кому говорю? Только тебе. Считаю, ты просто обязана знать.

Очень беспокоясь за легкомысленную Барбару, Юстина заставила Болеслава разузнать, как власти относятся к нелегальным казино, не говоря, зачем это ей. Болеслав, как всегда, добросовестно справился с заданием, и Юстина немного успокоилась, узнав, что за азартные игры у нас в Сибирь не ссылают и к стенке не ставят. Правда, штрафы сдирают огромные и все оборудование конфискуют. Кажется, в повторных случаях все-таки сажают за решетку, но все равно этот вид преступной деятельности предусматривает на редкость мягкие меры наказания, что объясняется соображениями государственной выгоды, а именно позволяет отлавливать самых богатеньких представителей частного бизнеса и драть с них три шкуры. Все эти тайные сведения Болеславу удалось получить от одного очень высокопоставленного типа, которому еще в оккупацию спас жизнь, а теперь этот тип как раз занимается частным высокодоходным бизнесом, которого официально в Польше нет и не было.

Узнав о всех этих карах частникам, Юстина сочла необходимым предостеречь Юрочку, который в Косьмине развел частные грядки и теплицы и намеревался на широкую ногу наладить торговлю ранними овощами.

С этой целью Юстина поехала в Косьмин. Хотя Ядвига была старше Барбары всего на год, выглядела она намного старше, но держалась неплохо.

— Теперь уж твердо решила правнуков дождаться, — объявила она Юстине при встрече. — Нет, я не тороплю Юрочку, но очень хочу, чтобы он женился. Дружит он сейчас тут с одной девушкой, Крысей зовут, но не знаю, выйдет ли у них что, потому как ее не к растениям, а к животным тянет. А больше всего к лошадям.

— Что ж, по-моему, одно другому не мешает, — поддержала Юстина деловой разговор. — Конюшни еще стоят, место для выгула найдется...

— ...и будут они лошадей помидорами кормить? — иронически подхватила Ядвига. — Нет, я бы, дитя мое, предпочла общие интересы.

— Да какие же они, как не общие? — удивилась Юстина. — Оба любят деревню, работу, ведь в наше время среди молодежи это очень редкое явление.

К моменту возвращения Юрочки Юстина почти сагитировала Ядвигу, доказав, что лошади и огурцы — явления одного плана, и тут же поспешила отправиться с Юрочкой в теплицу, чтобы наедине поговорить на щекотливую тему. Сообщив о гонениях на частный сектор и о необходимости соблюдать осторожность, она доверила ему также семейную тайну — Барбарино казино, взяв слово не болтать.

— Так что держись на всякий случай от Барбары подальше, — напоследок посоветовала она. — А если станут тебя завлекать в какое частное казино — смотри, ни ногой! Там только и ждут таких, с большими деньгами.

Юрочка на редкость беззаботно воспринял все эти предостережения.

— Значит, ужасно получается, что у меня пока нет больших денег и не предвидится в ближайшее время. А что касается казино, вот уж оно меня совсем не привлекает. Я предпочитаю бега. Моя девушка любит лошадей...

— Да, я слышала. Бабушка боится, что ты тут заведешь частную конюшню.

— Бабуля напрасно боится, у нас нет частных конюшен. А вот три лошадки завести можно, я уже советовался с дедушкой Людвиком, вы, наверное, знаете, он и сейчас держит две кобылы у мужика в Вычулках. Несколько лет занимается тем, что получает от них хороших жеребят, кроет чистокровными жеребцами и уже добился очень неплохих полукровок. О, дядя Людвик — большой специалист, может, единственный сейчас в стране. Что и мне стоит попробовать? Есть у кого проконсультироваться.

— Так ты бываешь на ипподроме?

— Бываю, а что? Редко, правда, времени свободного совсем нет. А Крыся уже участвует в бегах как любитель, так я иногда с ней туда выбираюсь.

— И тогда делаешь ставки?

— Конечно, почему нет? И, представьте, выигрываю! Даже "шкоду" купил на выигранные деньги.

Да сами подумайте, тетушка, кто в нашем роду не разбирается в лошадях?

Юстина поневоле согласилась с парнем. Видимо, и в самом деле в их роду из поколения в поколение переходят какие-то гены, потому что все любят лошадей, пользуются всяким удобным случаем, чтобы поездить, а ездить есть на чем, так как у Людвика всегда какие-нибудь лошадки найдутся. Юстина только сейчас отдала себе отчет в том, что все они в детстве увлекались верховой ездой, вот и ее Идалька, кажется, тоже увлекается, только она отстала, занявшись другими делами. И окончательно перешла на сторону Юрочки и еще неизвестной ей Крыси. Не стала упорствовать в своем прежнем отрицательном отношении к бегам, поняла, что казино Юрочке не грозит, постаралась утешить Ядвигу и вернулась домой с кучей продовольствия.

Приведя в порядок новое жилище, Юстина со вздохом наслаждения вытащила спрятанную до поры книгу в красной обложке и с зеленым нутром и погрузилась в привычную работу — расшифровку и перепечатку на машинке прабабкиного дневника.

Только сейчас получила возможность написать о всех этих ужасах. С тех пор как прискакал посланец из Блендова со страшным известием, никак в себя не приду, в обморок даже не раз падала, а ведь сии бабские капризы не могу себе позволить.

Спасибо Матеушу, он мне в эти тяжкие дни опорою и утешением служил. Немедля лошадей запрячь велел, меня своею крепкою рукою в коляску усадил, и в тот самый день мы в Блендов прибыли. И тут нам в подробностях о происшествиях ужасных поведали, а Доминика, внешне невозмутимая, наверняка что-то подозревает и узнать пытается, ибо я все от нее скрываю.

Только увидела я того мужика, о камень головой побитого, так даже нехорошо сделалось, ибо тут же его признала. А ведь еще бабка-покойница тревожилась — не подвел бы кузнец, больно говорлив на старости сделался, вот и выходит, что этот побитый не иначе как о многом знал, коль скоро навел бандитов на блендовскую усадьбу. Счастье, что в беспамятстве находился и говорить был не в состоянии, я неприметно Марте два империала сунула за ее усердие, уж больно хорошо она сего паршивца отделала. Услышал Господь мои молитвы, и паршивец дух испустил, слова не вымолвивши, да примет Господь его душу грешную.

Ослабев от переживаний душою и телом, я уединения искала, самым же благодетельным для меня оказалось пребывание в библиотеке...

...Шимон тоже подтвердил, что побитый — сын того мужика, который вместе с кузнецом над входом трудился, хоть и был побитый в ту пору мальчонкой малым, однако же многое от отца услышал. Благо великое, что о вещах наиважнейших проведать не мог, ибо те вещи Шимон втайне ото всех строил.

С большим вниманием и с большим трудом прочла Юстина бледно-зеленые каракули. Прабабка в нервах писала уж совсем невыносимо, разбрызгивая свои зеленые чернила и игнорируя знаки препинания. Перепечатав ее сумбурный текст, Юстина поняла — теперь без дневника панны Доминики не обойтись, надо сопоставить записи обеих мемуаристок, относившиеся к памятным событиям в Блендове. К тому же панна Доминика описывала фактическую сторону дела, то есть попытку ограбления, Матильда же этой стороной пренебрегала, больше внимания уделяя своим переживаниям да домыслам.

Поиски записок панны Доминики отняли уйму времени. Оказалось, после переезда Юстининого семейства в их дом тетка Гортензия, наводя порядок, всю старинную макулатуру выбросила на чердак, где в конце концов Юстина и разыскала ее вместе с генеалогией Людвиковых лошадей. Людвик был счастлив, обретя свои драгоценные бумаги, которые уже считал погибшими, поскольку Гортензия не имела о них никакого представления, выбрасывая все кучей.

И вот, только сопоставив два параллельных описания одних и тех же событий, Юстина получила наконец не только полное представление о бандитском нападении на барский дом в Блендове, но и кое-какие сведения о тайнике. Нет, недаром именно в библиотеке искала прабабка Матильда успокоения, значит, вход в него наверняка вел из библиотеки. Ага, вот прямые на то указания:

...все оказалось в порядке, а сделанная мною перестройка не получила никаких повреждений и держится отлично. И навряд ли Доминика до чего докопалась, никаких следов мною обнаружено не было. А напоследок я специально людям головы заморочила разными

168

глупостями. Все счета за тайные работы с собою забрала, также и те, в коих бабка с излишней дотошностью пометила, что и кому уплатила, долго ли заинтересоваться — а за что? Хотела самые редкостные вещи к себе в Глухов перевезти, да раздумала, ибо Глухов — собственность Матеуша, потом на Томека перейдет, Блендов же мой, и могу с ним делать, что пожелаю. Да и нет в Глухове подходящего тайника, а если начну необходимые работы, враз пересуды пойдут и тут же злоумышленники окрестные встрепенутся.

Бабкины инструкции скрыла, как сочла нужным, и здесь тоже не напишу, лишь наследнице моей перед смертью на духу поведаю. А коли Господь ее разумом наградит, так и без того сама собою догадается.

Оторвавшись от дневника, Юстина попыталась вспомнить, кто же стал прабабкиной наследницей. Интересно, узнала или нет эта самая наследница, где Матильда скрыла инструкции своей бабки? Езус-Мария! Как кто? Да ведь наследницей должна была стать Хелена! Хелена, ее неразумная старшая сестра, давно умершая. Один Господь знает, сказала ли ей что прабабка перед смертью, да если даже и сказала — значения не имеет. Хелена по своему легкомыслию не в состоянии была всерьез отнестись к прабабкиным словам, к тому же голова у нее была дырявая, ни одной мысли там не удержаться, а писать не любила, вряд ли взялась бы за перо. Законченная идиотка, царствие ей небесное.

И вообще, в момент прабабкиной смерти обе они были на Ривьере. Тяжело вздохнув, Юстина постаралась успокоиться, что толку теперь раздражаться? И спустя некоторое время вернулась к чтению дневника.

Перенеся все эти волнения, решила я отдохнуть и развлечься, покамест фигура дозволяет, и в Варшаву отправилась. А добравшись, тотчас велела на скачки ехать. Матеуш, должно быть, такого от меня не ожидал. Следом за мною приехал в Варшаву и стал упрекать. По его мнению, неприлично и осуждения достойно в моем интересном положении показываться в обществе. Как будто я сама не понимаю, что прилично, а что нет, под корсетом пока не распознают, а ведь через пару недель в четырех стенах придется сиднем сидеть. К тому же я и платье новое сшила, старые все тесны сделались. А платье всем на удивление, сапфирового бархату с шелковыми пелеринами, под ними и вовсе ничего не видать из фигуры, будь я даже и на сносях. К платью сапфировому — шляпка васильковая, цветами гортензии обильно изукрашенная и перьями оттенком малость потемнее, а при шляпке вуалька розовая. Ну и один-единственный раз отважилась в прабабкиных сапфирах показаться.

На скачках Россинант бежал из еще прадедовой конюшни, так я на него поставила и выиграла! А Матеуш хмурый сидел до невозможности и мне назло на иного жеребца поставил, на Дантеса из конюшни графа Тышкевича, и тот Дантес костлявый лишь третьим пришел! Жаль мне стало Матеуша, прикинулась покорной супругой и все по его слову делать пообещала, так он, душою оттаявши, поставил на Золотую Звезду графа Рогальского, надо же — как-то углядел, и выиграл! Следует признать, в лошадях он понимает.

Показалось мне, мелькнул там пан Пукельник, однако же уверенности не имею. Неужто осмелился в обществе проявляться?

...Сдается, это уж последний Сочельник будет, что я с родителями моими встречала. Отец больно здоровьем слабый и долго не протянет, да и мать моя стала немощна. Детей всех от них с собою забрала, даже Лукашека. Он до сих пор ножками не ходит, но ведь известно, что дети крупные и тучные поздно на ноги становятся, сама вижу, вот и Ханя, будучи субтильнее, раньше Томашека начала ходить.

Прабабка никогда не проставляла дат, и Юстина совсем запуталась. Сколько времени прошло после кровавых событий в Блендове? Полтора года? Два?

Пришлось опять обратиться к запискам панны Доминики, и только теперь бедная Юстина отдала себе отчет в предстоящей ей еще работе. Две толстенные тетради дневников и дикое количество отдельных страниц, к которым она и не прикасалась, погрузившись с головой в мемуары прабабки с их зелеными каракулями, выцветавшими с каждым годом все больше. Одна надежда на панну Доминику, аккуратную, последовательную в своих записях, отмечающую все события с точностью документалиста.

Все еще не решив, с чего начать, с прабабки или Доминики, Юстина в раздумье сидела над архивами, когда к ней заглянула Гортензия, пришедшая, чтобы помешать.

— Ну что ты вечно чахнешь над этой макулатурой? — раздраженно спросила она. — Так и ослепнуть недолго. А я вот о Дареке беспокоюсь... Они ведь сейчас в Африке живут, не знаю, есть ли в этой Африке какие города? Ты как думаешь?

Поскольку в настоящий момент Юстина все еще пребывала в девятнадцатом веке, она не могла с ходу вспомнить ни одного африканского города, кроме Каира, который и назвала тетке.

— Да знаю я Каир, но он на севере Африки, а они находятся где-то в середке, даже малость южнее. И не сидят все время в городе, вечно в экспедициях, а ведь там дикие звери и негры. Вдруг людоеды?

— Не стал бы Дарек рисковать жизнью Иоаси и Стефанека, — успокоила тетку Юстина. — И наверняка туда тоже проникла цивилизация и дороги построили.

— Они по бездорожью ходят, — вздохнула Гортензия, — только там интересно археологам. Как подумаю, сколько там бананов, фиников, апельсинов и прочей бакалеи, так дух захватывает. А тут к празднику кекс испечь — изюму нет, и достать невозможно. А ты знаешь, что наша Геня гадать научилась?

Переход от бакалеи к гаданию оказался слишком резким, Юстина не ухватила сути.

— И что? — на всякий случай осторожно поинтересовалась она.

— А то, что благодаря гаданию много чего получаем. Вот вчера принесли говяжью вырезку, се-

172

годня у нас настоящие бифштексы. А еще обедали печеночку. И туалетную бумагу, целых две упаковки, хватит на какое-то время. Даже появилась надежда на австрийские колготки.

Австрийские колготки Юстину добили. Уже не встревая, она молча смотрела на тетку, которая и не нуждалась в репликах собеседницы.

— Потому как Геня, понимаешь, гадает в основном продавщицам из разных магазинов и заведующим, сплошные бабы. И у всех проблемы, то сердечные, то по работе. И все к Гене за советом, она ведь всего по одному злотому берет, чтобы гадание исполнилось. А если ничего не брать, тогда не исполнится. Ну и в благодарность получает любой товар из-под прилавка. Знаешь, наша Геня очень неглупая. Правда, я ей посоветовала кое-что, когда в ней способности к ворожбе проявились.

Юстина хоть и сидела в прошлом веке, прекрасно знала ситуацию со снабжением и тоже порадовалась. И оживилась.

— Тетя, а не может ли Геня достать для Идальки чешки? Такие, знаете, тапочки для занятий гимнастикой.

— Дитя мое, не хуже тебя знаю и уже заказала. Должны поступить на будущей неделе, я и размер сообщила. Как раз у заведующей обувным отделом большие неприятности с мужем, чуть ли не каждый день бегает к Гене, та карты раскинет и посоветует, как поступить. Из-за этого вчера вареников не наделала, времени не было. И еще могу заказать бумагу для машинки, с доставкой на дом. Хочешь?

— Господи, конечно, хочу!

— Ну так получишь. Что же я собиралась тебе сказать?

— А вы уже сказали. О гаданиях Гени.

— Да нет, это так, к слову... Ага, вот что. Ведь мой Людвик, вроде тебя, всю дорогу в каких-то старых бумагах роется — записи предков по лошадиной части. У обоих вас тяга к древностям всяким, говорят, так всегда бывает в старинных благородных семействах, из поколения в поколение переходит шизофрения или чахотка, так я уж предпочитаю эту страсть к макулатуре. О чем я? Ага, ну так Людвик в лошадиных бумагах на какие-то давнишние письма наткнулся, тебя интересует?

— Какие письма?

— Он сказал — какой-то мошенник собирался то ли его отца по лошадиной части обмануть, то ли деда, но не обманул, так что Людвику эти письма без надобности. Твой дядюшка, скажу тебе, совсем на старости спятил, того и гляди совсем в конюшне поселится. Иногда думаю — если ему на обед подать тарелку овса, заметит или съест?

Оно, конечно, интересно, съест ли Людвик тарелку овса за обедом, но гораздо интереснее для Юстины были обнаруженные им письма. Для Людвика дед, для нее прадед. Не Матеуш ли? Тогда хронологически события совпадают с дневником прабабки.

Поскольку Юстина с восторгом восприняла предложение получить исторические письма, Гортензия с некоторым трудом выкарабкалась из кресла и, держась за поясницу, направилась в мужнин кабинет. Юстина поспешила за ней. И в самом деле, в чисто лошадиную документацию затесалось три посторонних письма и нечто вроде черновика. Жадно схватив письма, Юстина хотела сбежать к себе, да не тут-то было, Гортензия пока не наговорилась. А сколько еще

174

тем для обсуждения! Барбарино казино, женитьба Юрочки, здоровье Людвика...

С него Гортензия и начала, ибо в данный момент ее престарелый муж занимался тем, что перегонял своих лошадок в Косьмин, и делал это лично. Фургона не взял, а ведь сорок четыре километра, и этот старый дурак решил верхом перегонять, мол, для добрых лошадок это просто приятная прогулка.

— И представь, сам едет, — жаловалась Гортензия. — Вот-вот семьдесят стукнет старому дурню, а он все молоденьким представляется, скоро станет участвовать в скачках с препятствиями, никак не желает примириться со старостью. У них в роду все такие. Барбара вон тоже лет не считает.

— Ну что вы жалуетесь, тетя, — успокаивала старуху Юстина, — дядя Людвик в прекрасной форме, и не исключено, только из-за того, что постоянно ездит верхом. На свежем воздухе, физические упражнения, гимнастика...

— Какая там гимнастика? — упорствовала Гортензия. — Ведь у нас две войны за плечами, годы свое берут. Да, кстати, ты знаешь, ведь твоя Идалька тоже ездит? Я так и думала. Ничего ты не замечаешь, уткнула нос в старые бумаги и не видишь, что вокруг делается. А дочка твоя то с утра, то под вечер непременно к лошадкам приедет, стакнулась со своим ненормальным дедом. И вот еще что. Я уже думала, Ядвигин Юрочка при помидорах останется, так нет, эта его Крысенька на свою сторону перетянула, тоже к лошадям склоняется. Вот теперь и перегоняют их в Косьмин. Но зато свадебную вуаль Крыся получит из тюля, это уже Геня наша постаралась, импортные туфли и платье свадебное креп-сатиновое. А перчатки чешские, представь себе, до локтя! Всего шесть пар таких поступило, и одна досталась Гене, которая вовремя предсказала заведующей, что на ней один из ящика женится.

— Из какого ящика? — не поняла Юстина.

— Вот и я говорю — совсем ты оторвалась от действительности. Один засекреченный тип на хорошей должности, заведующая давно на него зубы точит.

— Ого, какие клиентки у Гени! — порадовалась Юстина.

— Представь себе, еще и партийные случаются. А Геня очень неглупая, знает, что кому нагадать. Да и то признаться, карты ее слушаются. А сейчас я голову ломаю над свадебным подарком, как придумаю, Гене подскажу. Тебе ничего подходящего в голову не приходит?

К любимому занятию Юстина смогла вернуться лишь вечером, когда появился Людвик, живой и здоровый, а вместе с ним и Идалька. Оказывается, после школы Идалька на полпути перехватила дедушкину конную экспедицию и, оседлав одну из лошадей, лично доставила ее в Косьмин. Обратно деда с внучкой привез Юрочка на своей машине "комби". Когда Юстина, проявив материнскую озабоченность, поинтересовалась у дочери, как же уроки, та с удивлением ответила — уроки на завтра сделала еще на переменах, осталась только застопырка с чем-то странным по физике, но она этого все равно не поймет, даже если год просидит. Пришлось обратиться к отцу. Болеслав, к удивлению матери и дочери, как-то сразу понял — речь шла о переходе силы в энергию или чего-то вроде этого, и задачу с ходу решил. Юстина была так потрясена познаниями мужа и увлечением дочери конным спортом, что не стала возвращаться к любимой истории, а весь вечер посвятила семейным проблемам. Не могли в Идальке такие склонности развиться сами по себе, должно быть, сказались гены предков, не иначе как проявился прадед Матеуш.

К дневнику прабабки Юстина обратилась не сразу, решив вначале прочесть обнаруженные теткой письма.

Выяснилось, что некий пан Тшемша, действуя от имени своего клиента, желал приобрести у прадеда Матеуша двух лошадей. Точнее, приобрести он хотел лишь одну кобылку чистых кровей, но прадед поставил условие — продаст, если с этой кобылкой покупатель возьмет в придачу и другую лошадь, отнюдь не такую замечательную. А без второй первую продавать не станет. Юстина сразу поняла — речь шла о покупке с нагрузкой, очень распространенное в ее время явление, когда желаемый предмет продавался лишь в паре с чем-то совсем не желаемым, скажем, чайник или настольная лампа продавались лишь вместе со статуэткой сталевара или сборником биографий революционных деятелей. Сталевара и деятелей сразу же выбрасывали, а чайником и настольной лампой пользовались по назначению. Выходит, продажу с нагрузкой изобрели уже в прошлом веке...

Сторговавшись в письменной форме, клиент купил-таки прадедовых коней. Для Юстины самым интересным была не форма торговли с нагрузкой, этим ее не удивишь, а промелькнувшая в ходе переписки фамилия клиента — Базилий Пукельник. Подумать только, преступная личность столь нагло себя ведет и даже торгуется с ближайшим соседом Зени! К тому же из писем поверенного пана Тшемши стало ясно, что его клиент проявил поразительную расторопность при покупке, ибо для осмотра коней объездил все владения предков, побывал и в Глухове, и в Блендове, и в Косьмине, и даже в Пляцувке, расположенной довольно далеко от остальных владений. Интересно, чем объяснить такую настырность? И вообще, что происходило с этим подозрительным Пукельником? Женился ли он? Где поселился? Расплатился ли с долгами? Раз покупал лошадей, значит, бедняком не был. Откуда у него деньги?

Ответы на все эти вопросы мог дать лишь дневник Матильды, но в планах Юстины было сначала заняться записками панны Доминики. Теперь же и не знала, с чего начать, сидела в нерешительности, когда к ней опять ворвалась Гортензия в большом волнении.

— Вот видишь, я же говорила! Повадился кувшин по воду ходить, тут Барбаре и голову сломить! — хаотично выкрикивала тетка. — Я как чуяла! А ты сидишь тут в макулатуре и ничего не знаешь, в прошлом веке, совсем от мира оторвалась! Только что Геня от Фели прибежала, у них там Содом и Гоморра! Ни за что не поверишь!

— Так что случилось-то? — с беспокойством спросила Юстина. Упоминание о Содоме наводило на мысль, уж не устроила ли Барбара у себя публичный дом.

Гортензия повалилась в кресло.

— Резня у них в казино! Смертоубийства! Трупы валяются по всей квартире! Феля сегодня утром нашла!

— Много?

— Чего много?

— Много трупов нашла Феля?

— Один, а ты сколько бы хотела?

— Да мне и одного достаточно. И что?

— Пока ничего, но наверняка начнется что-то страшное! Этот Барбарин Антось как заорет на Фелю "заткнись!", как заткнет ей рукой рот, потому что она не помня себя кричать начала не своим голосом...

— А потом?

— Он тут же какую-то особую "скорую помощь" вызвал и велел всем говорить, будто один из их гостей от сердечного приступа скончался. Как же, сердечный приступ, а все кругом кровью залито! Прибежала Барбара и другую версию выдвинула — у гостя лопнула язва желудка, и теперь Феле велят придерживаться язвы, ведь ей же пришлось кровь смывать. Вот видишь, а я всегда говорила!

Оглушенная новостью, Юстина не знала, как на нее отреагировать, чего немедленно требовала тетка, но очень сочувствовала бедной Барбаре. В отличие от Гортензии она Барбару ни в чем нехорошем не подозревала, если в квартире и творились темные дела, так во всем наверняка виноват Антось, а уж он как-нибудь выпутается. Хотя в любом случае смерть в их казино точно нежелательна. То есть официально ведь никакого казино не существует, официально к ним приходили гости поиграть в бридж...

— Очень тетя Барбара переживает? — поинтересовалась Юстина.

— Где там! — почему-то обиженно ответила Гортензия. — Феля рассказывала — с нее все как с гуся вода. На труп поглядела и, представляешь, ничего!

— Так, может, это кто незнакомый? — попыталась Юстина как-то оправдать бесчувственность Барбары.

— Ясно, чужой, не наш родственник! Но ведь наверняка знакомый. А главное, вот чего я никак не могу понять... Ну ладно, Феля спала, выстрела не слышала. А остальные? Игроки так называемые? Они что же, тоже спали?

— Игрой были заняты...

— Ну что ты говоришь! Один застрелил другого, те отодвинули застреленного в сторонку, чтобы по трупу не топтаться, и продолжали играть? Так, по-твоему?

— Конечно, ведь неприлично по трупу топтаться...

— Им не до приличий, таким... Просто чтобы под ногами не мешался. А как думаешь, почему застрелили?

— Обычно убивают из-за денег...

— Что только из-за денег — не поверю, не станет же убийца на глазах у всех убитого обыскивать и деньги из его карманов выгребать. Нет, тут другое. Помяни мое слово — Барбара казино только для видимости устроила, а на самом деле там встречаются всякие подозрительные шпионы и счеты сводят. Прикроют теперь этот притон, как думаешь?

— А почему бы вам, тетя, не позвонить Барбаре и не расспросить ее?

Гортензия жутко обрадовалась, похоже, такая мысль ей самостоятельно в голову не пришла.

— Слушай, это идея! Позвоню. Притворюсь, что мне срочно требуется рецепт на мясо по... по... корсикански.

— Зачем же притворяться? Прямо так и спросите.

— А затем, чтобы не выдать Фелю, дурацкая твоя голова! Ну никакой тонкости понимания.

Тетка побежала звонить, а Юстина опять принялась выбирать между двумя старинными рукописями. Так и не успела сделать выбор, тетка быстро вернулась.

— Уму непостижимо! — с радостным ужасом информировала она племянницу. — Представляешь, у них все тихо и спокойно! Труп вынесли, навели порядок, и Барбара без моих расспросов спокойно так сообщает: "Знаешь, у нас ночью один гость скоропостижно скончался" — и давай мне о желудке сказки рассказывать, а потом перебила себя и говорит — больше не может со мной беседовать, вот уже гости собираются партию покера начинать. Боже милостивый, в какие времена живем! Я и про мясо по-корсикански забыла.

Поскольку Юстина все последнее время раздумывала о пане Пукельнике, ей очень хотелось сообщить тетке, что мир не слишком изменился, уже сто лет назад умели весьма искусно скрывать преступления, а в данном случае, скорее всего, действительно сводили счеты преступники и нечего их жалеть, тетка же Барбара тут ни при чем, — но не стала этого говорить, так как тетка Гортензия историей не интересовалась. А для себя решила повидаться с Барбарой, чтобы убедиться, что той ничего не грозит. И все-таки от нее узнать правду о происшествии.

Придя к такому решению, она по привычке села за дневник прабабки, позабыв, что еще не решила, с какого из дневников начать.

...Придется, видать, побольше гусынь на яйца посадить, поредело мое гусиное стадо, и все равно по утрам такой крик подымают, что чуть свет будят. Как окно ни запираю, все равно слыхать, да и не любит Матеуш, коли окно плотно притворено, ему все воздуху мало свежего.

Зеня счастлива так, что и сказать невозможно, никак на сына-первенца не налюбуется, да и пан Ростоцкий с обоих глаз не сводит. У них я Клариссу застала, аж пожелтела от зависти, ибо одних дочерей рожает, а пан беспрестанно о наследнике твердит, так что не видать Клариссе покоя. И то сказать, глядя на Левицких, их соседей, страх охватывает, потому как уже восемь девок и ни одного хлопчика. А все не унимаются, все в надежде пребывают, хоть пани Левицкой тридцать пять стукнуло. Ничего, пан Левицкий мужчина из себя видный, авось получится, да и девки ихние без мужей не останутся.

У Зени будучи, поинтересовалась я паном Базилием. Через купцов-евреев вести доходят, отвечала Зеня, будто под Радомом отыскал пан Базилий невесту не бог весть какой наружности, зато столь деньгами набитую — слов недостает, те купцы только причмокивают в восхищении. Все к тому идет, что выйдет она за него, и наконец проходимец на деньгах женится. А для Зени он теперь не опасный, как-никак муж законный есть и наследник появился.

Дочитав до этого места, Юстина сама себе кивнула. Так и есть, женился пан Пукельник на богатой, вот откуда деньги на закупку лошадей. Только почему он именно прадедовых лошадок торговал? Многие помещики в те времена конюшни держали. Да еще и упоминание о том, что дотошно объезжал все имения предков якобы в поисках чего получше.

С сочувствием и пониманием читала Юстина строки, посвященные горестным событиям в жизни прабабки. Скончался ее отец, мать совсем одна осталась, старая и немощная, того и гляди тоже скоро умрет. На похоронах отца, пришедшихся на прекрасный весенний день, Матильду шокировало появление скупой жены брата в таком платье, "что аж смотреть стыдно, и по швам видно — сто раз перешивалось". Юстина взяла на заметку упоминание скупой невестки, что-то часто стала она мелькать в дневнике Матильды.

Далее опять следовали описания будничной жизни соседей-помещиков, перемежающейся чрезвычайными происшествиями, чрезвычайными в уездном масштабе. Из дома старого Шелиги сбежала вторая дочь, Людвика, наверняка подействовал дурной пример Веси. Сбежала она к жениху, банковскому служащему, и, поскольку была девицей вполне совершеннолетней, намеревалась обвенчаться с возлюбленным в одном из варшавских костелов без благословения отца, не очень переживая по этому поводу. Как-то на этот раз все было намного проще, чем в случае с Весей, и обошлось без особых эмоций. Правда, зять старого Шелиги, граф Струминский, за которого Шелига в свое время выдал старшую, по этому поводу приезжал к тестю с упреками, "дескать, не того ради он его дочь в жены брал, чтобы теперь с плебсом породниться". Бедный старик на всякий случай еще оставшуюся в доме младшую дочь Эвелину в чулан запер, но та, "нимало не убоявшись сурового батюшки, из чулана зазорные слова выкрикивает, за сапожника выйти грозясь". Матильда, донельзя удивленная пристрастиями благородной девицы, не без юмора заметила: "На месте Эвелины я уж лучше бы хорошего портного приискала, ну да о вкусах не спорят".

Описания таких вот происшествий, бесконечная череда ближних и дальних родственников, множество знакомых с их проблемами и просто мелочами быта доносили до правнучки аромат эпохи, дуновение мира, окружающего людей того забытого уже времени. А сколько словечек, ушедших из жизни вместе с обозначаемыми ими понятиями! Некоторые оказались неизвестны Юстине, хоть и была она любительницей старины и весьма эрудированной особой, а вот поди ж ты, расшифровав иногда какое-нибудь сложное слово, приходилось лезть в словарь. Да, такой труд на любителя...

А неспешная жизнь шла своим чередом и преподносила сюрпризы. Выяснилось, что сбежавшую Людвику ожидали неприятности. Ее избранник оказался не простым банковским служащим, а племянником директора банка, хоть и не благородного происхождения. И родные не разрешили ему взять в жены бесприданницу, пусть и шляхтенку! Вот так выпендривалось простонародье, совсем не ценя чести, ему оказанной. Как пережил это старый Шелига — мемуаристика не сообщает, тем более что граф Струминский, "проведав об огромных богатствах будущей родни, перекинулся на ее сторону и уже не прочь с банком породниться". Пришлось бедному Шелиге продать оставшиеся леса, лишь после этого распоясавшиеся городские нувориши соизволили принять в семью его дочь. Выпустив из чулана Эвелину, старик поехал в Варшаву на свадьбу дочери и задал там пир на весь мир, еще раз посрамив простонародье, пусть знают шляхетский гонор!

На свадьбе же странные вещи выяснились. Оказывается, и Весин пан Потыра не серая кость, с богатыми купцами был запанибрата, даже сам князь Любомирский, на что уж магнат из магнатов, с ним в кабинете уединился

184

и долго о своих финансовых проблемах советовался. Увидев собственными глазами столь дивные вещи, старый Шелига уже последний разум потерял и со своим шляхетским гонором выставил себя совершенным болваном. Я сама на свадьбе этой была и чуть от смеху не лопнула, глядя на столь явное посрамление шляхетской чванливости. Не до смеху, однако же, стало, когда разглядела на приглашенных дамах наимоднейшие туалеты, по последней парижской моде сшитые. Сама себе мелкопоместной голодранкой казалась! Немедля пошью себе такие же: перед до колен укороченный, а вся драпировка позади в шлейф переходит. Три штуки закажу! И на карнавал в Варшаву отправлюсь, пусть Матеуш и гневается, ведь я опять тяжела, и дитя под сердцем крепко толкается.

...А в крестные я Зосеньку попросила и малышку тоже Зосей назову.

Дойдя до этого места, Юстина вспомнила двоюродную бабушку Зофью, умершую в Косьмине несколько лет назад. Это она, оказывается, была тем дитем, которого носила под сердцем Матильда и которое так толкалось в ее чреве. Как же годы летят...

Опять пришлось надолго отложить дневник прабабки, отвлечься на неотложные дела, помочь в свадьбе Юрочки с Крысей. Но вот все закончилось, можно отдохнуть душою и телом.

...Бедная матушка, сбылось наихудшее предчувствие, чуяла небось, что дни ее сочтены. Похороны отца в прекрасный день проходили, матери же моей горемычной и тут незадача вышла. Дожди беспрестанные всю неделю лили, на кладбище ноги с трудом из грязи вытаскивали, а платье я по колено испачкала, теперь хоть выбрасывай, другой раз уже на случай траура надевать никак невозможно. Хорошо еще, что шубы длинной не набросила, лишь короткую из черной нерпы. Осталось мне материно кольцо обручальное с розовой жемчужиной, вокруг рубины, золотой прибор для шитья, колье алмазное, еще из ее приданого, и ларец с бумагами, что от бабки остались. Невестка, жена брата, с завистью на то глядела да локти кусала, но сделать ничего не могла, ведь дочери мать оставила, а не сыну. А уж скупа! В том же платье шитом-перешитом явилась, что и на похоронах отца была, как только со стыда не сгорела! Ларчик же бабкин преогромный, из литого золота, богато изукрашен, орнаментом из мелких сапфиров, а по углам четыре алмаза огнем горят. Так невестка глаз оторвать не могла, небось не бумаги бабкины ее очаровали.

...В ларце золотом письма оказались. Езус-Мария, прабабка и впрямь была полюбовницей Наполеона. Только теперь я поняла, ради чего эти императорские презенты драгоценные так от человеческих глаз скрывали. Не трофеи то никакие, в честных боях завоеванные, а грабежами да кражами добытое богатство. Кто бы подумал! Ведь сам император, не бандит безродный, а поди ж ты... Сокровищницы королей опустошал, царские разграбил, а может, и боярские, кто там знает.

...*Пусть до поры в тайнике лежат, нам пока без надобности, а уж коли нужда заставит... Опять же, семьдесят лет минуло, небось из тех времен никто до наших не дожил? А все не следует их показывать, и бабки мои излишне ими глаза людям не мозолили, и мне негоже.*

Ларчик с письмами я вместе с другими вещами в тайнике припрятала. На всякий случай эти императорские презенты пускай еще полежат в укрытии — не ровен час, возникнут какие катаклизмы. Вон из Франции нежданно-негаданно республика сделалась...

Матеуша тоже амбиции заели, в нынешний сезон собирается выставить двух рысаков, так что весь дом на голове стоит. Томашек гувернера своего настроил, и оба из конюшни не вылезают вместо занятий, гувернер же мне втолковать пытается, будто там уроки природы своему воспитаннику преподносит. Мало того, гувернантка Ханны туда же подалась, покамест в толк не возьму — лошади ее влекут или кто еще, но заметила — глазами по сторонам так и шарит, а меня уверяет, мол, ради свежего воздуха для барышни прогулки устраивают. Свежий! В конюшне! Поначалу я на пана Владислава грешила, однако тот с Томашеком все дни безвылазно в конюшне просиживает и внимание уделяет одним лошадям. Тогда подозрение свое перенесла на конюшего, он хоть и женатый, зато пригожий да статный, но конюший, кроме жены, других баб не признает. Ветеринар еще бывает, да больно стар и нехорош. Один Матеуш и ос-

*тается. Неужто гувернантка моя его на при-
мете имеет? Видно, и мне пришла пора в конюшню переселиться. Везде свой глаз нужен.*

*...Без причины я переживала, нужна моему
Матеушу панна Ванда как псу пятая нога. И
пан Владислав ее без внимания оставляет, он
молодой человек, собою красавец, Ванде же
тридцать скоро стукнет, если кого другого
не приглядит — в девках останется. Аж мне
ее жаль стало, милая она и безответная, да
и Ханя под ее присмотром растет барышней
тонкого воспитания.*

*...Из Паментова нагрянула целая толпа
неожиданных гостей на наших коней полюбоваться, одиннадцать персон да еще молодежь. Счастье, что прислуга моя хорошую
школу прошла, все улажено лучшим образом,
а на леднике моем всегда припасов достаточно. И хоть застали меня неприбранною, ждать
не пришлось, быстро сумела себя в порядок
привести. Уж так удачно вышло, как раз незадолго до того два новых платья от порт-
нихи присланы, а я после Зосеньки нисколько
весу не прибавила. Странно, что Эвелина Шелижанка с гостями в одно время приехала, как
могла проведать об этом с другого конца уезда? Огляделась я внимательно и кого вижу?
Пан Вонсович-младший! Дай им Бог счастья!
Эвелинке я только добра желаю, девица в самой поре, а на пана Вонсовича старый Шелига не станет носом крутить, старинного он
дворянского рода. Двое их только, братьев
Вонсовичей, на старшего родовое имение перешло, однако и младший имеет свою долю в*

лесопилке. Вижу я, как дворянство все больше от земли отходит, переключается на промышленность да торговлю, и в наши дни такое положение уже не вызывает нареканий и общества не шокирует, ибо по освобождении крестьян многие дворянские поместья пришли в полное запустение.

...Немало усилий приложила я для устройства прелестного праздника в наших садах и на реке, а рысакам Матеуша все блистательные победы сулят.

Ну, так и случилось. У меня сердце в груди прыгало, как наши рысаки первыми приходили на варшавском ипподроме. И Титан, и Маргаритка! Вся моя венская карета цветами по края была заполнена, пришлось, дабы не удушиться, швырять их в публику. А платье я особое на этот случай заказала, зеленое с черной отделкой, под цвета конюшни Матеуша. Мне зеленое к лицу, а за изумрудами пришлось в Блендов съездить, опасалась я немного, однако все обошлось. И хоть эти рысаки Матеуша больших денег нам стоят, сдается мне, все расходы вернулись с большой прибылью, а сверх того я на бегах шестьсот рублей выиграла. Матеуш много смеялся — "верная жена мужу всегда счастье приносит". И все же по возвращении домой не обошлось между нами без ссоры. Вздумал Матеуш меня зазорными словами укорять, за великую себе обиду посчитал адорацию мне со стороны графа Дембицкого, будто тот "как приклеенный подола твоего зеленого платья держался". Ну и держался, что с того? Кнутом его, *графа, отгонять? Так в свете не принято. И только вволю покричав и мужа до хрипоты доведя, я призналась, что мне граф Дембицкий как прошлогодний снег.*

А на балах варшавских благодаря нашим рысакам замечательным и изумрудам императорским провозгласили меня царицей бала, и натанцевалась я так, как не отплясывала и во времена своего девичества.

Ну вот и конкретное замечание об императорских драгоценностях. Матильда ездила за ними в Блендов. А вот что с ними сделала потом? Оставила у себя или отвезла обратно в Блендов? Да, чудесные сокровища действительно существовали, сомнений нет. По спине пробежали мурашки. Сокровища, предназначенные ей, Юстине, самой старшей правнучке. И что, до сих пор лежат где-то спрятанные? Или пропали? Ведь была же она в Блендове, глупая, не сообразила как следует осмотреть тамошнюю библиотеку. Почему, последняя кретинка, только сейчас удосужилась дочитать дневник до этих прямых указаний? Почему не прочла прабабкиного дневника еще до войны?

А ведь считала себя умной и рассудительной, в противоположность глупой и легкомысленной Хелене. Ха-ха, тоже мне умница! Да Хелена по сравнению с ней — гений!

Упреками делу не поможешь, это Юстина прекрасно понимала, но и не упрекать себя не могла. Только она одна во всем виновата, а ведь благосостояние стольких людей было в ее руках! Несколько дней Юстина сокрушенно ела себя поедом, все у нее валилось из рук, никак не могла восстановить душевное равновесие. Даже прибегла к радикальному средству: спустилась в кухню и, вынув из холодильника бутылку хорошо замороженного яжембяка, опрокинула сто граммов, не смущаясь присутствием Гортензии и Гени.

— Что с тобой, дитя мое? — в ужасе вопросила Гортензия, потрясенная видом пьющей Юстины.

— Должно быть, все из-за тех дел, что творятся у пани Барбары, — предположила Геня. — Тут любой запьет.

Яжембяк свое действие оказал, у Юстины перестало шуметь в ушах и сжиматься сердце, и она решила — ни за какие сокровища не признается родным в своей оплошности, пусть она идиотка, дебилка, кретинка последняя, прекрасно, но это ее личное дело, не обязательно родне об этом знать. Потерять свою репутацию самой рассудительной в семействе? Ну уж нет, такого она просто не вынесет. Надо что-то придумать, что-то предпринять, может, еще не поздно? Конечно, заниматься этим следовало сразу после войны, в сорок пятом, а теперь, когда прошло двадцать лет, когда здание там столько раз ремонтировалось и перестраивалось... Ладно, главное — спокойствие.

— Давление у меня упало, — объяснила она свои сто грамм. — Так что там стряслось у тетки Барбары?

— Никто толком не знает, — почему-то таинственным шепотом отвечала Гортензия. — Заперлись и никому не открывают. А Феля в кухне плачет. По телефону нам сказала.

— Но они хотя бы живы?

— Живы, наверное, потому что время от времени какие-то стуки слыхать.

— А что по телефону говорят?

— Ничего не говорят, к телефону они не подходят, только одна Феля.

— Так надо туда поехать! Что же вы!

— Меня не пустят, — захлюпала носом Гортензия. — Мне и ехать нечего.

— Я поеду. Меня впустят. Или насильно ворвусь к ним в квартиру. А вдруг этот Антось совсем спятил и силой удерживает там Барбару и Фелю?

— Как же, так Барбара и позволит себя насильно удерживать, — сразу перестала хлюпать Гортензия. — Но мне кажется, лучше туда послать мужчину, Болека или Людвика. Некстати все наши дети повыезжали... Может, Юрочку вызвать?

— Где вы сейчас Юрочку разыщете, он ведь в вечных хлопотах по хозяйству. Нет, поеду сама. А парадную дверь мне Феля откроет, позвоню ей, что еду.

— На чем же ты поедешь?

— На машине, на чем же еще.

— А ты не пьяная после яжембяка?

Юстина, уже успевшая позабыть о ста граммах, честно прислушалась к своему внутреннему состоянию.

— Да нет, совсем трезвая. Еду!

Знаменитый "мерседес" семейство со временем превратило в два "вартбурга". Одним пользовался Людвик, другим — Юстина. Барбара благодаря своему Антосю располагала более престижной маркой, у нее под окнами стоял "вольво".

Предупрежденная по телефону о визите, зареванная Феля ожидала под дверью и открыла после первого же треньканья звонка. С радостью приветствуя Юстину, Феля шепотом сообщила, что господа с самого утра заперлись и, должно быть, вовсе не ложились. Ночью что-то делалось, она не знает, что именно, сама-то вздремнула, а потом ее какой-то непонятный шум разбудил, и гости все враз ушли, а ведь обычно выходили поодиночке. Она утром наладилась, как обычно, порядок в комнатах наводить, так не тут-то было, двери на ключ запертые, а пани через дверь крикнула, чтобы шла прочь и голову не морочила. И еще велела никого в квартиру не впускать, никому не открывать, только через цепочку посмотреть, если кто явится. И в таком положении Феля до сих пор сидит, только кухней пользуется да еще маленьким туалетом и каморкой, что при кухне, а все остальное на запоре. Слава богу, в кухне второй телефон, хоть своим можно позвонить.

Юстина уселась в кухне на стул и принялась обдумывать услышанное. Неужели придется впутываться в партийно-преступно-политические махинации Антося? Ни в жизнь! Тогда что, ждать, пока само все объяснится? Проголодаются и сами выйдут?

— А еда у них там какая-нибудь имеется? — спросила она у Фели, перебивая на полуслове ее монотонные причитания.

— Еще сколько! — был ответ. — Я им целый буфет холодных закусок приготовила, и кофе, и чай, а чайник большой на электроплитке всегда стоит.

Тогда выжидание ничего не даст, на холодном буфете можно не одни сутки продержаться. Как же вытащить сюда Барбару?

Не успела Юстина прийти к какому-нибудь решению, как брякнул в кухне звонок, Феля бросилась к парадной двери и через цепочку увидела Амелию. Разумеется, ее она впустила, ведь свой человек.

— А, ты уже здесь! — обрадовалась Амелия, узрев в кухне Юстину. — Что происходит? Тетка

Гортензия в полной панике разыскала меня, чтобы я немедленно мчалась сюда спасать положение, будто Антось здесь тетку Барбару убивает или наоборот. На всякий случай я прихватила два аппарата. Так что происходит?

— Пока сама не знаю, — удрученно призналась Юстина. — Сидим вот здесь с Фелей, а Барбара с мужем с ночи в комнатах заперлись, я как раз голову ломала, как бы Барбару сюда вызвать.

Амелька долго не думала.

— Поджечь что-нибудь! Не всерьез, но чтобы дыма побольше и крик, крик я обещаю поднять достаточный, пусть Феля намочит пару тряпок, лучше всего для дыма мокрые тряпки поджечь, подоткнем им под дверь и орать начнем, "горим", мол.

— Господи, неужели никогда не повзрослеешь? — одернула Амельку Юстина.

— Ты им не звонила? Они знают, что ты здесь? — спросила та тетку.

— Нет, не звонила, так что, наверное, не знают.

— Так сходи и постучи к ним, поджечь всегда успеем. Не сидеть же тут вечно.

— Лучше бы ты постучала...

Амелька отправилась стучать, но только подняла руку, как дверь распахнулась и Барбара вышла добровольно. Одета она была в элегантный утренний пеньюар и выглядела нормально, только, пожалуй, немного утомленно.

— А, девочки, привет! — поздоровалась она с Юстиной и Амелькой. — Успокойте Гортензию, нечего ей впадать в истерику: Феля подняла панику, но ничего страшного не произошло, а маленькие неприятности с кем не случаются? Так, собственно, чего вы хотели?

194

При появлении хозяйки Феля поспешила скрыться в кухне. Юстина с Амелией нерешительно переглянулись.

— Мы-то ничего не хотели, — ответила наконец Амелька, — думали, может, вы чего хотите...

— Может, я чего-то и хотела бы, но раз не требуется — не надо, — как-то загадочно ответила Барбара. — Мне же меньше хлопот.

— Так что, нам не вмешиваться? — уточнила Амелька. — А что все-таки случилось?

Плотно притворив за собой дверь, Барбара заговорила вполголоса:

— Во всем нужно знать меру, я сама придерживаюсь этого принципа и другим советовала. Так нет же, хотят все сразу захапать, как гиены какие. Ну ладно, так и быть, скажу вам, все равно скоро все узнают. У кормушки перестановки готовятся, — тут Барбара показала пальцем вверх, дескать, в очень высоких кругах, — и один у другого золотой зуб вырвал. Схватились, малость потрепали друг дружку, каждый норовит для себя кусок побольше отхватить. Пусть вас Феля чем-нибудь накормит и напоит, мне некогда, надо пойти Антося успокоить, уж слишком он разнервничался. А Гортензии скажите — нечего икру метать, все образуется, как-нибудь мы справимся.

О продолжении этой истории Юстина узнала лишь на следующий день, причем не от Амелии. Ту полностью удовлетворило объяснение Барбары, и она совершенно отключилась от чужих проблем, у нее своих было предостаточно. О продолжении сообщила по-прежнему чрезвычайно взволнованная Гортензия.

— Ну вот, видишь, у них опять труп! Ты же там была, неужели ничего не заметила?

— В прихожей трупов не было, — вздохнула Юстина, — а дальше нас Барбара не пустила...

— А там он и лежал! — удовлетворенно воскликнула Гортензия. — Неудивительно, что Антось так встревожился. Я лично на него думаю. Из дома его вынесли поздним вечером, а весь день просидели взаперти. От Фели я узнала, от кого же еще, ей велели помогать при выносе, потому как Антось только с лестницы его снес, мужик здоровый, сам снес, а дальше велел бабам отвозить. Феле Барбара сказала — гость перепил и с перепою скончался, они, мол, весь день его в сознание привести пытались, а доктора боялись вызвать, зачем им, чтобы посторонние узнали.

— И куда же его дели?

— Барбара с Фелей его в машину затолкали, Барбара села за руль и поехала к Гроховской больнице. А там темень, выволокли его из машины, прислонили к какой-то урне и уехали.

— Так на улице и оставили?

— Не могла же Барбара рисковать, пришлось оставить. Да ты не волнуйся, никто и не заметил.

— Не может быть! — волновалась Юстина. — У больницы всегда полно народу и машин, "скорая помощь" то и дело подъезжает...

— Я и сама знаю, что в любое время суток там народу и машин полно, да никому дела не было до какого-то постороннего пациента, если кто и заметил, подумал, что пьяницу привезли, там пьяниц много. Не исключено, до утра так просидел, только утром его прибрали. Просто ужас!

Юстина тоже пришла в ужас — до каких дней довелось дожить! И охватила тревога за Барбару. Что же такое происходит в ее подозрительном казино, один труп за другим! А может, это и в самом деле был обычный пьянчуга, только Феле показался покойником?

— А что еще вам Феля сообщила?

— У них по-прежнему квартира на запоре, казино закрыто, это тебе о чем-то говорит? И оба дома торчат. Барбара хотя бы по квартире расхаживает, а Антось как укрылся в спальне, так носа оттуда не высовывает, на ключ изнутри заперся. Барбара сама носит ему еду на подносе, а если кто в дверь позвонит или по телефону, Феле велено говорить — хозяев нет дома. Уехали куда-то на месяц. Как думаешь, что все это значит?

— Толком не знаю, однако ясно — большие неприятности у Барбары. Но ведь мы все равно ничем не поможем, остается ждать.

— Остается, — вздохнула Гортензия. — Только бы Барбаре ничего не было, из-за Антося я переживать не собираюсь, не хватает еще на него нервы тратить! И к чему ей все это, свихнулась на старости лет!

Через день тетка Барбара приехала к Юстине, чтобы обо всем рассказать, предварительно заставив пообещать, что никому ни слова, а особенно Гортензии. Выяснилось, что Антось попытался воспользоваться переполохом в высших партийных и правительственных сферах и немного обогатиться. Все его знакомые пытались, не он один, особенно та часть сфер, которой предстояло уйти с политической арены. А деньги у них в казино такие большие прокручивались, что простому человеку и поверить трудно. Возможно, Антось немного передергивал, но там все передергивали и, честно говоря, все друг дружку шантажировали. И продолжают шантажировать. Это недолго продлится, пока власть не переменится, а потом все на время опять в норму придет. И Антось это тревожное время предпочитает в доме провести, в городе не появляться, чтобы какой несчастный случай с ним не приключился. На вопрос, зачем ей все это было нужно, Барбара лишь плечами пожала.

— Ради денег, моя дорогая, зачем же еще? Прежних совсем не осталось, а тут появился шанс немало огрести. За Пляцувку я плачу большие налоги, прежние дикие поселенцы в ней теперь стали легальными и ни гроша не платят, а мне налоги с каждым годом увеличивают. Открыть казино без Антося у меня не было возможности, вот и вышла за него. У него ведь везде друзья-приятели. Те еще приятели, друг дружке глотку перегрызть готовы. Когда я шла на это, еще не знала, в какое болото лезу, думала, не такая уж грязь. А сейчас я бы охотно свернула это предприятие, за несколько месяцев не только расплатилась с долгами, но даже и накопила немного, так что не раскаиваюсь. Вот только Антося жалко, ведь он в этом болоте по уши завяз, а я к нему уже привыкла. Знаешь, старый, да ярый. Ну да ладно, не обращай на нас внимания. И никому ни слова! Гортензии наври что-нибудь о супружеской измене или какую другую романтическую историю придумай, она любит. Можешь и на поединок намекнуть.

Итак, бедная тетка Барбара вышла замуж за шантажиста, мошенника и просто преступника! Ну да что теперь отчаиваться? И Юстина в соответствии с советами Барбары сообщила ошалевшей от любопытства Гортензии о преступлениях на любовной почве. Гортензия была вполне удовлетворена, ни минуты не усомнившись в низком моральном уровне высоких государственных деятелей. Она даже подвела философскую базу, рассуждая об общечеловеческих ценностях.

— Вот, гляди, времена меняются, а люди все те же остаются! И в мои молодые годы все эти министры да генералы распутству предавались, в притонах государственные денежки просаживали да тратили на любовниц. Теперешние ничуть не лучше. Я так думаю, Барбара Фелю взаперти держит, чтобы не шокировать, а то ведь к ксендзу с жалобой побежит.

На фоне всех этих удручающих явлений современности прабабкины записи, хотя и несколько однообразные, действовали на душу как целительный бальзам.

...а я об этих скандалах ничего и не знала, всецело занятая нашими лошадьми. Подумать только, пани Машковская! Урожденная Вальдецкая, средняя дочь пани Вальдецкой! Такая тихоня в девушках, прекрасно ее помню, рта никогда не раскроет, слова не молвит, а тут столь страстный роман с паном Вольским, известным сердцеедом. Как раз на ипподроме пан Машковский их и застукал. Выясняется, они уже давно по конюшням рандеву устраивают, делая вид, что приезжают туда для конных променадов. И вот на варшавских бегах пан Машковский их высмотрел, и пани Машковская отпереться никак не могла, ибо в жарких объятиях оба позабыли обо всем на свете. Поскольку пан Машковский горячность чрезмерную проявил, с нервами не сладив, дело поединком кончилось. И на поединке пан Машковский пану Вольскому ногу над коленом прострелил, а пан Вольский пана Машковского в руку ранил, однако же оба живы и ничего с ними не станется. Пани Машковскую отправили аж под Замостье, от греха подаль-

ше в глухую деревню, уехала она заплаканная и обиженная, а тетка Клементина головой ручается, что вся любовь через год насовсем забудется, если только пан Машковский каких глупостей посторонних не наделает и себя попридержит. Лишь бы после потомства не обнаружилось и не усложнило бы дела. Пану Вольскому тоже прямой резон подале отбыть, а нога раненая тому не помеха.

...Зима нынешний год суровая была, пропасть волков отстреляли, и Матеуш обещается мне пелерину подбить волчьим пухом, хотя на то потребуется много времени, ибо следует выдрать весь волос из волчьей шкуры, зато нет на свете ничего теплее и легче. Наши кони третий год в большой цене, потому недостатка в средствах не испытываем, и Томашека можно для образования года на два выслать в Англию, нам это по карману, пусть в Лондоне малость посидит, уж больно гадко по-английки выучился. Боюсь только, не молод ли? Может, сделать это на следующий год, а пан Владислав после Лукашека возьмет под свою опеку.

...Ну и новые компликации. Не иначе Господь неведомо за что на меня ополчился. Пан Владислав совсем потерял голову из-за моей горничной, да и она к нему склонность питает, вот ломаю голову, как выйти из положения. Ни его, ни ее больно неохота лишиться, ведь в Томашеке уже явственно видны и манеры прекрасные, и обхождение в обществе, а моя горничная Эмилька в ловкости иным француженкам не уступит, однако же распутства в доме терпеть не стану. Разве на время прикинуться *слепою* и *глухою*, а Матеуш пусть с ним один на один по-мужски поговорит?

Зеня после двух сыновей доченьки богоданной дождалась, Кларисса же наконец пану барону сыночка принесла, и каждая счастлива по обратной причине. Уж мы вволю насмеялись, когда обе ко мне с визитами прибыли. Зеня словно роза цветет, Кларисса же чрезмерно в теле прибавила, и приходится прежние платья расставлять. А полноту набирает от сластей, которыми лакомится в избытке, чтобы себе жизнь малость усладить после пана барона...

С Зосенькой моей не часто видимся, при шести детях трудно ей вырваться из дому, хотя большую помощь оказывает пани Липовичовая. Ох, что это я, уже добрых десять лет, как она пани Хольдерова, ведь вышла за Зосиного управляющего и переехала к ней в имение. По всему видно, теперешней жизнью весьма довольна, хоть и мезальянс допустила, выйдя за холопа, а все сама себе госпожа.

С трудом прочитав этот кусок дневника, Юстина сообразила, что прабабка стала как-то реже делать свои записи. Если судить по детям, она перескакивала не только через месяцы, но и через годы. Потому что жизнь стала однообразной, без ярких событий? Однако вскоре выяснилась истинная причина: прабабка была очень занята, о чем ясно написала в дневнике. Уже и раньше она неоднократно высказывала беспокойство по поводу тайника в Блендове, теперь же решила вплотную заняться его переустройством, а для этого затеяла полное переоборудование всего господского дома. Правда, жили они всей семьей в Глухове, родовом поместье Матеуша, но тот отрицательно относился к новомодным изобретениям вроде канализации, горячей воды в ванных комнатах, а уж тем паче электричества, что дало повод хитрой Матильде взяться за введение этих достижений цивилизации у себя в поместье, там она полная хозяйка. С присущим ей юмором описывала прабабка проведение канализации и одобрение этого удобства со стороны прислуги, которой уже не надо было бегать с господскими горшками, а горячая вода тоже всем пришлась по вкусу. С электричеством дело оказалось сложнее. Все в округе сочли Матильду ненормальной, даже в Варшаве электрический свет был еще большой редкостью, что же говорить о польских деревнях? К тому же удовольствие оказалось чрезвычайно дорогим, намного дороже обустройства ванных комнат и канализации. Матильда наняла специалиста — немца, обучавшегося в Америке и уже поработавшего в Петербурге. "Немец тот прямо надувался от важности и усердия. Хоть и флегматик, как немцу пристало, однако рвение редкое показал и работы развернул превеликие". Матильда признавалась в дневнике, что ничегошеньки в этих работах не понимала, только притворялась понимающей, да это и неважно, главное, из-за "превеликих" работ все в доме поставили вверх ногами, все перестраивали и переделывали, что и требовалось. А потом немецкий инженер к себе в Пруссию возвратился, только его и видели. Опять немаловажный факт, не проболтается.

Описание строительных работ в Блендове перемежалось красочными зарисовками зимних варшавских карнавалов, на них прабабка по-прежнему блистала и который уже раз хвалила себя за предусмотрительность, проявленную смолоду, когда сохранила за собой право распоряжаться своим родовым имуществом. Благодаря этому и теперь могла справлять себе бальные платья, мужа не спросясь, чем Матеуш был чрезвычайно недоволен и обижался, как встарь. Правда, теперь Матильда могла его утешить: подросла дочка. Ханне шел семнадцатый год, родители стали вывозить ее в свет, и Матильда великодушно разрешила мужу потратиться на наряды, что тот с радостью и сделал. В результате Ханна пользовалась большим успехом и без устали отплясывала на балах, подобно матушке, к большому удовольствию ее гувернантки Ванды, которая тоже балы любила, но главное — вся расцветала от гордости, глядя на светские успехи своей воспитанницы.

Матильда сожалела, что в тот год не смогла поехать в Париж, на такую поездку денег все-таки не хватило, ибо приходилось посылать Томашеку в Лондон, хотя и меньше, чем родители опасались. Дойдя же до описания варшавских балов, Юстина не выдержала и перепечатала текст на машинке, тем более что речь шла о главном.

...Платье себе роскошное сшила, сапфирового оттенка, но чуть потемнее, сильно драпированное и с золотой сеточкой по бокам, и к тому платью я надевала сапфиры с рубинами. Другое же, не менее замечательное, из мясистого зеленого атласа, богато отделанное серебряным кружевом, и в этом платье я наконец появилась в бриллиантах. Ханнусе же не позволила белое надевать, только в кремо-

вых да лососевых тонах, белое в этом году не носят, да и при ее темных волосах ей к лицу в кремовом. А раз платит отец, в расходах для дочери я не стеснялась.

С упоением описывала Матильда все эти корсетики, кружавчики, перчатки, веера, чулочки со стрелками, наверняка последний крик парижской моды. К счастью, до Варшавы не дошло уже совсем непристойное увлечение французских модниц, о котором сообщал в письмах второй год путешествующий Томашек. Оказывается, теперь намного важнее стали нижние юбки, сплошь в оборках, которые непременно должны торчать из-под верхних. Как же упоительно было читать обо всех этих тряпках, какой контраст представляли описания балов в сравнении, скажем, с перипетиями Барбары!

Встревожили, правда, Юстину упоминания о сапфирах и бриллиантах. Неужели прабабка все-таки извлекла их из тайника? Ага, вот и о сокровищах запись:

...На время работ в Блендове я сочла более безопасным держать все под рукой, но об этом никто не знает, даже Матеуш. И в записках более о том упоминать не стану.

А вокруг Ханнуси слишком много искателей руки крутится, не ради ли ее состояния? Меня это беспокоило очень, уж не сама ли я тому способствовала? Вот и казнись теперь, однако же, о счастье дочери болея, не уподоблюсь Чесе Гавроцкой. Гавроцкая на три года меня старее, да по балам без меры разъезжает, а дочерей же обеих, Ханнуси моей постарше, взаперти держит, малы, мол, еще. А все для того, чтобы самой казаться моложе. Не стану кривить душой, по наружности Чеся хоть куда, на свои лета никак не потянет, и никто ей столько ни в жизнь не дал бы, если бы я на ухо дамам не нашептала. Свежесть лица ее — одна видимость, мазям да притираниям обязанная, а уж как в танцах дрыгается да трясется, со стороны глядеть неловко, лучше бы дочерей в свет вывозила. Хотя и то верно — пан Гавроцкий совсем старый да хворый сделался.

Иное дело мой Матеуш. Держится ровно молодой, крепок и строен, может, тем обязан своим лошадям, ибо вечно в седле и из конюшен не выходит. На мазурке давеча молодых всех за пояс заткнул, а наружность такова, что любая за него бы пошла. Второго такого не легко сыскать. Граф Струминский, к примеру, тоже пригож да умен и с дамами первый любезник, да сложением чрезмерно хлипкий, навряд ли женщину по лестнице до самого верху донести сил достанет, а для Матеуша моего то плевое дело. Доводилось мне в ученых книгах читать, что телесные упражнения на свежем воздухе весьма способствуют сохранению молодости.

...Все последнее время я думаю, как бы Ханю свою от охочих до богатства женихов уберечь. Неглупа моя дочка и рассудительна, да тут панна Ванда нечаянно подгадила, ибо является живым доказательством, каково без приданого остаться девице, вот Ханя и не слишком свое приданое скрывает. Да и после моих сапфиров и брильянтов навряд ли кто поверит бедности Ханнуси. Пришло мне было в голову слухи распустить, что украшения мои фальшивые, да одумалась, не то бабка в гробу перевернется.

А о Чесе Гавроцкой я не иначе как в недобрый час припомнила. Вчера ее Броня сбежала из дому с новым ихним писарем. Вернувшись с бала-маскарада, вот такую конфузию обнаружила Чеся в своем доме. А молодые все хитро обставили. Писарь якобы из дому получил весть о смерти дядюшки и тотчас к нему отправился, Броня же к подружке своей, Крысе Паментовской, поехала погостить. Только через три дня правда наверх вышла и оказалось, Брони в Паментове не бывало, а новобрачные Козловские обвенчались в костеле и пребывают в Радоме. Никто не сочувствует пани Гавроцкой, все, как я, одно твердят: по заслугам Господь ее покарал, нечего дочерей взаперти держать, а самой на балах крутиться.

По возможности постараюсь оказаться в доме Чеси, стать свидетельницей ее "радости", когда молодая пани Козловская бабке внучонка привезет.

Вся молодежь наша прямо революцию устраивает, даже верить отказываюсь. Младший Вальдецкий идет на право, чтобы потом стать адвокатом или нотариусом, второй сын Паментовских намерен изучать сельскохозяйственные науки, другие на медицину, инженерию или политехнику собираются. А того хуже, что и панны наши шляхтенки туда же. Зелинская Марыся, выросши,

*не первого бала от родителей требует, а уче-
бы в Женеве, врачом ей приспичило стать.
Страшные вещи творятся! И всем этим шокированная, я своего Томашека все больше
ценю, ибо никаких наук мой сын не требует,
только богатую невесту начинает присматривать. Да и Ханя навряд ли Женевы той воз-
жаждет.*

И вдруг посреди всех этих семейных тревог и
светских сплетен промелькнуло в дневнике настора-
живающее упоминание о пане Пукельнике. Пришлось
Юстине опять сесть за машинку, чтобы все переписать, а потом на досуге еще раз продумать. Оказалось, пан Базилий Пукельник довольно давно в их
краях обретался, даже не постыдился встретиться с
Зеней, которую некогда пытался со свету сжить. Зеня
только через несколько лет проговорилась об этом
Матильде, которая очень удивлялась наглости проходимца. Как выяснилось, пан Базилий приехал пока-
яться в прежних грехах, дескать, по молодости, по
глупости, а теперь его совесть заела. И Зеня призналась подруге — простила она негодника, как только
увидела, так сразу ей прежний гадкий муж вспомнился, которого этот негодник прикончил, а теперь
она сколько лет с паном Ростоцким в счастье да со-
гласии живет. Ну как тут не простить? А когда Матильда принялась подругу упрекать, та ей возразила — ведь пан Пукельник только ее мужа убил, она в
живых осталась, так имеет право простить, а если пан
Пукельник перед Господом виноват, то это уж Господа дело, прощать или нет. И еще пан Базилий просил
Зеню оказать ему любезность, походатайствовать перед Матеушем, чтобы ему, Пукельнику, лошадей про-

дал. Зеня и ходатайствовала, да безуспешно, Матеуш проявил принципиальность и не только отказался мерзавцу своих лошадей продавать, но и встречаться с убийцей не пожелал.

И еще дошли до Матильды слухи, что Базилий Пукельник в последние годы все ее поместья объездил, якобы тоже в поисках лошадей, а дольше всего в Блендове сидел. Порадовалась Матильда, что провела там электричество, а заодно организовала и кое-какие другие переделки. Подозрительным показался и такой факт. Пукельник и в Пляцувке побывал, а ведь там Матеуш только першеронов выращивает, Пукельник же, по его словам, скаковых желает чистокровок. Тогда, спрашивается, что ему в Пляцувке делать? Выяснилось также, что во всех деревнях Пукельник усиленно общался с местным населением и о чем-то расспрашивал людей, лично рассматривал трубы для канализации, а также электрические столбы и провода, будто такое же новшество собирается завести в своих владениях. Матильда очень хвалила себя за предусмотрительность, а особенно за немца, которого теперь днем с огнем не разыщешь. "Столько мог разузнать, что кот наплакал", — удовлетворенно записала прабабка в дневнике.

* * *

— Во что ты там уткнулась носом, что света божьего не видишь? — потеряв терпение, спросила вошедшая Гортензия. — Я тут уж битый час стою, а ты даже не замечаешь. Неужели тебя уже ничего не интересует, кроме этой макулатуры?

Так грубо оторванная от пана Пукельника, Юстина вздрогнула и выпрямилась, с трудом возвращаясь в современность. Ее и в самом деле целиком поглотили шпионские происки негодяя Пукельника и опасения, что ему удалось что-то вынюхать. Тоже небось видел на прабабке наполеоновские драгоценности, украшения из сапфиров и бриллиантов. Ох, легкомысленная прабабка наверняка излишне оптимистично подходит к делу.

— Да нет, тетя, просто это страшно трудно разбирать. Взгляните сами.

Подойдя к племяннице, Гортензия бросила взгляд на страницу дневника.

— Не трудно, а вообще невозможно прочесть! Даже не скажешь, что писал человек, словно перепачканная в чем-то муха по бумаге ползала. Говорю тебе, Антось вернулся!

— А он разве уезжал? — удивилась Юстина.

— Ну вот, совсем от жизни оторвалась! Сразу после тех ужасов куда-то уехал, и полгода его не было. А ты и Барбары не видела, когда она к нам приходила? Хотя нет, помню, ты с ней говорила.

Тряхнув головой, Юстина пришла в себя и сама вспомнила. Действительно, Антось просидел безвылазно в квартире месяца три, после чего неизвестно куда скрылся. Высказывались предположения, что сбежал навсегда. Но вот вернулся...

— Ну, вернулся, и что?

— А я знаю? Просто боюсь, как бы там у них опять все не началось по новой. Надо что-то предпринять.

— Что же мы можем предпринять? Да и после тех страшных событий ведь ничего особо ужасного так и не произошло.

— Тогда обошлось, но если у них и дальше гости будут умирать от сердечных приступов, добром это не кончится. Как пить дать квартиру отберут. Надо бы поговорить с Барбарой, предостеречь ее. А квартира ведь тебе завещана. Пока что Антось ведет себя тише воды, ниже травы, но вдруг опять что отмочит?

Юстину больше беспокоил пан Пукельник, чем Антось, и, торопясь вернуться к прерванному чтению, она пообещала тетке, чтобы отвязалась, поговорить с Барбарой.

...Просто удивительно, как отлично вышивает моя Ханя. Целый шарф столь искусно вышила, что все хвалят. К платьям же такого интереса не проявляет, невесть чего может на себя надеть, и это меня огорчает. Не в меня пошла. Однако все равно вокруг нее много воздыхателей, а самый усердный — средний Бурский, что меня гораздо больше заботит.

...Напрасно опасалась я среднего Бурского, пан Казимеж Кольский мне в зятья метит, и моя Ханя не против, я уж приметила — ее в жар бросает, как тот поблизости окажется. Матеуш полагает, что пан Казимеж не ради богатого приданого обхаживает Ханю, а из искренних чувств. Кольские род небедный, дочь уже пристроили, один сын остался, и тот хозяйством со старанием занимается. Старик Кольский на ладан дышит, старая Кольская характером незлобивая, Ханю мою не обидят. А может, Матеуш такое расположение к пану Казимежу питает из-за лошадей, ибо тот в них толк знает тоже?

...Просил пан Кольский у меня руки дочери, я дала согласие, хоть больно далеко их поместье, на самой Пилице. Ханнуся счастлива и

не скрывает того, а ведь девице не приста-
ло столь явно радоваться. Теперь бы Тома-
шек какой глупости не выкинул, что-то опять
в Лондон помчался. Однако на свадьбу сест-
ры обещал вернуться, свадьбу через три ме-
сяца сыграем, тянуть нет резону, а приданое
давно уж приготовлено...

Позволив себе невнимательно пробежать подробное описание Ханиного приданого, Юстина не стала
на нем задерживаться. В памяти сохранились какие-то
смутные воспоминания о поместье бабки Ханны, пе-
режившем времена расцвета еще в самом начале века.
Наверняка то, что видела Юстина в детстве, в межво-
енный период, было лишь жалкими остатками былой
роскоши, но и тогда вызывало восхищение. Потом дед
с бабкой разорились, кажется из-за лошадей, в первую
мировую войну конный завод был полностью разру-
шен. Интересно, лошадьми дед так увлекся под влия-
нием тестя или сам по себе?

Ну ладно, бабка вышла замуж, а куда подевался
проклятый Пукельник? О нем никаких упоминаний.

...О, не иначе как Гражинка Винничувна на
моего Томашека зубки точит. Хоть свадьба
была шумная и я ни на минуту не присела, од-
нако же приметила, что Гражинка вокруг То-
машека без устали вертелась, близкое знаком-
ство выказывая, а откуда оно? И хоть хло-
пот был полон рот, пришлось-таки на всякий
случай знакомых порасспрашивать о Винничах,
люди все знают. Винничи оба из сенаторско-
го рода, по материнской линии, однако, уже
давно опростились, и земли у них кот напла-

кал, но денег достаточно. Да еще большие леса на востоке дают немалую прибыль, однако тяготение Винничи имеют к промышленности, а не к помещичьему образу жизни. Кто знает, может, оно так и следует по нынешним временам? Неужто я сама пану Шелиге уподобилась — все-таки милее мне невестка аристократка, нежели из мещан, пусть и богатых. А с другой стороны, чем бы, казалось, не хороша Гражинка: приданое принесет изрядное, собою мила и образованна, в обществе держаться прекрасно умеет, да и как не уметь, сызмальства по Европам возили. Только сейчас я спохватилась, не к ней ли в Лондон Томашек так рвался? А я-то думала, к лошадям. Посоветуюсь с Матеушем.

...У него одни лошади в голове, собственный сын женится, ему так и дела нет! Господа надо благодарить, что сын отцовского бзика не унаследовал. Хотя уж себе я могу признаться, Томашек к хозяйству тоже не больно привязан. Может, и лучше, что не хозяйством, а деньгами жить будет.

...А молодые вовсе там поселиться не желают и с ремонтом дворца не торопятся, а он в таком виде, что не людям жить, а мышам и нетопырям. Вот и сгодился небольшой хутор под Варшавой, им достаточно будет, однако дом тоже в ремонте нуждается. Молодые же вместо ремонта никак возвратиться из свадебного путешествия не спешат, а ведь Виннич не вечный, да и Матеуш, что же он себе мыслит, этот сын мой старший? Неужто лишь транжирить способен?

Немало времени понадобилось Юстине, чтобы сообразить — в данный момент она как раз сидит в доме того самого хутора, где дед Томаш поселился с молодой женой после свадебного путешествия. Наверняка его не только отремонтировали, а полностью перестроили, дом еще задолго до войны превратился в современную виллу. Надо же, как им повезло. Если бы не этот презираемый Матильдой жалкий хутор, неизвестно, где бы теперь они преклонили голову, ведь фамильный дворец, отремонтируй его тогда дед Томаш, невзирая на мнение мышей и нетопырей, отобрали бы у них, как пить дать.

А прабабка Матильда тем временем опять о своих семейных проблемах пишет:

Заботит меня весьма мой Лукашек, уперся непременно ботаническую науку изучать, зазорное для дворянина дело. От меня втайне этим занимается, я лишь теперь узнала. Свет его не прельщает, Европа тоже не тянет, какую-то фабрику, называемую лабораторией, намерен себе построить и уже выписал бородатого инструктора разбойничьего вида.

...Только теперь Доротку окрестили, три года выжидали. Как я ни противилась, ведь грех это — дите некрещеным столько годов держать, но Казимеж с Ханнусей уперлись непременно крестной дальнюю родственницу, княгиню Кольскую, иметь, а та из России никак выбраться не могла, супруг ее, князь Кольский, параличом был разбитый и с постели подняться возможности не имел. Теперь, когда помер и все состояние немалое ей оставил, княгиня приехала и окрестили Доротку. Не в

пример бы лучше дите вовремя окрестить, да свекровь Ханнуси того мнения, что княгиня непременно своей крестнице оставит немалое наследие, а кто ее там знает, она еще не очень старая...

Уже не первый раз поразило Юстину полное отсутствие у Матильды интереса к собственным детям. Чем только не заполнены страницы ее дневника, дети же появляются весьма редко, вот и теперь вспомнила о них лишь в связи с замужеством и женитьбой. Мать Юстины Дорота уже была трехлетней девочкой, когда удостоилась первого упоминания в дневнике, и то лишь из-за скандальной задержки с крещением. Разумеется, от богатой крестной матери, русской княгини, никакой пользы Доротке не было, все имущество княгини было потеряно в революцию. Это уже Юстина и без дневника знала, слышала в детстве разговоры старших. Интересно, когда прабабка вспомнит о существовании других внуков?

Добраться до этих страниц Юстина не успела. Сногсшибательные события заставили ее надолго отложить дневник в сторону. Оправдались дурные предчувствия Гортензии: убили Барбариного Антося. Причина его смерти была сформулирована как "гибель в автокатастрофе".

Разумеется, Гортензия не удержалась от своих комментариев.

— Как же, сам себе катастрофу подстроил. Интересно, каким ветром его туда занесло, под Пасленок? Барбара ведь проговорилась — из Варшавы он ни ногой, по Варшаве, правда, разъезжал, новый притон для нового казино подыскивал, с людьми встречался. Ну и видишь, я оказалась права — не

214

сошло ему с рук. Вот зачем только рисковал, знал же, зло на него затаили. Может, просто кто заставлял? Вот и пристукнули, а уже потом под Пасленок вывезли, неизвестно, жив был или уже мертвого, и быстренько катастрофу изобразили. Вроде бы там какие-то опасные повороты на дороге, если кто слетит — считай, труп. А ты как думаешь?

В данный момент свое мнение Юстина могла высказать лишь о поворотах.

— Дорога в том месте и в самом деле очень опасная, крутая и извилистая.

— Так зачем бы его туда понесло? Геня говорит, что, по словам Фели, этот Антось жуть какой нервный стал в последнее время, аппетит совсем потерял и высох, как щепка. Не до поворотов ему было. И жить с ним Барбаре последнее время ох как было нелегко, так что, может, и к лучшему, что его прикончили... Она тоже страшно исхудала, не узнать. А у них после его смерти обыск производили, Геня говорит, что Феле два дня после обыска пришлось все в порядок приводить. Счастье еще, что Барбару не забрали. Ее не стоит сейчас оставлять одну, надо бы тебе съездить к ней.

Юстина и сама так считала. Придя к Барбаре, услышала уже ее рассказ.

— Ясное дело, не по своей воле отправился Антось в Гданьск, — подтвердила Барбара предположение Гортензии, меланхолично потягивая коньяк. — Выпей немножко, такая малость тебе не повредит, а Феля нам сейчас кофе сварит. Я этого каждый день ожидала, очень уж неудобным сделался он кое для кого. Раньше и мне бы тоже несдобровать, ведь я классовый противник, таких, как мы, надо было на фонарях повесить, но раз нужный момент упустили, оставили в покое, то теперь я вроде как уже и не классовый враг.

— А вы и в самом деле не боитесь за свою жизнь?

— Не боюсь. Для нынешних ведь тоже главное — видимость, соблюдать приличия. Я теперь священная корова, вдова заслуженного деятеля. Пусто здесь как-то...

Юстина осмотрелась вслед за теткой. Стеклянные двери раздвинуты, дальше анфилада пустынных комнат.

— Вы же сами отдали нам мебель, тетя. Но раз вы выбросили столы для рулетки...

— Спятила? Чтобы я такие дорогие столы выбросила! Ничего я не выбрасывала, их у меня просто забрали, устраивают казино в другом месте. Без этого им не обойтись, надо же откуда-то брать тайные деньги. И вещи Антося тоже забрали, провели здесь обыск, а я, слава богу, уже никакого интереса для них не представляю, никому не угрожаю, можно меня оставить в покое. Не беспокойся, я все устроила, еще немного соображаю. И признаюсь тебе, дорогая, что с удовольствием немного в спокойствии поживу.

— Тогда чего же вы, тетечка, такая... сникшая? Смерть Антося...

— Да брось ты, в последние месяцы я уже не могла с ним выдержать, чуть с ума не сошла. Нет, не из-за Антося. У меня рак.

— Что?!

— Рак у меня, и ничего тут не поделаешь. Не я первая, не я последняя. Жизнь моя окажется короче, чем я считала, вот и грустно немного.

У Юстины перехватило дыхание, и она машинально опрокинула в рот рюмку коньяка. Продышавшись, спросила:

— А это наверняка? Почему вы так думаете?

— Надеюсь, ты меня кретинкой не считаешь? Советуют сделать операцию, да сдается мне, малость поздновато. Но я все равно согласилась. Может, благодаря ей еще года два протяну, и сразу говорю, в эти годы ни в каком удовольствии себе не откажу. Возможно, в Монте-Карло поеду, паспорт раздобуду по знакомству. Да, чуть не забыла, надо предостеречь Людвика.

— От чего?

— Да от шакалов этих. Сейчас могу уже говорить спокойно, один знакомый проверил — меня больше не прослушивают. Так вот, на бегах тоже подумали махинациями заниматься, и там денежки намереваются лопатой загребать. Потребуют от Людвика участия в этих махинациях, знаешь, какую лошадь попридержать, какой в корм чего подсыпать, дать выиграть самой слабой.

— Ладно, скажу дяде. Если уж я понимаю, в чем дело, он наверняка поймет.

— Только осторожно, посторонним нечего об этом знать. А о моем раке никому не говори, ни к чему Гортензии надо мной убиваться. После моей смерти переедете в эту квартиру, она уже твоя, у нотариуса все оформлено. Делай с ней, что хочешь, вам с Болеком решать, но я в гробу перевернусь, если ее потеряете!

После разговора с Барбарой Юстине пришлось долго бродить по улицам, чтобы обрести душевное равновесие и придумать, как держаться с Гортензией. Решила злокачественную опухоль заменить на аппендицит, а эта операция Гортензию не очень встревожила. Все остальное ее только успокоило, она убедилась, что Барбаре репрессии не грозят, может теперь пожить спокойно, после чего переключилась на похороны Антося. Остаток вечера Гортензия посвятила им целиком, ведь не знала, как приличнее одеться. Просто шляпка или еще вуалька к ней? Разумеется, черная. Черную вуальку Юстина восприняла с ангельским терпением. Гораздо сложнее для нее было объясниться с Людвиком. Тот никак не мог примириться с махинациями на бегах, и хотя Юстина призвала на помощь современную молодежь, Юрочку с Крысей, они тоже не переубедили Людвика. Он упрямо намеревался проверять организацию забегов и протестовать при малейших подозрениях. Ему деликатно намекали, что он не является официальной персоной, что никаких прав возникать у него нет, что, если станет надоедать ипподромному начальству, его просто вышвырнут с ипподрома и больше никогда не впустят. Мягкий и деликатный Людвик жутко раскипятился и не слушал никаких разумных доводов.

Барбару успешно прооперировали, однако от лечащего врача Юстина услышала, что опасаются метастазов, хотя операция сделана на самом высоком уровне. Отправиться в путешествие ей разрешили, ведь неизвестно, когда и где еще эти метастазы появятся.

Поскольку тетка после операции нуждалась в покое, Юстина за нее оформляла поездку: занимала очередь на загранпаспорт и выстояла ее, приносила и относила заполненные бланки на получение визы, доставала билеты. Пристроилась было в хвосте банковской очереди на покупку валюты, да Барбара вовремя узнала об этом.

— Нечего попусту тратить время, — разъясняла она замотанной и озабоченной племяннице, — я только теоретически еду с пятью долларами, мне лишь бы до моего женевского банка добраться. Антось не имел понятия об этом моем счете, поэтому и остальные здешние гниды не имеют понятия, так что там кое-что сохранилось. А не хватит, так свяжусь с Дареком или Павликом, мы все время перезваниваемся и переписываемся. Неужели ты и всерьез поверила, что я еду с пятью долларами? Ну, насмешила!

И все-таки Юстина успокоилась, лишь получив из Парижа радостные приветы от тетки. Судя по их общей тональности, Барбара не ночевала под парижскими мостами и не спекулировала польской водкой.

В квартире на улице Мадалинского временно поселилась разъяренная Амелька, разводившаяся со вторым мужем и клявшаяся, что никогда в жизни больше не станет оформлять брак.

— Прописываться я здесь не собираюсь, — раздраженно пояснила она в ответ на сочувственные расспросы Юстины, — просто помогаю Феле цветочки поливать и квартиру охранять. А мастерскую негодяю ни за что не отдам, наполовину она моя, но находиться там свыше моих сил, того и гляди прирежу мерзавца. Таковы у нас законы, не понимают люди, что убиваю я не человека, а клопа-кровососа, засадят на всю катушку. Так я здесь перекантуюсь, заработаю, выкуплю у подлеца свою же жилплощадь. Знаешь, он пережить не может, что как профессионал мне в подметки не годится!

Вот все это: больная Барбара на чужбине, разъяренная Амелька под боком, совершенно потерявший голову от ипподромных махинаций Людвик и жутко всем этим вздрюченная Гортензия — никак не позволяло Юстине отдохнуть душою в минувшем столетии. На этом фоне единственным утешением являлась пятнадцатилетняя дочка Идалька, тоже спокойная и уравновешенная в маму, разумно распределяющая свое время между школой и лошадьми и благодаря последним пышущая здоровьем и удивляющая всех своим цветущим видом.

— Мамуля, ну что ты так переживаешь! — успокаивала она Юстину. — Если что, так я за дедулей Людвиком пригляжу. На тренировках обо всем наслушалась, так что в курсе. А этих... ну, мошенников, никто из наших не любит, всегда мне скажут, если что готовится.

Это обещание, хоть и туманное, немного успокоило Юстину. Наверное, главным образом потому, что доказывало — ее дочь никак к махинациям не причастна и вращается в нужном обществе.

В отпуск приехал Дарек с семейством, и в квартире стало тесновато. Правда, девять человек на семь комнат не такая уж теснота, но все давно привыкли к другим условиям, теперь же Юстине негде было пристроиться со своим дневником, пришлось собрать драгоценные бумаги в кучу и припрятать до лучших времен. Пятилетний Стефанек спал в гостиной, а Болеславу с работой приходилось устраиваться в спальне. Все утешались мыслью, что это ненадолго, по возвращении Барбары трое жильцов переедут в ее квартиру и остальным станет просторнее.

А Гортензия плакалась Юстине:

— На горе себе родила я такого способного сына! Теперь какие-то открытия сделал, и его приглашают на работу в американский университет. Дарек согласен, потому что хорошо платят и в дикие места командировки обещают. Ох, потеряю я единственного сыночка, уедет, и не видать мне его больше! Я бы уж Африку предпочла.

Юстина успокаивала тетку:

— Ну что вы, тетушка! Ведь в Штаты Дарек едет легально, а поскольку по работе придется ему по всему свету путешествовать, отпуск станет проводить в родительском доме. В случае чего и вы сможете к ним съездить. Вот мне хуже, Павлик ведь не имеет права приехать.

— Так у тебя еще дочери остались! — душераздирающе разрыдалась Гортензия.

— Слава богу, но и сына я тоже люблю. И радуюсь за него, хотя у самой сердце разрывается, но надеюсь, может, хоть куда в Европу выберется.

— Да, тогда тебе будет совсем близко!

— Самолетом всюду близко...

Успокоить себя Гортензия позволила только через месяц, да и то лишь с помощью Амельки. Вернее, ее мужа, который накануне судебного разбирательства их дела о разводе преподнес Амельке грандиозный подарок — добровольно погиб в автокатастрофе, по своей же собственной вине. Будучи пьяным до невменяемости, он вез свою очередную избранницу неизвестно куда и безо всяких уважительных причин врезался в бетонный столб при выезде из Ломянок. Амелькин муж погиб на месте, его избранница не получила даже царапины, но, поскольку тоже была вдребадан пьяной, так и не смогла объяснить, куда они ехали и как произошла катастрофа. А в результате Амелька разом избавилась от всех проблем: не только освободилась от мужа, но и, будучи его же законной супругой, осталась единственной наследницей всей квартиры вместе с мастерской. К изумлению Юстины, Амелька вовсе этому не радовалась.

— Да чему же радоваться, — раздраженно объясняла она, — так и не удалось мне отомстить этому бабнику! Ничего, на том свете до него доберусь.

Гортензия позабыла о собственных бедах и активно переживала за Амельку, вполне разделяя ее раздражение.

Незадолго до возвращения Барбары Людвик слег. Врачи констатировали предынфарктное состояние. Причиной явились махинации на ипподроме, которых пережить старый лошадник не смог. Подробности Идалька уже потом излагала матери. Юстина опять просиживала дни и ночи у постели бедного Людвика, а когда он оправился, встал вопрос, куда бы выслать его подальше от ипподрома для восстановления здоровья. Помог Юрочка. Он забрал дедулю к себе, умоляя помочь в уходе за мерином и двумя кобылами в его хозяйстве. Лучшей реабилитации для Людвика и придумать было нельзя.

Барбара вернулась в пустую квартиру, к ее приезду отремонтированную и приведенную Фелей в порядок, и решила еще немного пожить.

— Средиземное море мне очень помогло, — говорила она Юстине. — А Монте-Карло — так просто чудо! Поскольку я не собиралась выигрывать, то порядочно выиграла в казино. Ты, конечно, понимаешь, я не один вечер там провела, случались и проигрыши, но в конечном счете выиграла солидную сумму. Знаешь, там все почти такое же, как до войны, совсем не изменилось, разве что толкучка больше стала и публика не такая элегантная, да я не придирчива, меня все устраивало, и словно молодость вернулась! И теперь намерена делать, что в голову втемяшится.

Поскольку все вокруг как-то успокоилось, Юстина, приведя в порядок квартиру после разъезда родичей, получила возможность заняться излюбленным делом. Она разыскала дневники прабабки, свою машинопись и засела за работу.

* * *

...Не видать, думаю, моей Зосеньке счастья в жизни. Едва ее муженек прокуроршу бросил, связь с которой скрывали, однако она всем была известна, как немедля начал ухлестывать за гувернанткой. А ведь гувернантка та у Зосеньки без году неделя! Казнюсь, что слишком поздно я увидела ее, иначе всенепременно растолковала бы Зосе — нельзя столь молодой да пригожей девицы в доме при таком муже держать. А теперь Зося и сама не знает, какие меры предпринять. Коли гувернантке от дома откажет, муж тотчас для нее особую квартиру наймет и на стороне амурничать станет. Так за лучшее сочла представиться слепою и глупою.

Доротка у меня вместе с нянькой живет, Ханя ведь со дня на день сляжет. Счастье, что у дочери моей разума хватает не нанимать смазливых служанок. Графиня Струминская, старшая из Шелижанок, честь мне великую оказала, явившись с визитом, вся от спеси раздулась, но как внучку мою сладкую увидела, тотчас гонору как не бывало и горючими слезами залилась. Четверых не доносила, одного младенца тут же схоронила, и неизвестно, родит ли еще. Аж мне ее жаль сделалось. ...Похоже, что сплошь внучек мне дети приносят. После Ханиной Ядвиги теперь Гражинка, жена Томашека, Басю родила. Три девочки, а ведь придет время всех замуж выдавать и приданым снабжать. Пока что на достаток грех жаловаться, поместья наши в добром состоянии, спасибо лошадям Матеуша, часто на бегах выигрывают, на редкость разумно он конюшнями заправляет. Пережить Матеуш не может, что Томашек к лошадям без всякого интереса, уж скорее зять конюшни наши перейметь, может, и по сей причине внука мне хочется.

...Бутыль с вином черносмородиновым в погребе лопнула, и содержимое ее девка глупая вылила в корыто для скота, хряк, со смаком нажравшись, пьян сделался и через то в саду учинил чистый погром. Сколько живу на свете, не доводилось видеть, чтобы огромная свинья вытворяла такие скоки и прыжки. Клумб и рабаток без числа хряк потоптал и изрыл, пока его сон пьяный не сморил. Пьянчуга в лилиях спать завалился, оттуда его мужики и вытащили, вконец цветник избезобразив.

...Везде нужен свой глаз, я лично надзирала за девками, и потому наконец засахаренные фрукты нужной кондиции получились. Самое главное — чтобы заставить девок решето с фруктами не ленясь изрядно потрясти и только потом к сушке представить. Прошлым разом небось Марыська из лени рукой перемешала, вот и не вышло ничего путного.

...Матеуш в Париже собирается лошадей пустить, расходы огромные, однако же сама вижу — и Диана, и Разбойник отличных статей кони. Поеду и я, пожалуй, может, в последний раз. Но сначала придется новые платья сшить, из прежних ни одно на меня не лезет. А Зене позавидовать можно, издали совсем девочка, какова в молодости была, такою до старых лет осталась.

Матеуш с выездом торопит — лошадям по приезде достаточно времени надо выстояться. Счастье еще, что железных дорог понастроили, весьма ощутимо сокращают время в пути. Поскольку последний раз придется мне в Париже блистать, возьму с собой императорские украшения. Надеюсь, в темно-зеленом я выгляжу вполовину стройнее.

...Долго я сомневалась, однако варшавским купцам весь запас продала, по рублю за фунт, а они в один голос твердят — киевское сухое варенье моему в подметки не годится. На будущий год поболее заготовлю, а пятисот рублей аккурат достанет на парижские туалеты.

...Не так вышло, пятьсот рублей пошли мне на парижские булавки, а туалеты Матеуш оплатил. Обе наши лошади выиграли на бегах, и все расходы нам окупились, я же втайне от Матеуша на старости лет и в маскарад выбралась. Большим успехом там пользовалась, чему сама дивилась. Никому не призналась, что была в маскараде, лишь одной Зене, а Зосе говорить не стану, зачем ей огорчения умножать? Зеня же никому не скажет, незачем моим детям о материных похождениях в Париже знать, да и соседкам любезным на зуб попасть мне без надобности.

...Наконец и внука я дождалась. Гражинка, жена Томашека, подарила мне внучка Людвика. С Клариссой мы уговорились, что вместе мою Зосю и среднюю дочку Клариссы, Изабелку, вывезем в свет этой осенью. Зосю можно бы еще годок и в доме подержать, да если по правде, мне самой не терпится парижские туалеты продемонстрировать. И дочке я немало их привезла, остается по фигуре подогнать...

Только сейчас уже с полчаса доносившиеся снизу громкие голоса привлекли наконец внимание зачитавшейся Юстины, и то лишь потому, что к ней поднялась тетка Гортензия с очередными претензиями.

— Не слышишь, что ли, как твоя дочь воюет со своим сумасшедшим дедом? Из-за лошадей, конечно, из-за чего же еще. Я с этими лошадьми сама скоро спячу. Уперлась твоя Идалька непременно жокеем стать, а Людвик ей не разрешает.

Как всегда не сразу отключившаяся от прошлого века, Юстина не ухватила сути происходящего.

— Не торопитесь, тетушка, сядьте. И расскажите все толком. При чем здесь Идалька?

Фыркнув, Гортензия повалилась в кресло и, кипя от возбуждения, принялась пояснять:

— Ну как при чем! Твоя дочь, а тебе и дела нет! Ей шестнадцать исполнилось, теперь имеет право участвовать в заездах в качестве ученика. Это такие должности у них, до сих пор она ездила в качестве любителя. А если учеником станет, так придется и за лошадьми ухаживать, как же тогда школа? Но Людвик запрещает не из-за школы, ему такое не понять, а из-за махинаций на бегах. Он и сам пострадал, а теперь не желает, чтобы Идалька впутывалась.

Юстина ошарашенно молчала, переваривая неприятную новость и пытаясь вспомнить махинации годичной давности, ведь знала о них что-то.

— Поговорю с Идалькой, — наконец решила она. — Дядюшка наверняка преувеличивает, а Идалька — девочка умная, до сих пор никаких неприятностей мне не доставляла.

— И благодари бога! Однако непременно разберись. И еще. Барбара вся высохла, уж не болезнь ли какая? А на бега чуть не каждый день ездит.

У Юстины дрогнуло сердце. Да, надо опять заняться семейными проблемами, никак не удается дневник прабабки дочитать.

Начала она с дочери, та была под рукой.

В ответ на встревоженные расспросы матери Идалька спокойно объяснила:

— Мамуля, ведь я собираюсь заняться этим на каникулах. Мне дают трехмесячный испытательный срок, и у меня как раз все лето свободно. Если не получится — откажусь, ничего не поделаешь, но попробовать хочу. И еще денежки за лето заработаю. А мне обещали и участие в заездах. На дедулю не обращай внимания, на ипподроме без обмана не обходится.

— И ты тоже намерена участвовать в обмане?!

— Не обязательно, может, в моем заезде не придется, как повезет. Да и на фаворита меня не посадят. Разреши мне попробовать, мамуля! Ну что тебе стоит?

— Мне ничего не стоит, — подумав, честно ответила Юстина. — А вот дедушка твой...

— А дедушка несовременный человек! Он считает, с лошадьми во всем должна проявляться идеальная честность, как в прежние времена. Хотя мне кажется, что и раньше организаторы скачек что-то химичили. Вон бабуля Барбара это понимает и делает выводы. Но я ведь сама никого обманывать не собираюсь, просто очень люблю лошадей, а ты должна бы доверять своей дочери. Вдруг мне повезет и стану жокеем?

Юстина критически оглядела свое чадо и сухо заметила:

— Я, конечно, не эксперт, но сдается мне, жокеями становятся люди маленького роста и щуплые, а в нашем роду, к сожалению, женщины все крупные и дородные. И в ближайшие два-три года ты или наберешь вес, или помрешь с голоду, пытаясь похудеть. Так что хорошенько подумай...

Рассудительная Идалия философски заметила:

— Ну так у меня хотя бы эти три года есть. Поезжу, сколько смогу, по крайней мере в старости будет что вспомнить. Не беспокойся, мамуля.

Затем Юстине пришлось провести душеспасительную беседу с Людвиком. Тот рвал и метал, понося на чем свет стоит повсеместное падение нравов. По мнению старого лошадника, скрывать достоинства и возможности доброго скакуна — уголовное преступление, на финансовые же потребности какихто неизвестных высокопоставленных политиков ему было совершенно наплевать, и он не желал, чтобы его двоюродная внучка попала в это болото. Юстине потребовалось много времени и нервов, чтобы убедить Людвика не проклинать несчастную.

Напоследок Юстина отправилась к Барбаре.

— Ведь я предупреждала тебя, к чему идет дело, и просила предостеречь Людвика, — спокойно напомнила Барбара в ответ на ее нервные жалобы. — Да, я хожу на ипподром, мне просто интересно, как они там все организовали, и могу заверить — ничего особо ужасного. Раза два в год они устраивают заезды для себя, а все остальное — обычные ипподромные махинации. Разумеется, это не для Людвика, его запросто может кондрашка хватить. У меня же низкое давление, так что, возможно, переживу. А вот метастазы... От меня скрывают и удивляются, что я до сих пор жива, но не принимай близко к сердцу. Я собираюсь прожить до самой смерти!

Барбара и в самом деле страшно похудела, однако держалась стойко, наверное благодаря своему упорству. И еще была жива, когда Идалька отказалась от жокейской карьеры, поняв, что скачки не для нее. Юстина же за эти два года успела расшифровать еще один порядочный фрагмент прабабушкиного дневника.

...все девки кухонные тем недовольны, ну да я во внимание не беру, твердо решив восстановить прежние запасы. Посулю какую-никакую премию — мигом все спроворят. Да и панну Доминику к заготовкам сухого варенья подключу, небось ее не убудет.

Дочь моя Зосенька пользуется в свете чрезвычайным успехом. Меня это радует, однако же, не будучи из тех мамаш, что дитятем своим ослеплены, вижу и недостатки, и они меня огорчают. Младшая моя дочь, хоть, надо признать, удивительно хороша, отличается излишней худобой. В моде девицы пухленькие, в ее же ручках точеных при всем желании не увидишь на локоточках никаких аппетитных ямочек, со спины в нижней части скорее на парня смахивает, да и бюстик невелик. А вот поди ж ты, женихи так вокруг нее и вьются! Потому опасаюсь, уж не охотники ли они за приданым, ибо о наших достатках все знают. Ханнусе повезло, муж ее до сих пор на руках носит, вот бы и Зосеньке такого.

А уж как матери здешних невест пана Порайского обхаживают! Со стороны и глядеть без смеха нельзя. Да и то сказать, лучшая партия в округе. Едва пан Порайский прибыл к нам из вояжей своих заграничных, так все дамы на него нацелились. Под Люблином имения у него огромные, а сверх того еще фирма какая-то богатая, да наследство вдобавок получил по бездетном дядюшке. Миллионное состояние! Для Зоси своей я бы его не желала, субтильный больно и изманерничался до невозможности. Кларисса же так и мечтает его с какой-нибудь из своих дочерей оженить. Однако гонор свой блюдет, не то что Войничи. Те, не убоявшись компрометации, свою Эмильку одну с паном Порайским отправили на длительную прогулку. И ничего не добились, ибо пан Порайский не лыком шит, ни на минуту с глаз гостей не скрывался, только по аллее прохаживался, за кустами не прячась. Висницкие же свою Паулинку аж из Гавролина привезли, и эта панна трепетная по наущению маменьки да теток дозволила себя запереть с кавалером в оранжерее! И опять попусту. Пан Порайский — ничего не скажешь, ума ему не занимать — окно изнутри выбил и, когда все огородники сбежались, при множестве свидетелей всенародно даму галантно за ручку из заточения вызволил, стул к окну подставив, хоть дама изрядно тому противилась. Аж смех берет на все эти ихние ухищрения. В Варшаве же, по слухам, купецкие да банкирские дочки целыми табунами охотятся на богатого жениха.

...Лукашек на своем поставил с ботаникой, ну да Господь с ним. Более огорчает меня то, что половину влуки лучшей пахотной земли отвел под неведомые травы, на сорняки смахивающие. Посевы те лежат между нашими прудами и Загроблем, а говорят, панна Флора Загробельская уже в отчий дом вернулась из светских варшавских салонов. Загробельские вояжировали целый год, пока все не растранжирили да имение по ветру не пустили, сам-то пан Загробельский где-то под Веной скончался, слух прошел — непристойным образом. Расхворался еще не то в Париже, не то в Италии, и обе, жена и дочь, уже хворого спешно его домой везли, сам на том настаивал, да где-то на постоялом дворе под Веной и скончался у них на руках. До Загробля уже в гробу его довезли.

Теперь что осталось проедают, ничего у них за душой нет. И тут через прислугу дошло до меня, что мой Лукашек само имя панны Флоры счел пророчеством, ибо флорою природы сызмальства очарован, и потому ради сей девицы от своих научных занятий отрывается. И в панне Флоре тоже пробудилась нечаянная страсть ко всяким травкам...

...Надо же такому приключиться! Панна Флора в наш пруд свалилась, Лукашек ее спасать бросился, на руках вынес из водной стихии, соблазн великий и искушение, ведь оба, почитай, без одежды были. Лукашек сюртук скинул, в рубахе одной остался, Флора же в одних чулках, вроде как туфельки в воде потеряла. А платье с нее Лукашек самолично содрал, оно за камыши зацепилось и едва панну не погубило. Девица всенародно предстала в нижних юбках, ибо сын мой на руках ее нес аж до самого дома. Теперь без сомнения, чем дело завершится, — честным пирком да за *свадебку. Сама себе удивляюсь, как сильно огорчает меня отсутствие приданого у невесты. Мой Лукаш и не ищет богатого приданого, однако же брать жену из обнищавшей фамилии тоже негоже, к тому же излишне привыкшую ко всяким Парижам да Венам.*

Ознакомившись с методом охмурения двоюродного дедушки Лукаша двоюродной бабкой Флорой, Юстина от души посмеялась. Потом взгрустнула, вспомнив, как нежно любили они друг друга всю жизнь, о чем много говорилось в семье, да и она сама имела возможность наблюдать в детстве. Погибли оба в последнюю войну, причем вместе со своими детьми. В тридцать девятом ехали на машине в Глухов, и по дороге их накрыла немецкая бомба. Так что и оплакивать было некому, все погибли.

Матеуш видит, как я злюсь, и нарочно дразнит, говорит — разумный у нас сынок, сначала посмотрел, что берет, ведь под платьем немногое разглядишь. А Лукашек, сдается мне, излишне на камыши грешит, может, и не было такой уж необходимости платье с панны сдирать, просто малый не промах. Да и панна Флора своего тоже не упустила, ножки стройные во всей красе представила. А ножки у нее на диво хороши и сами по себе чем не приданое?

И опять отдельные фразы прабабкиного дневника заставили Юстину кое-что вспомнить. Ну конечно же, видела она собственными глазами двоюродную бабку Флору на золотой свадьбе бабки Матильды! Так и слышит осуждающий шепот собравшихся, дескать, эта неисправимая Флора воспользовалась новой скандальной модой, чтобы показать свои ножки, который раз выставить их на публичное обозрение, осталась у нее такая привычка с молодых лет. И куда только Лукашек смотрит!

Странные вещи, однако, способна сохранить детская память.

В голове не укладывается, сколь разумной может быть молодая девушка! Пришла Зося и, руки мне целуя, просила ни в коем случае не принимать предложения пана Порайского. Она ему напрямик заявила, что не желает его в мужья, так он уперся и к родителям грозился обратиться. А Зося его не хочет, индюк он надутый, лицом на овцу смахивает, а претензий поболее, чем у наследника престола. Долго беседовала я с младшей дочерью и лишь дивилась ее разумности. Как только девица, столь молодая годами, моде на пана Порайского не поддалась и насквозь его видит, не располагая житейским опытом? Не иначе кто иной на примете у Зоси имеется, только помалкивает о том. Обеспокоилась я, однако дочь расспрашивать не стала, сама скажет, как пора придет. А может, еще и сама не вполне уверена?

...Добрых пара недель ушла у меня на хлопоты по хозяйству. Во всем нужен глаз да глаз, не то снова девки заленятся и не потрясут, как должно, подносов с засахаренными фруктами. Теперь новые запасы заготовлены, и купцы еврейские опять ко мне понаехали, заверяя, что мое сухое варенье много лучше киевского.

...Ну и купил наконец Матеуш тот дом в Варшаве. Нет чтобы загодя меня известить, так он сюрприз устроил. Гневалась я изрядно, однако злость мою как рукой сняло, когда дом увидела. Удобства там всякие наисовременнейшие — покои и ванные, и туалетные, и электрический свет повсеместно, и прочие приятности. Чай, прорву денег в него всадил? Да Матеуш заверяет — напротив, дом он приобрел, считай, за бесценок, подрядчик ставил его для судьи Вежвицы, судья разорился и дом за полцены спустил. Вот до каких последствий может довести роман престарелого сластолюбца с молодой авантюристкой, но чтобы Матеуш при этом корысть поимел — никак не ожидала.

Старуха Загробельская все свое имущество Флоре отдает, себе оставляя лишь малую часть, необходимую для безбедного проживания в Трувилле. Для Лукашека моего обстоятельства весьма благоприятно складываются, не станет теща на голове у молодых сидеть. Да я и сама склонна была ей приплатить, лишь бы подалее уехала, а у нее и в голове не было таких домогательств.

...Ну и вылезло шило из мешка — Зосеньке, дочери моей, пан Костецкий голову вскружил. И как столь неприметный молодой человек мог одержать верх над самим паном Порайским? Ведь и десятой доли состояния пана Порайского не имеет, хотя, признать должно, намного превосходит наружностью. Так земли-то и тридцати влук не наберется; под Вышковом, правда, еще лесу изрядно. Который

раз тайно радуюсь — счастье великое, что дети наши могут жениться и замуж выходить по велению сердца, а не ради богатства да приданого. Матеуш стороной разведал, что пан Мариан Костецкий — хозяин примерный, по заграницам не ездит, сам за всем приглядывает и понемногу даже выплачивает отцовские долги. Зося же моя, по всему видать, склонна к деревенской жизни и светские удовольствия ей не нужны.

...Это ж надо такому ужасу на Зосенькиной свадьбе приключиться! По сию пору не могу в себя прийти, рука так и трясется. Лишь милости Всевышнего мы обязаны тем, что живы остались. Беспременно уже нас с Матеушем и на свете бы не было, кабы не псы дворовые.

Гостей понаехало со всей округи поболее двухсот персон, все родные да знакомые, со своей прислугой. Ночью после свадьбы одни гости разъехались, другие спать полегли, не шибко трезвые. Мы с Матеушем, чрезмерно утомленные, тоже уж спали, а сторожа, свадебного угощения, полагаю, изрядно хлебнувши, ранее остальных заснули. Ни господа, ни прислуга, ни сторожа окаянные лая собачьего не услыхали, хотя те, чужих в доме почуя, прямо разрывались. Одна судомойка Франя из окна буфетной выглянула. Я уж там не стала дознаваться, с чего она середь ночи в буфетной оказалась, думаю — не иначе как младшего огородника поджидала, с которым у нее амуры. Ну да Бог им судья, ведь они первыми шум подняли и всех нас перебудили. Перво-наперво двери распахнули и псов в дом запустили. Те, с ужасающим гавканьем в дом ворвавшись, к дверям нашей с Матеушем спальни примчались и на двух бандитов набросились, которые уже под дверями спальни притаились. И тут сразу же пожар за оранжереей вспыхнул. Матеуш потом уже растолковал нам, что злодеи нарочно срубленные ветки, что за оранжереей лежали, подожгли, чтобы весь народ туда сманить, а бандиты тем временем нас с Матеушем спящих спокойно бы прирезали и драгоценности мои украли. Драгоценности я в спальне держала, так беспременно кто-то подглядел, где их припрятала. Другого ничего в доме ценного не было, и денег чуть, какие деньги после свадьбы? Рублей пятьдесят осталось, не более.

Услыхав лай разъяренной собачьей своры, Матеуш с пистолетами в руках выскочил из спальни и в грабителей выстрелил, которые от собак отбивались, однако тем удалось сбежать, хотя и изрядно покусанным. Двое их было. Третий от оранжереи улизнул, тому небось собаки никакого вреда не причинили. Огонь быстро погасили, всего два стекла от жару лопнуло, а больше никакого ущерба.

Матеуш чуть свет вызвал жандармов, те сразу провели расследование, по кровавым следам выследили злоумышленников, и вышло — не иначе те на бричке уехали, потому как кровавые следы словно кто ножом отрезал. По дороге же следов колесных после свадьбы пропасть, так бандитскую бричку выследить и не удалось. На хороших лошадях к восходу далеко могли умчаться.

Ой, не нравится мне все это, больно не нравится! Кабы задуманное злодеи учинили и горло нам спящим перерезали, беспременно добрались бы до моих сокровищ, хоть я припрятала их в тайнике за зеркалом, однако же кто угодно подглядеть мог. И теперь голову ломаю, неужто перестать носить те украшения и в блендовский тайник отвезти? И что, так там и пролежат без пользы? А я такой фурор произвела в Вене рубиновым ожерельем!

...Полтора месяца минуло, и лишь теперь полиция распутала наше дело, да и то благодарить надо старую знахарку, которая раненых да покусанных злодеев выхаживала. Силою держали они старуху в ее хате под Груйцем, куда сбежали после нападения на наш дом. Одного Матеуш в ногу ранил из пистолета, а двух псы покусали да подрали. Подлечившись, они скрылись неведомо куда и знахарку освободили. Пришлые какие-то, не из наших мест. И это меня еще более утвердило в мысли, что кто-то из здешних шпионил, откуда пришлым знать о моих сокровищах?

...Неужто пан Пукельник так никогда и не отцепится от нас? Сына привез к Зене, совсем уж взрослого парня, девятнадцати лет. Пукельник теперь овдовел, вот сына и привез к единственной родне, кроме Зени у него никого больше на свете нет, так пусть парень познакомится. Очень по наружности тот сын отца напоминает.

Доходят до меня пересуды купцов, уж не знаю, верить ли. Вроде, будучи в Радоме, пан Пукельник много лишнего болтал о моих редкостных украшениях. Откуда же он мог о них

237

прознать, спрашиваю, а старый Гольдбаум пояснил — дескать, Пукельник меня в Париже видал, всю усыпанную брильянтами, когда я задавала шику в парижском свете. А мне и невдомек, что он тоже в Париже в ту пору случился. Теперь места себе не нахожу, знаю ведь, пан Пукельник на все способен...

...На мои именины все дети съехались и внучат привезли, стайка изрядная детворы, восемь штук! Мальчиков только трое, остальные девчонки. Самая старшая внучка — Доротка Ханина, ей уже пятнадцать лет минуло. По детям особенно видишь, как время бежит. Ханя же совсем о себе не заботится, поперек себя шире сделалась и на печень жалуется, однако в еде ни в чем не отказывает, страсть как прожорлива. А Людвичек, сын Томашека, осчастливил Матеуша без меры. Томашек ведь к хозяйству никогда не тянулся, а Людвичек в дедушку пошел, для него, кроме лошадей, ничего на свете не существует, вот Матеуш и хвалится старшим внуком направо и налево. Зосенька же своим выбором очень довольна.

...Последнее время много толков пошло о войне, только ее нам не хватало! О России иначе как о колоссе на глиняных ногах не говорят, и там вечно бунты да неурядицы. Австрия с Пруссией тем воспользоваться норовят, так ведь им путь Польша преграждает, уж столько-то я еще в географии разбираюсь. Однако же что-то в тех слухах есть, иначе не толковали бы так много.

Кто верит, кто нет, я и не знаю, чего держаться. Матеуш все о лошадях переживает, а не о нас, в каждой войне лошадей пропасть гибнет. Мне тоже следует о своем позаботиться, пожалуй, все же в Блендово съезжу, береженого Бог бережет.

...Ну и сделала, как задумала. Доминика из кожи лезла, подглядывать пыталась, да я исхитрилась от нее на время избавиться. Теперь мне спокойнее, все в безопасности, и не вместе, а по отдельности. Может, никакой войны все же не будет?

...А теперь толки о революции пошли, вовсе уж несусветные. Какая такая революция, мало нам было французской? Матеуш пропасть газет читает и мне пересказывает, что из них вычитает. И об эмансипантках аглицких, я всегда на ихней стороне была. И о мужиках, которые с голоду мрут, так у меня никто никогда не помер. И о неудовольствиях рабочего да фабричного люда. Так уж куда лучше им облегчение сделать, чем до революции доводить. Они ведь, чуть что, сразу за революцию хватаются, а от нее сроду никому никакого толку не было.

...Свиноматка опоросилась, принесла мне девятнадцать поросят, так я непременно всех выхожу...

На свиноматке прабабкин дневник внезапно закончился, в красном томе много страниц остались чистыми. Для Юстины это явилось неожиданным ударом, ведь последние записи Матильды недвусмысленно свидетельствовали о том, что императорские сувениры были спрятаны в Блендове. Она же так и не проверила блендовский дом, даже не сделала попытки.

Очень недовольная собой, Юстина сидела над последней страницей прабабкиного дневника, когда к ней ворвалась Гортензия с тревожным сообщением о здоровье Барбары.

— Хотели в больницу забрать, но она не согласилась. Дома лежит. И желает этого Барбара или нет, кто-то из родных должен постоянно находиться при ней. Сиделка дежурит, но это другое дело. Брось свои каракули и поезжай!

Юстина вздрогнула.

— Лежит? Как это?.. Ведь еще три дня назад...

— "Три дня, три дня"! Позавчера она слегла и уже не встанет. Уж я-то знаю, что с ней, хоть ты и несла какие-то глупости об аппендиците. Толпы родичей ей ни к чему, но одна родная душа нужна.

С этим Юстина была полностью согласна. Не возражая, собрала свою драгоценную макулатуру и спрятала в долгий-предолгий ящик.

Юстина не выходила от Барбары, которая не допускала больше никого, кроме Амельки. Естественно, круглосуточно при ней дежурили опытные сиделки, которым платили по-царски.

Через две недели Барбара сдалась и умерла.

* * *

Не менее года понадобилось Юстине, чтобы навести хоть какой-то порядок в своей жизни. Не так-то просто оказалось переехать в Барбарину квартиру, уж слишком много было на нее претендентов, причем даже из властей предержащих. Не помогла ни высокая должность Болеслава, ни его ценные знакомства. Помогла сама Барбара: она так умно оформила завещание на Юстину, что никому не удалось придраться. Тогда претенденты принялись предлагать всяческие обмены. На обмены Юстина не шла. Наконец ее семью оставили в покое.

Идалька окончила школу, получила аттестат и поступила на филологический. Вскоре появился и ухажер, который очень понравился Юстине, такой тихий и вежливый, к тому же из хорошей семьи, а свою несомненную эрудицию особо не афишировал. Был он старше Идальки, уже получил высшее образование и работал графиком. Странная и какая-то неопределенная профессия, неупорядоченная и не очень хорошо оплачиваемая, зато оставляла возможность самому распоряжаться своим временем. И справедливости ради стоит добавить, неожиданно приносила ему весьма высокие гонорары, правда не слишком часто.

Дневник прабабки Юстина оставила у Гортензии. Держать дома боялась, а вдруг кто заглянет? Юстине же очень не хотелось, чтобы узнали о допущенной ею ужасной промашке — вовремя не прочла дневник и не позаботилась о розыске завещанных ей драгоценностей, некогда покорявших Париж и Вену. У Гортензии бумаги прабабки были в безопасности, поскольку Людвика они совершенно не интересовали, а сама Гортензия, хотя и любила всюду нос совать, уже давно потеряла интерес к рукописи.

А вот записки панны Доминики Юстина забрала домой, намереваясь ознакомиться поподробнее. Вовсе не потому, что питала надежду отыскать в них какое-то упоминание об интересующих ее сокровищах. Просто слишком трудно было вот так сразу расстаться с тем благословенным, спокойным временем, погружаясь в которое она душою отдыхала от современности. Ей даже пришло в голову, что Матильда перестала писать в связи с наступлением всем известных событий, ведь надвигалась война, мир стремительно изменялся, в безвозвратное прошлое уходили старые порядки. Межвоенное двадцатилетие Матильде явно не понравилось.

Итак, Маринка давно замужем, пристроена, Идалька учится, Болеслав, прекрасный специалист в своей области, на любимой работе и хорошей должности, Амелия уже получила широкую известность как талантливый специалист в области художественной фотографии, Феля довольна, что всем остальным хорошо и в доме нет прежних разврата и смертоубийств. Юстина получила возможность передохнуть, хотя и мучило порой беспокойство о Павлике на чужбине. Павлик устроился прекрасно, стал уже шеф-поваром ресторана первоклассного отеля, и американские миллионеры безуспешно пытались переманить его к себе, предлагая огромные деньги. А сердце матери все равно болело, ведь сынок так далеко!

* * *

Стряхнув с себя заботы повседневности, Юстина с наслаждением погрузилась в дни минувшие. В записках панны Доминики быстро нашлось то место, до которого Юстина дочитала в прошлый раз, переключившись на дневник прабабки, поскольку он показался ей намного интереснее. Теперь же, зная содержание дневника Матильды, она вдруг стала обнаруживать в записях экономки просто потрясающие вещи.

Вот, например, после подробного описания заготовки сушеной сливы панна Доминика записала следующее:

242

6 октября 1885 года

Делать, должно быть, нечего кузине Матильде, коли в столь горячую пору заготовки на зиму солений, варений, сушений и прочих припасов заявилась ко мне в Блендово и, от работы оторвав, начала мне голову морочить. Будто я сама не ведаю, чего и как следует производить. Будто и так с утра до ночи, рук не покладая, о ее же благе не пекусь. Без моего присмотра порядка не будет, так к чему всякие глупые указания давать? Уж за столько лет выучила, что следует делать, неисправности же какой за мной не водится, как же расценить такое ее поведение? Под вечер только кузина малость угомонилась и, по своему обыкновению, в библиотеке заперлась.

Признаюсь, любопытство меня обуяло, что она там поделывает? С этой мыслью, отложив хозяйственные заботы, специально в библиотеку к ней зашла, кофию принесла, а также спросила, не надобно ли чего иного, сливок там, печений или еще чего. Хозяйка моя ничего не пожелала, некоторое даже неудовольствие выказала моим приходом, слова не молвила, так что мне пришлось уйти ни с чем. Однако же углядела я на столе преогромный старинный том открытый, в котором кузина словно чего доискивалась. С неудачей не смирившись, я в другой раз в библиотеку спустилась, когда уже смеркаться стало, и насчет свечей поинтересовалась — не понадобятся ли. На сей раз хозяйка меня и на порог не пустила, на ключ замкнувшись. И сколько я ни стучала в дверь, сколько громким голосом ни вопрошала насчет свечей, кузина словно оглохла. А ведь чтение и питие кофе шуму ни малейшего не производит, не могла она меня не слышать. Ну и пошла я несолоно хлебавши, делами своими занялась, и только через час, не ранее, услыхав скрежет в замке ключа, со свечами явилась в совсем темную библиотеку. Книга та огромная уже на полке стояла, кузина же с тремя поменьше отправилась к себе в спальню. Но и это еще не конец. Слыхала я, допоздна не сомкнувши глаз, как она из спальни многократно спускалась в библиотеку и поднималась обратно, так и шастала, почитай, всю ночь.

8 октября

Давеча весь день провела в столь великих хлопотах, что и записи сделать было недосуг. Сырами сливочными занималась, а кузина Матильда новые приправы велела добавлять. Должна сознаться, некоторые достойны похвалы, особенно с апельсиновым да ананасовым вкусом, таковых мне пробовать не доводилось. Однако и мои сыры с добавкой из сушеных боровиков отличаются вкусом отменным, чего кузина, на похвалы не поскупившись, отрицать не стала.

Сегодня наконец уехала, и тому я радуюсь без меры, ибо дел невпроворот, докучной хозяйкой заниматься не с руки. После ее отъезда в библиотеку я все же заглянула. Тот преогромный том на полке оказался избранными творениями некоего Шекспира, с аглицкого на польский переложенными наподобие пьесы, непристойными до невозможности, хоть я и половины не уразумела. И голову теперь ломаю, на что кузине тот Шекспир сдался? Еще одна книжка на столе осталась, сочинения господина Мольера, по-французски написанные, помню, благодетельница моя покойная ими зачитывалась.

Кресла в библиотеке в такой пришли вид, до того вытерты, что нуждаются в обновлении, но кузина и слышать о том не пожелала. Осмотрю, пожалуй, остальные кресла в доме да и разом отдам в перетяжку, как деньги на то получу за гусей.

10 октября
Гусыня одна не ест сколь положено, видно, не откормить ее, а как собою здорова и молода еще, пусть остается, на другой год посажу ее на яйца.

11 октября
Дошли до меня слухи, что старый Шимон, наш давний слуга, скончался.

Дочитав до этого места, Юстина поняла, что совершила ошибку. Не надо было дневник прабабки оставлять у Гортензии, теперь вот в хронологии не разобраться, а так можно было бы оба дневника сопоставить. Матильда не имела привычки проставлять в дневнике дат, панна Доминика всегда аккуратно их ставила, зато описываемые прабабкой события были для Юстины гораздо интереснее. Вот, скажем, зачем понесло в октябре Матильду в Блендово, где она только отрывала экономку от хозяйственных дел? Не для того же, чтобы почитать Шекспира. Когда это было? У Доминики записано... ага, 6 октября. Постой-ка, уж не тогда ли состоялись первые бега в Варшаве, где Матильда ослепляла всех сапфирами?

Юстина спешно вернулась к прерванным записям и с бьющимся сердцем прочла:

...На всякий случай о сем прискорбном событии я немедля известила кузину Матильду, она была очень привязана к старому Шимону, на похороны непременно поедет. И за обиду и неисправность мою почтет, коли не извещу. Однако же ответ пришел от ключницы Буйновской. Оказывается, кузен с кузиной уехали в Варшаву, вроде на какие-то лошадиные состязания. Да ключница и напутать может, стара больно, кузина и ключи у нее отобрать велела, потому как вечно их теряла. Обожду дня два и в другой раз хозяевам отпишу.

12 октября

Установилась на редкость дивная погода, и впрямь бабье лето затянулось. Девок от работы освободив, по грибы отправила, так пропасть набрали, и все боровики, уж о прочей грибной мелочи не упоминаю. Белые сушить велела, а лисички немедля в воду высыпать, лисички непременно надо в нескольких водах прополоскать изрядно, песок с них выполоскать, не то в маринованных на зубах начнет скрипеть и мне стыда наделает. И насчет той гусыни проверила — нет, не желает откармливаться, ну пусть до весны живет, в стаю ее запущу.

13 октября

Сегодняшний день с утра самого, не удержавшись, я сама в лес по грибы отправилась, ибо, грешница, страсть как люблю грибы собирать. И тоже не с пустыми руками вернулась. Мало того что грибов кузов полный, так еще и на лещину набрела в лесу. Девок созвала на подмогу, девки, сбежавшись, в фартуки набрали, паренек же Мадеихи, буфетчицы нашей, сам по себе вызвался назавтра с телегой приехать и остальные орехи подчистую выбрать. По возвращении велела я лещину в песок засыпать, так она сохраннее будет.

А из малых белых грибочков надумала я особым образом десятка два банок маринованных изготовить.

14 октября

Не было во мне уверенности, ладно ли поступаю. Пока грибы пошли — их надобно брать, однако и груши ждать не будут, а ну как дожди зарядят? Хотя старики говорят — до полнолуния погода простоит. Распорядилась я с утра собрать всю грушу, уродилось ее страсть, на глаз собрали центнера три, не менее, придется нанять девок деревенских на очистку. Правда, груша зимняя, и полежать может немного.

За маринование грибочков сама лично взялась, и вместе с буфетчицей Мадеихой за день управились.

Куры при нынешней теплой погоде несутся так, что покупателей приискивать придется, яйца в избытке. А хохлатка опять громадное яйцо снесла, так его я приберегу как диковину.

15 октября

Не стала я второго письма хозяевам посылать, ежели кузины Матильды еще нет, то первое прочтет, когда из Варшавы вернется. Девок за груши посадила. Как к полудню из Груйца с сахаром приехали, тотчас начали варенье варить. Купцы по яйца пожаловали, торговалась я с ними изрядно, а все без толку. При такой погоде куры везде несутся ровно бешеные, и яйца не в цене. Велела ямы под закладку овощей на зиму вычистить, со дня на день и овощами заниматься придется. По всему видать, множество работ на мою голову свалится, а везде свой глаз нужен.

16 октября

Под вечер нежданно заявились кузен с кузиной проездом из Варшавы. Кузина Матильда много меня о Шимоне расспрашивала и из-за его кончины сокрушалась, теперь на могилку собирается. Счастье, что хозяева не приехали раньше, а так я до них довольно работ успела провести, день-деньской крутилась, не присевши ни на минутку. К вечеру, уладив дела неотложные, я уж для хозяев и ужин приличный приготовила, за коим сенсацию произвело то яйцо с двумя желтками, вкрутую сваренное.

Кузен Матеуш, по всему видать, очень доволен варшавскими бегами. Только о лошадях и говорил, а наутро принялся конюшни осматривать. Кузину же Матильду иное интересовало. У нее на уме одни наряды да светские удовольствия. И ежели правду рассказывала, с большим успехом она в том свете вращалась, затмевая нарядами да украшениями всех остальных дам. А тут человек света божьего не видит, одна утеха — послушать о том. Однако же, хоть я со всем уважением к кузине, сдается мне, негоже даме на лошадей ставить и деньги выигрывать, это мужское занятие! И еще не премину заметить — на сей раз кузен с кузиной, почитай, совсем не ссорились, ибо весьма довольный своими лошадьми кузен проявлял большое благодушие.

Я же, хотя ног под собою от усталости не чуяла, не сразу заснула, все думала о блестящем свете варшавском и дамских нарядах.

17 октября

Уж и не ведаю, как себя сдержала, не вспылила, ведь это чего моя хозяйка выдумала! До ее приезда успели лишь половину груши обработать, половина же осталась. Когда с утра кузен Матеуш в конюшни поспешил, кузина Матильда велела запрягать, собралась ехать на могилку Шимона. А пока запрягали, ко мне на кухню заглянула и сразу крик подняла, дескать, из столь отменных груш непременно надо сухое варенье изготовить! Всю грушу на сухое варенье, а с ним, как известно, поболе всего работы будет. Так нет, хозяйка уперлась — без засахаренных груш ей жизнь не мила. И столь алчно на груши глядела, небось прикидывая, много ли из них желанного лакомства выйдет, что аж слюнки у нее текли. В толк не возьму, с чего это, ранее за нею такого не примечала.

Кузина же, видя мое большое нежелание за такую работу браться, на хитрость пошла и стала на амбицию мою давить, дескать, никому лучше меня того не исполнить. А поскольку я не поддавалась, так кузина Матильда обидные слова нашла: должно быть, я тяжелой работы испугалась. Не достанет слов такое описать! Нравом я кроткая, а она владелица Блендова, ее волю исполнять надобно, однако меня даже в жар бросило и в глазах помутилось, ибо не терплю напраслины. Как она уехала, я не один час в кухне провела, дабы под личным моим присмотром все делалось. И это еще не конец. Вернувшись, кузина прямиком ко мне в кухню заявилась и о клюкве речь повела. Тяжелее клюквы нет ягоды в обработке, а она знай свое гнет. Так что, бросать все и за клюкву приниматься? Не спятила ли моя хозяйка? Как еще поведет себя засахаренная клюква, долго ли полежит, а варенье обычное и до Пасхи сохранится. Хозяйка же твердит — попытка не пытка, а если что не так, в том ее вина, не моя. Уму непостижимо, как я в своих нервах удержалась, слова худого не вымолвив.

Кузен Матеуш из конюшен вернулся довольный, однако что мне говорил — не помню, ибо в ушах у меня от негодования шум сделался. А под вечер, как работа уже к концу шла, кузина Матильда стала такая ласковая, комплиментами меня засыпала, всячески восхваляя мои хозяйственные умения. Мол, я не только во всех работах сведущая, но и без ущерба для дома способна тут же одно на другое заменить, и все у меня преотлично выходит. Очень нужны мне ее комплименты, одни хлопоты от них. Счастье еще, что хозяева на один день приехали, уж на будущее я зареклась сообщения им посылать, пусть хоть кто помрет.

18 октября

Малость я успокоилась душевно. Отбыли, слава богу, теперь я тут хозяйка. И столько работы — руки опускаются. Непременно надо список необходимых работ составить, не то запутаешься: морковь, сельдерей, порей выкапывать пора, там капуста начнется, а тут и зимние сорта яблок снимать. А ко всему еще и клюква несчастная. Вот оно как обернулось, один визит мне хозяйка нанесла, а работы вдвое прибавилось.

19 октября

Грибы все идут. Диву даюсь, что кузина Матильда и из них не велела сухое засахаренное варенье изготовлять. Однако же справедливости ради надобно заметить, что по ее указанию сливочные сыры с приправами получились отменные, может, и засахаренные фрукты тоже не пустой вымысел?

20 октября

Раздумываю я обо всех этих новомодных веяниях, о которых рассказала мне кузина. Странные моды установились, взять, к примеру, хоть бы оборки и складки. И шляпы с огромными полями и вуалетками. Возможно, женское лицо под такой шляпой в выгоднейшем аспекте представляется, но не одобряю я стремление выглядеть краше, нежели Господь тебе рассудил. Такой надо выглядеть, какова ты уродилась, а не притворяться кем-то иным. Корсет — понятно и привычно, но подвязки! Кому это надобно? Из шелку ярчайших расцветок, да еще с бантиками. Грешным представляется мне даже помыслить о таких. Признаться, любопытно было бы взглянуть на те подвязки, да небось и любопытство это грешное? Непременно спросить ксендза, не грешно ли любопытствовать. Да, странные, дивные обычаи по большим городам заводятся. Не забыть ксендза поспрашивать.

21 октября

Ночью лиса под курятник пыталась подрыться, куры раскудахтались страшно, хорошо псы не дремали. Вреда она никакого не учинила, только лай весь дом перебудил, да полночи птица никак успокоиться не могла. А мне новая забота. На сторожей полагаться нельзя, придется какие-нибудь особые запоры да стены ставить для охранения домашней птицы.

22 октября

Казалось мне, кузина Матильда в свой последний визит вроде как в талии малость располнела, ну, думаю, наконец-то возраст свое берет, нет уже девичьей стройности в фигуре. И что же выясняется? От прислуги известно стало — она в интересном положении.

Да где же такое видано? В интересном положении на людях появляться, на лошадиных бегах ставки ставить и в варшавском свете развлекаться, до упаду отплясывая на балах! В голове не укладывается, это же надо последний стыд потерять! И как только кузен Матеуш дозволяет? Ну и времена настали!

...Везде свой глаз надобен, ни в чем нельзя на прислугу положиться. Андзя над горшком заснула, еще бы малость — и целый горшок груши выбрасывай! Слухи среди прислуги нехорошие о той Андзе, вроде бы через то заснула, что всю ночь с амантом прогуляла, аж верить не хочется в такое падение нравов. Дознаться непременно, кто таков. Уж точно из деревни, не из дворовых, так пресечь дурной пример для прочей дворни. А груша уцелела и теперь в сахаре обсыхает.

27 октября

Грибы кончились, потому так сухо, одни опята остались. Гостя мне привез Фельдман, заверил, всю нашу шерсть купит, а оказалось, гость этот не на шерсть, а на лошадей наших зарится. Некий Базилий Пукельник, в обращении приятный и манеры добрые, попросился на пару дней остаться. Поскольку он сослался на знакомство с кузеном Матеушем, я не возражала. То ли пан Базилий намеревается лошадей кузена Матеуша купить, то ли своих ему продать, не очень я уразумела, одно поняла: желает их наперед посмотреть. Пусть смотрит, нам коней стыдиться нечего, но тут же его предупредила, что торговаться со мною без толку, лошади не мое дело, о них решает сам кузен. Фельдман того Пукельника знает, из Радома он, там у него поместье. Сколь же далеко разошлась слава о лошадях кузена Матеуша!

Проводив пана Пукельника в конюшни, там я его и оставила, наказав в осмотре лошадей препятствий ему не чинить, сама же своими делами занялась. Увиделись лишь вечером за ужином. Приятно беседовали о давних временах, оказалось, его отец пани Заворскую, благодетельницу мою, достаточно коротко знал в молодости и неоднократно тут бывал. Сам же пан Базилий первый раз в нашем поместье оказался, и я пообещала все ему показать, ведь он наслышан от отца о многом хорошем у нас.

28 октября

Пан Пукельник чрезвычайно обходительный господин. Не желая меня утруждать, вызвался один все осмотреть. И сие обстоятельство меня только порадовало, ведь хлопот полон рот. Вижу, придется-таки составить перечень работ, прошлогодний не подходит, тот год дождливым выдался.

30 октября

Вчера и сегодня минуты свободной не нашлось, вдобавок к обычным заботам добавились лампадки надгробные да венки из бессмертников и елочных ветвей, а чем занимался пан Пукельник, понятия не имею. Покончив дела в буфетной, я его обнаружила в библиотеке, где он выбирал себе книгу для чтения. В библиотеке посидев и составив список работ, все по дням расписала и вижу, что поспею, даже если и дожди пойдут. А завтра пан Пукельник уезжать намерен, так мне даже жаль, ибо, хоть и умученная, все радуюсь, когда есть с кем словом перекинуться, особенно со столь обходительным и внимательным гостем.

На прощальный вечер велела я запечь утку и блузку шелковую лиловую надела. Может, и излишне нарядна, да не все же мне служанкой выглядеть. Пан Пукельник обещал наведываться, ибо пока что окончательного решения по поводу лошадей не принял.

31 октября

Пан Пукельник уехал чуть свет. Малость беспорядку натворил в библиотеке, книги для чтения выбирая, — из него любитель чтения, видно, отменный, ну да я легко все в порядок привела. Завтра праздник Всех Святых, работы придется оставить, но я так распорядилась, что со всем управимся и даже сумеем высвободить Задушки*. Сама отдохну и людям позволю. И на досуге предамся своим невеселым мыслям о родных и близких, которые уже в том, лучшем, свете пребывают...

С ужасом читала Юстина последние записи экономки. Так и в самом деле проклятый Пукельник шастал по Блендову, да еще пользовался при этом полной свободой! В библиотеке "малость беспорядку натворил"! И эта идиотка панна Доминика ни о чем не догадалась, ничего не заподозрила! Ее неудовольствие вызвало пребывание в библиотеке

---

* Народное название Дня поминовения усопших (1 ноября).

кузины Матильды, любопытно было, чем там занимается владелица поместья, а вот что там делал посторонний прохиндей Пукельник — ни капельки не заинтересовало. Книжку выбирал для чтения... Нашел ли он там что-нибудь? Скорее всего нет, поскольку позднее прабабка обвешивалась украшениями, но если драгоценностей и не нашел, какие-то открытия мог сделать, чтобы впоследствии ими воспользоваться.

Повозмущавшись, Юстина продолжила чтение записок экономки. А та в подробностях описывала грустные праздники поминовения умерших, посещение могилок и костельные богослужения за помин их души. Некоторым развлечением среди всеобщей печали и благообразия стал садовник. Выпив, по своему обыкновению, лишнего, он явился под окна управительницы и, памятуя об умерших, вместо обычных разудалых песен затянул какие-то душераздирающие песнопения, заливаясь при этом обильными слезами.

И в последующие дни ничего существенного не происходило. Юстина узнала о хозяйственных победах экономки, которой удалось выгодно продать прекрасно откормленных гусей и овечью шерсть. Далее шли описания сбора капусты и ее заготовок, причем приводились рецепты не менее десятка сортов заквашивания. А потом начались адские муки с клюквой. Изготовление из нее сухого варенья довело бедную Доминику чуть не до сумасшествия, неудивительно, что записи то и дело прерывались проклятиями по адресу драгоценной кузины Матильды.

Юстина напрасно выискивала в записях имя Польдика, буфетного мальчика. Наконец выяснилось, что его отправили на годичную стажировку в барский дом в Кренглеве, откуда он вернулся, досконально усвоив науку. Произошло это уже после смерти родителей пани Матильды. Точнее, после смерти матери Матильды. Его привезла сама панна Доминика, тоже присутствовавшая на похоронах. И очень радовалась возвращению доверенного слуги, которого к этому времени уже с большой натяжкой можно было называть "мальчиком".

Новое посещение Блендова прабабкой Матильдой состоялось лишь весной следующего года и опять принесло панне Доминике сплошные неприятности. Эта запись была сделана 2 июня. Зная, что панна Доминика год проставляет лишь в самом начале его, Юстина перелистала прочитанные страницы и выяснила, что уже шел 1887 год. Итак...

2 июня 1887 года

От посещения кузины Матильды, как обычно, одни неприятности. Уж я бы предпочла десять визитов кузена Матеуша перенести, чем один ее. Нежданно-негаданно свалилась на мою голову как гром средь ясного неба, на один день всего, а уж замешательства натворила — год не расхлебаешь. С терпением пытаюсь снести ее необъяснимое пристрастие к засахаренным фруктам и ягодам, ведь до чего дошла, того и гляди обычного варенья вовсе не станем варить, всю ягоду, включая клубнику и черешню, на сухое изведем. Благо еще, что для этого деревенскую девку дозволила взять на постоянно в помощь, иначе нипочем бы не справились. Одно мне утешение: за клюкву прошлогоднюю я великих похвал удостоилась, отличная клюква получилась.

И по свойственному ей обыкновению, вновь в библиотеке засела. Однако удалось мне подглядеть, как одни книги на полки ставит, а другие забирает. Буркнуть даже соизволила, дескать, любовь к чтению ее одолела, ныне же хороших старинных книг не достать, а тут имеются благодетельницей моей покойной запасенные. Видать, надобно и мне, как время выберется, кое-что почитать, не то совсем темною выгляжу. Три шкафа огромных в нашей библиотеке стоят, доверху книгами набитые, я же ни одной в руки не брала.

Может, грех роптать, но велено мне в Кренглево ехать и от тамошней старой Юзефины какие-то рецепты да кулинарные хитрости узнать. Я так понимаю, от дочери Юзефины, ибо она сама уж больно стара да недужна, а память и вовсе отшибло. Еще приготовить что сумеет, а вот словами растолковать, как блюдо изготавливается, — того уж, немощью старческой сломленная, никак не может. Билась я с нею немало, и лишь мое ангельское терпение помогло, ведь одно твердит: "того горстку, энтого горстку", а как велишь ей при себе что готовить, глядь — "того" едва щепотка нужна, "энтого" же — стакан целый. Вот теперь придется всего дознаваться от дочери старой Юзефины, ее в Кренглеве поставили кухаркой заместо старухи. Так неужто кузина Матильда не могла мне о том сказать раньше, когда я приезжала на похороны пани Кренглевской, царствие ей небесное? Ни словечка тогда не молвила, а тут приспичило

258

ей — поезжай да поезжай! А поездка, глядишь, и неделю потребует, как же я дом брошу?

Ястреб на курей напал, и четвертой части цыплят мы не досчитались. Вот-вот клубника пойдет. Без моего присмотру бед не оберешься, а тут все бросай! Сама себе признаюсь, начинаю я питать неприязнь к своей хозяйке, и дивиться тому не приходится.

24 июня

Едва воротилась из Кренглева — новая неприятность. Дождалась Андзя, дождалась, а я уж надеялась, что пересуды о том ее полюбовнике — сплетни одни, а тут вышло, вовсе нет. Стыд и срам такой, что и писать грешно. Девка скрывала свое состояние, сколько можно, да некоторые вещи не утаишь, и как я приступила к ней сурово, призналась. Полюбовником ее оказался кожевенный подмастерье, что за шкурами к нам приезжал давеча, и он ей по сердцу пришелся, а жениться охоты не имеет. Постановила я выгнать ее немедля, однако же Марта, к которой я с большим доверием, за нее вступилась. Будучи замужем за нашим огородником, хотя тот пьяница горький, Марта ребеночка взять обязалась, своих ей Господь не дал. И ксендз мне присоветовал милосердие оказать. Поразмыслив, я за лучшее сочла еще разок с девкой Андзей по душам побеседовать. Как пошлет ей Всевышний силу разумения, кротость духа и смирение, Господь с ней, пусть остается, дитем тешится. Притиснутая с двух сторон, дала я свое согласие.

В мое отсутствие особых шкод в хозяйстве не произошло, Мадеиха с Польдиком за всем приглядели. А из Кренглева я много рецептов всяких привезла и со временем испробую, однако кое-какие из них представляются мне сомнительными.

17 июня

Клубника пошла, и черешня осыпается. Магда, что я из деревни в помощь себе взяла, работящая да ловкая оказалась, зато Ягуся, которую Мадеиха в кухарки готовит, ее родная племянница, намедни на пол вылила целый котел молока, на сыры приготовленного, с печи его снимая. И не сказать, что неуклюжая, что обе руки левые, так с чего бы? О кошку споткнулась, говорит, да я тому не верю, до сих пор кошки никому под ноги не кидались. Чует мое сердце тут некий секрет, а сама Ягуся словечка не проронит.

На Андзю я и глядеть не хочу, однако никаких афронтов ей не чиню и вроде не замечаю, когда она работу бросает, чтобы покормить своего дитятю. Обе с Мартой шашни свои втихую обделывают, и то ладно, негоже дурной пример другим подавать, а в случае чего вина будет на его преподобии ксендзе.

22 июня

Через торговцев-евреев дошли до меня слухи, будто пану Ромишу повышение по службе не вышло, жена его уж очень глупа и в обществе себя держать не умеет.

Долго я вчера заснуть не могла, перед раскрытым в сад окном сидя и о своей судьбе незадачливой размышляя. Все вопрос себе

260

задавала: не слишком ли строга оказалась во времена былые?..

И вдруг в тиши ночной чьи-то шаги крадущиеся услыхала. А поскольку сторожевые собаки молчали, рассудила я, что наверняка свой крадется. Да своему зачем красться? И как была, в халате да туфлях домашних, из дому выбежала, ибо трусливой никогда не слыла. Чтобы неизвестного не спугнуть, не стала я бряцать засовами главного входа, а побежала прямиком к кухонной двери. Глядь, и впрямь кто-то под домом, к самой стенке прижимаясь, с осторожностью к этому же входу пробирается.

Не заговор ли тут каких злоумышленников? Да сразу подумалось — другой здесь заговор. Луна светила ярко, гляжу — а двое уж обнимаются да целуются у самой двери. Гнев великий меня обуял. Обеими руками вцепившись в негодников, начала я громким голосом срамить и бранить бесстыдников. А они и сами бы не сбежали — от неожиданности окаменели на месте.

И что же выясняется? Ягуся то была, племянница Мадеихи, а уж Мадеиха за образец девичьей скромности да стыдливости ее выставляла, и при ней парень из косцов, что из Кренглева прислали на все лето луга наши косить. Потом уже узнала — Бартек его зовут. Тут оба в ноги мне повалились, о прощении моля. Ягуся особо молила тетке не говорить. Не сразу мой гнев утих, от души выбранила я крестьянскую молодежь, у коих ни стыда ни совести, девки себя не блюдут, а после никто их замуж не возьмет. И тут Бартек возразить осмелился, мол, он и жениться согласный. Да как он смеет, ведь Ягусю, чай, в барские кухарки готовят, он же мужик мужиком, батрак, деревенщина неотесанная, только на черные работы пригодный. А он на то заявляет — и вовсе не неотесанная, читать-писать умеет, и проше ясновельможной пани, не только косить, а и многим другим ремеслам обучен. И печь сложить, и ремонт в доме какой произвести, и другое прочее. И еще сказал, будто ясновельможный пан Вежховский пообещал перевести его из Кренглева сюда, то же обещала ясновельможная пани Вежховская.

Обидно мне было такие речи слышать. Кузина Матильда могла бы наперед мне о том сообщить, как-никак я тут распоряжаюсь. Зачем же за моей спиной людей мне навязывать, меня не спросивши? Велела я этим двум немедля разойтись в разные стороны, беспутством не заниматься и моего решения ожидать. Заплаканная Ягуся под моим наблюдением дверь кухонную тщательно заперла. И теперь не удивляюсь, что она котел с молоком упустила из рук.

25 июня

Ночь Св.Яна*, и тут уж ничего не поделаешь. Я бы и сама охотно поглядела на эти забавы, и как девки венки в реку бросают, и как парни через костер прыгают. Уж куда лучше

---

* Ночь Ивана Купалы, древний языческий праздник.

вот так всем миром забавляться, чем парочками обниматься по углам. Ягусе я по силе возможности разъяснила, сколь зазорным делом она занималась, и велела всерьез подумать о будущем, тетке рассказать о своем парне, и пусть уж сами решают. Потом доверительно поговорила с Польдиком, так тот подтвердил, и впрямь этот Бартек, хоть и батрак, разумом не обделен и к разным ремеслам способный, а поскольку грамоте обучен, господа его в старосты метят или управители, вроде бы в Блендове. Он и с лошадьми обращаться умеет, так дивиться нечего, что ясновельможному пану Вежховскому приглянулся.

...С самого утра Мадеиха сама ко мне пришла, озабоченная сверх всякой меры, ибо Ягуся ей созналась в своих амурах. Со слезами начала мне старуха жаловаться, ведь у ее сестры бедность страшная, вот она и надумала племянницу в кухарки вывести, у девки есть к тому желание и соображение, да без приданого кто же ее возьмет? Хоть бы и батрак, ежели не пьяница и лентяй, и то хорошо, но свадьбу честную надобно сыграть. И так меня молила и просила, что я на свадьбу дала согласие.

Давно уже примечаю — неладно в Кренглеве, нет там настоящего хозяина. Владелец поместья пан Кренглевский, родной брат кузины Матильды, человек характера равнодушного и нравом смирный, всем заправляет супруга его, а она скупа без меры. Уж который год доходят до меня вести, что барыня чуть

263

не всю прислугу из скупости удалила и из дому барского, и с хуторов, во всеуслышание заявляя — не нужны ей, дескать, дармоеды. И все там в упадок пришло, ибо кому же работать, коли всех поразгоняли? А будучи в Кренглеве по распоряжению моей кузины, собственными глазами видела, как в кухню продукты выдаются. С превеликой экономией.

3 июля

С утра вновь кузина Матильда на мою голову свалилась, заодно и лакея привезла из Кренглева. Правильные слухи до меня доходят, прислугу тамошняя хозяйка разгоняет. А лакей этот, из буфетного мальчика выросши, уже к своей должности достаточно приучен. Так Кацпер его живо доучит, коли чего не знает. У Кацпера теперь забот поменьше, Польдик уже все на свои плечи взял, вскорости, глядишь, самого Кацпера заменит, а там и меня, кто знает? Нам же давно новый лакей требуется, ведь по трагической кончине Альбина у нас нового лакея не было. Поинтересовалась я деликатно о прочих делах в Кренглеве, на что кузина Матильда без обиняков мне поведала — святая правда, потому она лучших людей из Кренглева и отбирает себе, что ее невестка от скупости бесится. И еще добавила — будущее Кренглева ей тоже в черном цвете представляется.

Потом разговор на сливочные сырки перешел, и хозяйка настоятельно меня на их изготовление настраивала. Вечер же, по своему обыкновению, за чтением в библиотеке провела, запершись.

Записки панны Доминики читались несравненно легче, чем дневник прабабки, и у Юстины были все основания считать отдыхом время, которое она тратила на них. Как-то незаметно для себя Юстина втянулась в жизнь дворянской усадьбы прошлого века, прониклась ее заботами до такой степени, что даже решила сварить варенье... Обыкновенное, взяться за изготовление сухого мешало отсутствие сильных дворовых девок, которые могли бы как следует трясти засахаренные фрукты. Нет, речь шла об обычном варенье, тем более что время года было как раз подходящее, вишни уродилось пропасть, из Косьмина прислали две большие корзины. Феля идее жутко обрадовалась.

— Давно следовало, — убежденно заявила она. — Покупное варенье совсем не то, что домашнее, а я молодость вспомню. И уж признаюсь пани... Как увижу, что Геня варит, — так у меня под ложечкой аж засосет! А вишневое самое вкусное.

Итак, Юстина отложила в сторону панну Доминику и лично принялась вытаскивать косточки из вишни, а Феля прямо-таки с упоением вытирала за ней красные брызги с мебели и пола. Затем панна Доминика переключилась на малину, ежевику, абрикосы, за ними последовали слива ренклод, яблоки, дыни и виноград, и всем этим Юстина тоже занялась, открывая для себя дотоле неведомый, но чрезвычайно увлекательный мир домашних заготовок. И вот в кухне старшей правнучки дружными рядами выстроились неисчислимые аппетитные банки, вызывая бешеный восторг ничего подобного не ожидавшего семейства. Феля не упустила возможности продемонстрировать свои познания, добиваясь, чтобы все делалось по старинным рецептам. Эпопея с вареньем заняла полных две недели.

Все эти две недели, заглядывая время от времени в записки экономки, чтобы узнать, что там новенького готовят, Юстина потом делилась с Фелей неприятностями вековой давности. Панне Доминике не удалось сухое клубничное варенье, потому что клубника перезрела; цыплята сбежали от невнимательной мамаши на пруд, и один утонул; Ягуся и Бартек обручились, и ксендз всенародно оповестил об этом в костеле, а новый лакей подрался с Кацпером. Подрались по недоразумению, и хотя недоразумение скоро разъяснилось, однако в драке разбилось большое старинное блюдо, правда давно треснувшее, а вот теперь совсем разбилось. Писала панна Доминика и о новостях из конюшни: какие кобылки и жеребцы поступали, каких продавали, и какие меры предпринимал пан Матеуш, чтобы от его жеребца-производителя по всей округе вывелась хорошая порода, не только разрешая окрестным мужикам бесплатно пользоваться его породистым жеребцом, но и еще в каждом случае приплачивая по два рубля. Понимая всю пользу таких мер, панна Доминика, не щедрая на одобрения, тем не менее сдержанно хвалила кузена. С кузиной было хуже.

14 февраля 1889 года

Так я разнервничалась, так разволновалась, аж до сих пор в себя никак не приду. Поначалу кузина Матильда ни словечком не намекнула, весь день вчерашний у нас в хозяйственных делах прошел, нынче же после завтрака и начала! Завтракаем поздно, ибо в темноте день начинать кузина не привыкла, пока солнышко не взойдет, она и не встает. Как уж совсем раз-

виднеется, в половине девятого, поднимется с постели, то да се, за стол не ранее девяти садимся. И по окончании завтрака ошеломила меня пренеприятнейшей новостью. Отсылает меня в другое свое поместье, в Пляцувку.

Удивляюсь, как я на месте не померла. Пляцувка та на краю света, за Варшавой, то мне доподлинно известно, я в детстве с благодетельницей моей, царствие ей небесное, туда ездила. Именьице крохотное, куда ему до Блендова! Поначалу мне на ум пришло, что моими услугами недовольны и гневаются, и придется мне, горемычной, дни свои коротать в глуши и пренебрежении. Видно, я от мыслей горестных в лице переменилась, поскольку кузина немедля успокаивать меня начала и пояснила, дескать, не ссылка то позорная, напротив, честь для меня великая, радоваться надо. Большое доверие ко мне питая, господа на меня возлагают чрезвычайно тяжкую и почетную обязанность то именьице, пребывающее в запустении, привести в должный вид. Задача эта только мне под силу, поскольку я за господское душой болею, а разумом и познаниями в хозяйстве Господь меня не обидел. В Пляцувке же всем заправляла престарелая ключница, недавно от старости померла. Хозяйство совсем в упадок пришло, и дом валится, людям в нем жить неспособно, разве что мышам подвальным да летучим. И меня на войну с нетопырями посылают!

Успокоенная малость добрыми словами хозяйки, сомнение я высказала, как же без меня Блендово останется, на что кузина живо возразила, мол, тут все столь отменно поставлено — короткое время и без меня вышколенная прислуга обойдется, да и кузен Матеуш намерен чаще здесь бывать, ведь многие кобылы жеребиться начинают и доглядеть за ними особо требуется.

Надо сказать, долго я не могла успокоиться, и кузина еще новые доводы прибавила. В барском доме там много ценной мебели на произвол судьбы брошено и в негодность приходит, больше всего ее душа изболелась о портретах старинных, что ей завещаны. Вот и просит меня позаботиться о добре этом. И еще прислугу нанять, уж я лучше всех в этом сведуща, никого иного не может она послать в Пляцувку, лишь мне такая задача по плечу.

И вот обо всем этом раздумываю, и сон бежит от меня. Бартек, на Ягусе недавно женившийся, добрым помощником растет и непременно управителем сделается, лучшего не сыскать, в конюшне не хуже кузена распоряжается, а в поле и огородах нет ему равных. А с домом что? Кузина Матильда заверила меня, мол, Кацпер с Польдиком за всем присмотрят, да и она сама наезжать сюда чаще станет. Я едва сдержалась, чтобы не поинтересоваться, нечто нельзя и в Пляцувку время от времени наезжать? Кузина разумом быстрая, тотчас о моих сомнениях невысказанных догадалась и пояснила — туда дорога длинная, сюда же ей намного ближе, да и Глухов на ней.

И лишь когда я, с судьбой смирившись, выразила свое согласие, сообщила мне хитроумная кузина Матильда, что в Пляцувке летом пожар приключился. Службы аж до кухни выгорели, и девичья, но теперь там, хоть и морозы стоят, вовсю новый дом строится. К моему приезду кухня уже будет. Господи, смилуйся надо мной! Что же я там застану? Отказаться никак невозможно.

О портретах кузина особо велела мне позаботиться, им бы какого ущерба не случилось. В салоне там на стенке висят.

А тут курица одна вдруг квохтать начала, так я сдуру, всеми этими новостями оглушенная, посадить ее на яйца велела, а ведь то на две недели ранее положенного! Ну вот, и как я тут все в Блендове брошу на произвол судьбы?! А сама дорога в Пляцувку не менее трех дней займет, о Езус-Мария!

16 февраля

Лакей Фабиан столь отменно чистить серебро выучился, что Кацпер принес мне показать, и я, со всем вниманием оглядев то серебро, не могла обнаружить изъяна. Что ж, видно, станет человеком. Курица на яйцах сидит предовольная, словно счастье в жизни обрела. По причине присутствия господ все на барскую ногу поставлено, рулет свиной с грибами на редкость мне удался, сырки же мои сливочные превосходят те, о коих кузина Матильда смела лишь мечтать, сама мне то давеча с улыбкой при муже заявила. Нужно признать, на похвалу она не скупится.

Кузен Матеуш мне приятность готовит, дескать, путешествие мое в Пляцувку совершу я на поистине королевской упряжке, коней он специально на этот предмет из Глухова приведет, я на них до Глухова доеду, а там сменят, и на них доеду до самой Варшавы. Ночевать буду в доме ясновельможной пани Клементины, она меня примет и все в лучшем виде устроит. Ясновельможная пани Клементина Заворская приходится племянницей моей благодетельнице, особу эту я достаточно знаю, чтобы предпочесть кого другого иметь опекуншей, да иного никого не имеется, так что лучше синица в руках... Надеюсь, сумеет меня отправить в Пляцувку, да и кузина обещала списаться с Пляцувкой, оттуда лошадей за мною пришлют.

От всех этих забот голова кругом идет. Один завтрашний денек осталось мне пребывать в Блендове, я уж и вещи упаковала, беру лишь самое необходимое. С Польдиком особую беседу провела, он Кацпера поумнее будет, должно быть, по причине молодости лет.

17 февраля
Завтра чуть свет отправляюсь в путь-дорогу. Сколько могла, обо всем тут позаботилась и распоряжения сделала. По моим расчетам, в отсутствии пробуду месяца четыре, но, как знать, может, и дольше. Куда денешься, воля барская...

Сделав передышку в чтении, Юстина попыталась обдумать прочитанное. В своем дневнике прабабка Матильда ни словечком не обмолвилась о высылке домоправительницы в Пляцувку. Возможно, там и в самом деле случился пожар, да и летучих мышей следовало изгнать из барского дома. Однако не это было главным. Все говорило о том, что прабабка пожелала избавиться на время от слишком любопытной и дотошной экономки, чтобы на свободе извлечь сокровища из таинственных библиотечных недр. Ведь вскоре после этого она ослепляла всех блеском драгоценностей на светских балах в Париже и Вене.

А дом в Пляцувке и в самом деле мог нуждаться в ремонте, старинная деревянная постройка из лиственничных или дубовых бревен в состоянии простоять столетия, но заботы требовала. Юстина помнила барский дом в Пляцувке еще с довоенных времен. И хоть уже тогда от него осталась лишь половина, огромный полуразрушенный дом все еще производил внушительное впечатление. После войны в нем поселились какие-то "дикие жильцы", как их называли в семье, восемь или девять бездомных семейств, по три комнаты на семью, — значит, когда-то в доме было около тридцати комнат.

Вздохнув, Юстина поспешила вернуться к запискам панны Доминики. Несчастной довелось пережить в Варшаве несколько поистине ужасных дней. Воспользовавшись случаем, легкомысленная тетка Клементина, к тому времени уже пожилая, но по-прежнему весьма светская, решила развлечь бедную провинциалку и свозила ее на ужин в роскошный варшавский ресторан со множеством увеселений, посещаемый избранным обществом польской столицы. Поехали, разумеется, в сопровождении кавалера, почтенного пана советника. Стреляющие по зеркалам царские офицеры и веселые девицы, отплясывающие на эстраде канкан, совершенно потрясли даму из провинции. Наверняка впоследствии приходский ксендз с большим интересом выслушал исповедь богобоязненной девы. К счастью, до того как избранное варшавское общество разошлось вовсю, панна Доминика успела отведать изысканных ресторанных яств, и, надо сказать, вынесла свое особое мнение.

Благодаря последнему обстоятельству в Пляцувку панна Доминика отправилась не совсем голодной, хотя и потрясенной до глубины души. Оставаться после такого в Варшаве она не пожелала, настояла на том, чтобы немедленно ехать вон из столицы, быстро собрала вещички, сжав губы и дрожа всем телом битый час прождала, пока не запрягли лошадей, и отбыла. Хорошо, что дорога долгая, постепенно экономка пришла в себя, но и в Пляцувке первое время плохо спала по ночам.

Приехав, она столь рьяно взялась за дело, что в кратчайший срок придала имению образцовый вид, подобрала прислугу и такой порядок навела, что в последующие полвека не возникло никакой необходимости даже в малейших поправках. У Матильды не было ни единого шанса вновь отправить туда экономку. Вот почему ремонт в Блендове проходил под бдительным оком панны Доминики, прочно укоренившейся в поместье и еще многие годы с ужасом вспоминавшей фривольные сценки из столичной жизни.

5 февраля 1894 года
Не слишком ли рано кузина Матильда младшую дочь в свет вывозит? Слухи до меня дошли через дворовых, а они от купцов еврейских узнали, что Зосенька начала на балах плясать. И неведомо, чьи платья наряднее, — Зосенькины или ее мамаши. Кузина Матильда туалеты привезла из Парижа, где кузен Матеуш имел

большие успехи по лошадиной части. Представляю, что должно в этом Париже делаться, коли я и варшавских бесстыдств до сих пор не могу забыть.

Сегодня утром пан Пукельник попросился погостить, на что я с охотой согласилась. Ничего удивительного, что лошадьми кузена Матеуша интересуется, они на весь свет теперь прославлены. А поскольку он намеревается собственные конюшни завести, то и хочет лучших производителей иметь. Мода ныне пошла на бега лошадиные. Вот того только понять не могу, отчего кузен Матеуш ему никак продать коней не соглашается, другим же продает с охотой. Аглицкую породу пан Пукельник не желает, ему наши, польские, милее.

Отужинавши, до позднего вечера приятную беседу с ним вела, вспоминая бесстыжих девок в варшавском ресторане. Пан Пукельник мне терпеливо разъяснил, что по всей Европе такие "кабареты" понаделаны, а танцовщицы не всегда девки беспутные, бывают и добродетельные девицы. Распутными же притворяются на потребу публике, за деньги, ведь такой танцорке случается и мать старую содержать, и меньших братьев-сестер. И хотя пани Клементина мне то же говорила, просто не хочется верить.

Весьма огорчился пан Пукельник, узнав, что в Пляцувке кузен Матеуш выводит только рабочих лошадей, даже верить мне не хотел. Предложила ему самому убедиться, до чего хороши наши рабочие лошади, может, увидев, и на них польстится? На ужин же велела я испечь пирог большой с грибной да мясной начинкой, и тот пирог пан Пукельник много хвалил.

У Юстины мелькнула мысль — хорошо, что Матильда была не знакома с записями своей экономки, ее бы кондрашка хватил при известии, что та привечала негодяя Пукельника, наверняка ничего не зная о его криминальном прошлом.

14 февраля

Страшную историю я услышала, записать бы, пока не запамятовала. Как морозы ослабли, приволоклась к нам старая нищенка Зенобия из Груйца и рассказала о страшном преступлении, как жена мужу голову топором отрубила. Муж у нее был горький пьяница и бездельник, бил ее почем зря, безо всякой ее вины, она же день и ночь работала, чтобы семью прокормить, трое малых деток. И все терпела, сердечная. А уж как младшего сыночка муж-изверг чуть до смерти не убил и руку ему сломал, не выдержала, несчастная. Подождала, пока изверг заснет с перепою мертвецким сном, деток к соседям отправила, сама же ему голову и отрубила. И писать-то о таком страшно! Затем все чисто прибрала в хате, покойника аккуратно уложила и голову приставила, не заметить, что отрезанная. Хотела его похоронить, дескать, с перепою скончался. А как в гроб-то класть стали, голова и отвалилась. И все об убийстве узнали.

В Груйце чуть не война началась, одни ее сторону держали, другие требуют наказания для убийцы. И хотя покойник человек совсем никудышный, убийство — великий грех. Жан-

274

дармы ее забрали, дети одни остались. Стар-
шей девочке всего четырнадцать, а сынки и
вовсе малые. Груец до сих пор шумит.

3 марта

Кузина Матильда спит и видит, как бы мне
работы прибавить, вроде ее у меня и без того
мало. Человека какого-то из Варшавы присла-
ла, весь дом задумала переделывать и ново-
модные удобства вводить. Вверх дном все пе-
ревернут! Уже тот человек с Польдиком и
стены обстукивает, и покои осматривает, и
все промеряет да записывает. Я было поин-
тересовалась, что за удобства, да не все по-
няла. О водопроводе и канализации слышала,
это еще понять можно, а вот вещи какой-то
невиданной, электрикой называется, никак в
толк не возьму. Только то поняла, что элек-
трика эта свет дает, так ведь у нас и без
того ламп да свечей без счета. А тут Пасха
на носу, ежегодную общую уборку проводить
в доме надобно, я уж и шторы велела посни-
мать, вот и не знаю теперь — делать ли
уборку. Коли перестройку начнут, вся уборка
псу под хвост пойдет.

И далее многие страницы были заполнены причи-
таниями и горячей критикой новомодных удобств.
Досталось и соседям-помещикам, которые поддержа-
ли кузину Матильду в ее безумном предприятии, а Доминика уж было понадеялась, что кузина обанкротится
и придет конец ее выдумкам. Выдумки-то и впрямъ
несусветные, кто это видел, чтобы щелкнуть штукови-
ной какой-то на стене и сам собой свет в люстре зажи-
гался? Или вода в ванной комнате из стены лилась?

Ну и совсем уж интимные помещения, из которых больше ничего выносить не требуется, само собой все куда-то девается. Панну Доминику последнее обстоятельство чрезвычайно озадачило, и хотя она видела многочисленные трубы собственными глазами, как-то эти факты не способна была связать.

Единственное, что оказалось доступно ее пониманию, так это объяснение, откуда бралась горячая вода. Могучий бойлер в кухне говорил сам за себя, под ним горел всем понятный огонь, мог хоть кипяток производить. И печки в ванных — тоже вещь понятная, в печках разжигался огонь, и вода грелась, разжигались же они очень легко. Тяга в них была потрясающая, а топились чем угодно, никакого особенного топлива не требовали.

До центрального отопления Матильда так и не поднялась, но и без него в ее блендовском доме цивилизация просто потрясала. А панну Доминику так захватили все эти достижения цивилизации, что генеральной перестройки библиотеки она просто не заметила. Этим в основном занимался уже упомянутый немец с каким-то своим помощником. А кроме того, приходилось кормить всех строителей и мастеров, и это оказалось непростым делом, поскольку в кухне все время царил хаос. Разгневанная экономка как-то даже осмелилась, невзирая на всю свою кротость, иронически поинтересоваться у хозяйки, затеявшей это столпотворение, уж не на костре ли ей готовить пищу? Разжечь на лужайке перед домом и котел повесить? Или, еще лучше, картошку печь на костре — просто и вкусно.

Продолжался весь этот ужас до самой зимы. Единственным утешением для панны Доминики было то, что из-за нововведений не пришлось заниматься сухим вареньем, разоренная кухня сделала это совершенно невозможным. К сожалению, кузина Матильда не очень из-за сухого варенья огорчалась.

А вот Юстина очень огорчилась. Разумеется, не из-за невозможности в тот давний год засахаривать фрукты, огорчило ее полное отсутствие в записках экономки упоминаний о работах в библиотеке, ведь это был последний шанс хоть что-то узнать о ее перестройке. А экономка и сама ничего не знала, ведь всем распоряжался немец, который сразу по окончании работ навсегда исчез с горизонта. Предусмотрительная Матильда все сделала наилучшим образом и наверняка с началом первой мировой войны использовала свой тайник. И перестала делать записи в дневнике.

Зато упомянутый в записках панны Доминики бойлер Юстина видела собственными глазами и теперь с невольным восхищением вспомнила это чудо техники, водруженное в блендовской кухне на рубеже веков. Старик выдержал две мировые войны и еще пятьдесят лет спустя достойно служил людям. Да и водопровод с канализацией тоже действовали безотказно, вот только вышла из строя местная электростанция, и то от прямого попадания снаряда.

Юстина подбадривала себя — а вдруг в записках экономки все-таки промелькнет какое указание насчет библиотеки? Надо дочитать до конца, тем более что осталось совсем немного. Что-то и панна Доминика стала реже писать, но все-таки занималась этим дольше прабабки. Вот запись от

7 января 1909 года
Вот как слухи расходятся, опять от купцов через прислугу узнаю, что вроде бы кузина Матильда еще несколько лет назад в Па-

риже да Вене шику задавала и танцевала на балах, ровно позабыла о своем возрасте, а ведь она всего-то на шесть лет помоложе меня. Кузен Матеуш лошадей своих привез на бега, о кузене слово дурного не скажу, а вот супруга его должна бы себя поскромнее вести. Те купцы рассказывали, будто кузина такими драгоценностями вся была изукрашена, что свет не видывал, возбуждая в тамошних дамах всеобщую зависть. Откуда ж такие? Об алмазах купцы говорили, о несравненных рубинах да сапфирах, а изумруды я сама на ней видала не так давно, когда здесь устроила бал, явившись с кучей гостей прямиком с варшавских бегов. Граф Потоцкий тогда еще приехал на своей ужасающей машине, автомобилем называемой.

Драгоценности у кузины Матильды имеются, мне это известно, но чтобы аж такие, как купцы говорят?

Промерзла я вчера изрядно, от лесничего возвращаясь пешком. Лошадь с санями запуталась в куче веток, едва прикрытых снегом, и кучер никак не мог выпутаться. Так я решила лучше уж самой остаток пути пройти пешком и кучеру помощь из дому прислать, чем в метель одной мерзнуть неведомо сколько. Двух мужиков послала, чтобы коня без ущерба из западни извлечь, но сама чуть живая до дома добралась. И только теперь признаю, что выдумки кузины Матильды не так уж и плохи, потому как Юзя мне тотчас ванну полную горячей воды напустила, и я в ней довольно посидела. Мигом согрелась, и вижу — правильно сделала, даже насморка нету. А ведь не сомневалась, что разболеюсь после такого путешествия.

20 мая

Произошло нечто непонятное и страшное. Велела я Стасе со стеклянного шара, что в гардеробной светит, пыль стереть, а то много накопилось, глядеть стыдно. Стася на лесенку влезла — потолки-то высокие, не достать — и лакею Фабиану велела лесенку на всякий случай придерживать. И счастье ее, что лакей придерживал, потому как, только Стася до шара светящегося дотронулась, тот с оглушительным треском взорвался, стекла посыпались, а Стася с перепугу свалилась с лесенки. Фабиан, хоть и сам перепугался, все-таки успел подхватить ее, не то расшиблась бы. В доме переполох поднялся, и только Польдик нас несколько успокоил. И что же оказалось? Мокрой тряпкой нельзя к горящему шару прикасаться, ибо сильно горячим от свету делается. А как сухой тряпкой пыль стирать? Польдик и это растолковал. Мокрой можно прикасаться, когда шар не горит, а иначе горячий непременно лопнет от холодной тряпки, да еще и поранить может. Это как в холодный хрустальный стакан кипяток налить, враз лопнет, только наоборот. Когда он про хрусталь сказал, я сразу поняла. А Польдик немедля электрику в порядок привел, и опять засветилась. Из чего я вижу, что все эти изобретения, может, и удобная вещь, да очень опасная.

С каким-то грустным упоением читала дальше Юстина о том, как кот порвал когтями кожаное, еще дедушкино кресло, так что уже и залатать нельзя. И о том, как удалось замечательно засушить чернослив, на этот раз без косточек, потому что в прошлом году молодой пан Кренглевский на сливовой косточке сломал себе зуб. А кузина Матильда, будучи проездом — возвращалась она с именин какого-то пана Меховского; — даже и не упомянула о сухом варенье, чему очень обрадовалась экономка, зато намекнула о каких-то заморских маринадах. Из двух зол экономка уж маринады предпочла, потому что в изготовлении они легче, да и уксус дешевле сахара. Далее шла трогательная история несчастной любви дочери старосты и молодого помощника садовника.

22 ноября

Староста наотрез отказал помощнику садовника, давно присмотрев себе в зятья Дальбовского. Тот на двадцати моргах земли сидит, даром что немолодой вдовец с тремя детьми, огородник же — голь перекатная. Старостова дочь с горя убивается, помощник огородника грозится сжечь Дальбовского, и не знаю, чем дело кончится.

3 декабря

Рассказала мне прислуга, что едва большое несчастье не случилось. Молодой помощник садовника и впрямь уже к овину Дальбовского с огнем подбирался, да, к счастью, его увидел наш новый ксендз и от греха удержал. Ксендз у нас недавно, молодой, однако пользуется в приходе большим уважением и силы ему не занимать. Он собственноручно поучил маленько горячего юнца, так что у того глаз заплыл, однако поджигательные намерения прошли. А староста упрям и дочери ему все равно не отдаст, даже если Дальбовский от нее сам откажется. Но дочка старостова девка тоже упрямая, в батюшку, и в дому у них чисто ад.

8 декабря

Встретила я на кладбище ксендза и расспросила его, как далее обернется дело. Оказывается, ксендз уговаривает помощника садовника в другом месте поискать работу, сам даже предлагал ему помощь и дать рекомендацию в одно знакомое поместье в другом воеводстве, и тогда дело само собой разрешится. Но парень упирается, ибо старостова дочка пригожа, и амбиция в нем играет, не желает старику девку уступить, однако ксендз наверняка на своем поставит.

3 января 1910 года

Ну и сделалось так, как решил ксендз. С нового года помощник садовника устроился на работу аж в Пясечном, и даже не сильно сопротивлялся. А дочь старосты убивается и упрямо твердит — все одно за Дальбовского не пойдет, даже если не знаю что.

11 января

Кулиги на мою голову свалились, как саранча какая. Хорошо еще кузен Томаш весточку через Бартека прислал, который по лошадиным делам приехал, так я хоть два дня по-

лучила на подготовку. На двенадцати санях прикатили, а многие еще и верхом. Шутка сказать, сорок персон гостей, карнавал себе устроили...

Что ж это за мода такая пошла, глазам не верю! Платья у взрослых паненок столь непристойно коротки, что всю туфельку видать. А еще слыхала я, будто когда девицы на снегу катаются на лыжах, так платья и вовсе до половины голени, ну в это никак поверить невозможно.

24 января

Навела порядок после наезда гостей. А ветки со старых фруктовых деревьев, что зимой Бартек в саду спилил, все на копчение пущу, уж больно для того хороши. На Пасху надобно в Кренглево выслать побольше копченостей...

За увлекательным чтением время для Юстины шло незаметно, но, оказывается, все-таки шло. Идалька на третьем курсе решилась выйти замуж за своего избранника. Ее жених Анджей, юноша из интеллигентной семьи, жил в крохотной трехкомнатной квартирке вместе с матерью, сестрой Беатой и братом Каролем. А поскольку их жилье было недалеко, на улице Домбровского, уже давно женихово семейство привыкло проводить много времени в Юстининой квартире, размеры которой потрясали непривычных к такой роскоши варшавян. И раз Анджеек вот-вот туда въедет насовсем, так он уже загодя заполонил одну комнату целиком, да и в ней не умещался со своим графическим хламом. О разноцветные картоны и громадные куски фанеры с таблицами и диаг-

282

раммами все спотыкались в прихожей, коридорах и даже в гостиной.

Амелька после нескольких неудачных замужеств решила больше со своими мужчинами браков не оформлять и не столь серьезно относиться к любовным связям. Хахалей она меняла так часто, что Юстина им и счет потеряла, с некоторыми даже и знакомиться не успевала. Впрочем, не очень-то и жаждала знакомиться, тогда, глядишь, пришлось бы и осудить золовку, а так проще делать вид, что не замечаешь.

И одновременно с этим жуткую драму переживала Маринка. Жили они с мужем до сих пор тихо-мирно, как вдруг тот ровно взбесился и связался с секретаршей своего директора. Однако в откровенном мужском разговоре с тестем Маринкин муж чистосердечно признался, что секретарша — дело десятое, главное же — он больше с этой кретинкой, его, тестя, доченькой, не выдержит. Ему очень жаль, но глупость Маринки превосходит всякое понятие, не женщина, а корова безмозглая, и если он от нее не уйдет, непременно и сам спятит. Болеслав поначалу пытался сгладить ситуацию, да вспомнил свою старшую доченьку, которая в последнее время уже не вмещалась в обычное кресло, и слова осуждения замерли у него на устах.

Супруги сошлись на разводе, и Маринка решила подсунуть дочку Эву родителям, чтобы не травмировать душу ребенка, избавить ее от тягостных сцен, когда во время ежедневных скандалов сотрясались стены квартиры. Внучка доставляла Юстине много хлопот. Дурно воспитанная, капризная, она привередничала за едой, устраивала истерики из-за нарядов и охотно прогуливала уроки.

Тут же возникли финансовые проблемы. Разделить Маринкину квартиру, обменять ее на две не уда-

лось, значит, один из супругов оставляет за собой жилплощадь, второй же получает за нее денежную ком-
пенсацию. При мысли, что на нее одновременно сва-
лятся обе дочери, одна с мужем и его бесчисленными
графическими опусами, другая с невозможной девчонкой, у Юстины потемнело в глазах, и она решила
отдать что угодно, лишь бы оставить за Маринкой
квартиру. В дело пошло предпоследнее колье, и Маринка квартиру сохранила, однако Эва пока осталась
у бабушки, потому что матери нужно было время для
обретения душевного равновесия. Во всех этих бедах
было единственное утешение: от переживаний Маринка похудела на десять килограмм.

Идалькину свадьбу справляли у Гортензии, любовь которой к устройству застолий и парадным
приемам к старости стала просто манией.

Вскоре после этого как-то незаметно скончался
Людвик. Хотя с сердцем у него давно были неполадки, смерть все равно явилась для родных неожиданностью. Прикончили его махинации на ипподроме.
Дарек с Иоасей и детьми на похороны не приехали,
поскольку находились где-то в Южной Америке, и,
когда весть о смерти отца разыскала их в недрах Ар-
гентины, Людвик давно уже был в земле. Гортензия
подумывала теперь о продаже дома, который для них
с Геней был явно велик, но без сына-наследника решила пока ничего не предпринимать.

* * *

В свалившихся на Юстину неприятностях и хлопотах записки панны Доминики были не просто от-
дохновением, а, можно сказать, успокаивающим
лекарством, намного лучшим всех разрекламиро-
ванных медикаментов, поскольку не оказывали ни-

какого вредного побочного воздействия. Такое блаженное спокойствие царило в Блендове на рубеже веков, такими трогательными были драмы и сенсационные происшествия тех времен, что душа отдыхала в целительной атмосфере образцового поместья. Снисходительную улыбку вызывали у Юстины тогдашние беды, вроде той, которая стоила панне Доминике немалой нервотрепки, когда глупая кухонная девка вместо яблоневых да сливовых веток бросила в огонь при копчении еловые сучья и ветчина пропиталась смолистым запахом до такой степени, что даже дворовые собаки не сразу решились ее сожрать. А дочка старосты вышла-таки за богача Дальбовского. Вдовец соблазнил капризную красавицу золотыми часиками, которые вешались на шею. Правда, время определять она так и не научилась, но золото — оно всегда золото. Пан Пукельник опять неожиданно заявился со своим уже взрослым сыном, и это весьма смутило панну Доминику, ибо к тому времени до нее стороной (опять небось от еврейских купцов?) дошли слухи, что по непонятным причинам кузина Матильда, ее хозяйка, пана Пукельника на порог не пускает. Точно будет недовольна, если его в блендовский дом впустят, но как знакомому гостю на дверь указать?

А вот еще запись о чрезвычайном происшествии: кузен Матеуш неожиданно распорядился устроить в Блендове ярмарку-распродажу своих породистых лошадей, "потому как Блендово оказалось между Белобжегами и Глуховом", и по этому случаю панна Доминика сшила себе новое шелковое платье, "в старых уже стыдно было на люди показываться".

Узнала Юстина и о том, что одну зиму барский дом отапливался исключительно шишками, которых в окрестных лесах была пропасть, а дров, наоборот, не хватало. Юстина с наслаждением представила себе эту чудесную картину: шишки в печках трещат, искры летят, панна Доминика с ног сбилась, по всему дому бегая, следит, как бы пожара не случилось. И какой замечательный смолистый запах наполняет все комнаты! Когда-то в далеком детстве Юстина наверняка наблюдала за горящими шишками и, не выдержав, решила еще раз испытать это удовольствие. Взяла мужнину машину, прихватила Эву, которая с радостью пожертвовала школьными занятиями ради неожиданной вылазки с бабушкой в лес, и поехала.

Вернулись с двумя мешками шишек — Юстина чуть живая от усталости, Эва малость разочарованная экскурсией, излишне, на ее взгляд, монотонной. Разожгли огонь в старинном камине, напустили много дыма, потому что камин в гостиной не топился уже долгие годы, к тому же что-то в дымоходе мешало. Однако помеха оказалась нестойкой, с дымом ее вынесло в трубу, появилась нормальная тяга, шишки затрещали, запахло смолой, и посыпались искры.

Опыт удался, и Юстина решила эту зиму топить шишками. Все семейство запрягла в работу. Зять Анджей должен был раздобыть кусок жести и прибить его перед камином, чтобы от искр не загорелся пол, Идалька, Болеслав и Амелия ездили на разбитом "вартбурге" за шишками в окрестные леса, а Беата, сестра Анджея, сама, добровольно, выгребала золу и куда-то ее отвозила, кажется знакомым на дачу. И никто как-то не жаловался на дополнительные труды.

Юстине же просто необходимо было подольше посидеть у горящего камина, подумать, помолчать, ибо панна Доминика уже приближалась к временам исторических потрясений.

2 января 1913 года

Первый раз в жизни Мадеиха в корчму пошла, на обручение внучки якобы, ну и Господь ее покарал. На обратном пути новый платок где-то в сугробах потеряла. Плачет, убивается, даже обеда приготовить не могла и вчерашний разогретый мне подала, думала, я не замечу, да меня не проведешь. Выговор ей сделала, но не сильно бранила, и без того она Господом наказанная.

Карнавал вовсю идет, кулиги по округе носятся, надо на всякий случай бигоса побольше заготовить, лучше пусть в запасе будет.

9 марта

Куры уже сидят, а что удивительно, ни с какой домашней птицей хлопот этой весной не было. Яиц прорва, должно быть, после сиротской зимы.

Решила я сделать вид, словно не замечаю Флоркиных амуров, бог с ней, в прежние времена такую девку за ее прегрешения немедля бы из девичьей изгнали, теперь же такая неморальность везде, что и сама не знаю. А у Мадеихи Флорка изрядно научилась готовить, и ее амуры на работе не сказываются. Прогони я ее — кто в случае чего Мадеиху сменит?

14 апреля

Ужас какой, кошка окотилась прямо на постели в комнате для гостей, трех котят принесла. И уже прозрели, когда это обнаружилось. Теперь сколько придется стирать постель да проветривать, однако котят оставлю. Савуня эта — дворовые девки так кошку в честь библейской царицы Савской прозвали — мышеловка отменная, при ней ни одна мышь не покажется, может, и детки в мать пойдут.

3 мая
Говорят, цыгане под Груйцем табором стали, теперь жди, что и сюда заявятся.

5 мая
Цыгане заявились, но коней не украли. Попытались, правда, но не вышло, сторожа не спали, проявили бдительность, а вскоре и табор власти разогнали. Пан Ремишевский замешательство в уезде произвел, молодую жену разыскивая, которая еще в пору кулигов, в феврале месяце, где-то в снегах затерялась, говорят, с неким паном Пигвой...

3 августа
Гости всемером приехали, да умудрились угодить, когда Мадеиха руку пришибла, в погреб свалившись. И оказалось, умно я поступила, закрывая глаза на Флоркины грехи, девка сама справилась в кухне не хуже своей наставницы. Правда, Мадеиха, в постели лежа, ей давала указания, а через два дня и сама поднялась. Однако по всему видать, выйдет из Флорки отменная кухарка.

Кузина Матильда вот и внучек замуж начала выдавать. Панны Дороты свадьба очень пышная была, и по этому случаю мне презентовали новое платье жемчужного колеру.

Ну и наконец

24 июля 1914 года

Чего-то непонятного наслушалась я от кузена Матеуша. Вроде эрцгерцога какого-то австрийского убили, и от этого война может произойти. Я и не поняла, кто с кем воевать будет и что нам до этого. Вот если бы Россию кто побил, тогда дело хорошее, однако кузен Матеуш на то мне ответил, что немцы бы на нас полезли и еще неизвестно, что хуже. Газет много привез, да я к газетам не привычная. Два дня пробыл и уехал. Спрошу, пожалуй, ксендза.

10 августа

Яблок такая уйма уродилась, половина на продажу необработанными пойдет. С работой не справляемся, пришлось сиротку Владзю из деревни взять в помощь. Ксендз говорит — война может быть, и молиться велит.

21 августа

Опять ужасное происшествие случилось. Бугай вырвался, к которому корову привели. Привязали его до времени к балке сусека в амбаре, так он, корову почуяв, балку вывернул, к которой цепью привязан был, крышу обрушил, а сам вместе с цепью и балкой вылетел. Корову покрыл, но бодрости нисколько не утратил и давай все крушить да ломать. Люди с криком от него убегали, я и сама, из огорода возвращаясь, еле успела укрыться. Наконец балкой за соху зацепился, тут уж мужики набежали и усмирили дикую бестию.

По деревне и в усадьбе тревога великая, слух прошел — парней в солдаты берут, а кому охота москалям служить?

14 сентября

Прав был кузен Матеуш, идет война, глядишь, и до нас дойдет. Кузина Матильда, на пару дней приехав, запасы велела делать, а то я без нее не знаю! Однако кузина показала мне потайной погреб, вход в который так хитро устроен, что вовсе не видать. Я всю жизнь здесь прожила, а о том погребе и не ведала, даже упрекнула хозяйку. Хотя скажи она о погребе раньше, непременно люди бы проведали, а так, кроме нас двоих да моих доверенных слуг, никто не будет знать. Велела мне кузина в том погребе половину запасов припрятать, а сама в библиотеке скрылась, и что делала — не знаю, и без того хлопот полон рот. А еще в беседке часами просиживала, чего ранее за ней не замечалось. Наверное, соблазнилась сухой да теплой погодой.

18 октября

Такие времена пришли, ничего не достанешь! Бога благодарю, что еще весною о сахаре да приправах позаботилась, и то не потому, что слишком умна или предчувствие какое имела, просто подвернулась партия оптом по сходной цене. По деревне стоит стон и плач, одного парня москали в солдаты забрили. Коней да коров кузен Матеуш как-то сберег.

16 января 1915 года

Зимою вроде бы меньше воюют, так старый Шмуль мне сказал, а все потому, что в промерзшей земле трудно окопы копать, а без них никуда. Еврейские купцы всю шерсть хотели взять, однако я половину оставила для собственного прядения, кто знает, как оно повернется? Санный путь установился, и кузен Матеуш в заботе о лошадях приезжал на один день.

22 апреля

Случилась оказия прикупить сахару с сахарного завода пана Потыры, который в большой дружбе с моими хозяевами, они ему и заплатили, так мне и лучше. Говорят, немцы к нам приближаются, но я ни одного не видела, хотя по временам слыхать орудийный гул. На утиные яйца пришлось кур посадить, потому как из уток только две хотели сидеть. Польдик советует керосину прикупить, пока еврей в Груйце еще продает, однако дорого просит, так что пока не решила.

3 июля

Я уж думала — конец света пришел. Москалей побили и верх немцы взяли, паника тут повсеместно поднялась, люди попрятались, затаились, однако самое страшное прошло стороной. Выяснилось, что Польдик хорошо советовал и я правильно его послушалась, пуля из пушки или что иное угодило в нашу электрическую машину, так что электрики теперь у нас нет. С бьющимся сердцем отправилась я

291

в кладовку проверить наличие свечей, давно уж ими не интересовалась, при электрике они без надобности, слава богу, есть еще достаточно. Иначе пришлось бы самим делать, а запасов воска не много. Велю теперь, как мед поспеет, новый собрать.

В сенном сарае нашем несколько раненых лечилось, одни враги. По-христиански присмотренные, излечились и прочь пошли.

Перед немцами кузен Матеуш оказался бессильный, и несколько лошадей у нас забрали. И больше бы взяли, кабы не Польдик. С офицерами немецкими он завел конфиденциальные шашни, на что я принуждена была отдать изрядную бутыль десятилетнего меду. Жалко было давать, хотя у меня и постарше припрятан. Зато теперь у Польдика бумага важная имеется, которую немцы уважают.

Ранних фруктов да ягод множество пропало, кто же в такое время неспокойное да страшное варенье станет варить?

12 августа

Кацпер от старости помер, до ста лет, поди, дожил, да будет ему земля пухом. Похоронили его достойно, кузина Матильда приезжала, но дольше не осталась, сказала — глуховское имение требует постоянного присмотра, немцы все тащат, они куда жаднее москалей. У нас порядки какие-то новые вводить собираются, чтобы все вокруг не наше, а ихнее было. Это с какой стати? Если чего внезапно предпримут, мужики меня предупредят, они с поместьем в приязни, ведь я им много помогала.

26 августа

Панич из Паментова к нам заехал и великую новость привез, однако с ним невозможный казус приключился. Как раз из конюшни жеребца необъезженного вывели. Испугавшись чего-то, тот взбрыкнул, начал ржать да рваться, и от неожиданности Флорка упустила из рук целый котел горячего готового сиропа. Сладкая густая масса враз полкухни залила. Сильно разгневавшись, я велела немедля все подтереть, пока не застыло. Всю прислугу согнала, и аккурат тут панич Паментовский приехал. Коня у него конюхи приняли, что во дворе тем жеребцом занимались, а панич в дом вбежал, громко нас окликая, да за общим шумом во дворе и в кухне мы не услыхали. В поисках живой души панич услыхал голоса из кухни, туда вбежал и тут же за порогом влез в разлитый сироп. И хуже того, от неожиданности как вкопанный замер. Сироп же, сам по себе прилипчивый, застывал быстро, и за считанные минуты панич прилип намертво. В себя-то пришел, да ног оторвать уже не мог, и помочь ему не было возможности. Панич Паментовский юноша сообразительный, ботинки оставил и босиком по застывшему сиропу легко пробежался, правда, под конец поскользнулся и еще руками в сладость вляпался.

Зол был на это панич Паментовский и поначалу бранился, однако быстро отошел и смеяться принялся. Вот, говорит, сколь сладко его принимают в этом доме. Анелька сюртучок его поспешила стирать, лакей же кочергой до ботинок в сиропе дотянулся и вытащил.

А новости панич Паментовский принес такие: фронт отошел далеко к востоку, там идут бои, у нас поспокойнее будет. И ходят слухи, что где-то появилось наше, польское, войско и хочет свободу нам отвоевать, пока два наших врага друг с дружкой бьются. Ах, это так прекрасно, что верится с трудом! Вот панич Паментовский и ездит по округе в поисках войска польского, да никак найти не может. Но оно точно есть, это он твердо знает. Дай нам, Господи, удачу, аминь.

14 сентября

Два немецких жандарма украли нашего гуся из стада. Совсем спятили, даже глупые москали знали, что в эту пору гусятина совсем несъедобная. Хоть бы подавились, проклятые!

18 октября

От этих ворюг алчных все прятать надо, а попробуй спрячь. Польдик с Бартеком все извелись, голову ломая, как урожай сберечь. Ведь одно дело кабанчика, пусть даже корову укрыть, и совсем другое — солому и зерно. Для них, немцев треклятых, самый ценный овес, потому как для лошадей, ну я и подумала — а что, если его в доме спрятать? Набить матрасы, дескать, постель для гостей, а ведь матрасы у нас преогромные, в каждый не менее центнера войдет. Польдик колебался — вдруг кто на них и впрямь спать будет, тогда овес сопреет. Да в нынешние тяжкие времена какие уж гости?

Юстина растроганно подумала, что все-таки никто по заслугам так и не оценил панну Доминику, ее многолетней заботы о хозяйстве, расторопности, смекалки, добросовестности. А ведь, возможно, только благодаря ей первая мировая война не совсем их разорила.

25 ноября
Сена не хватит, мне уже докладывали, стога-то у нас еще до праздников отобрали. Кузен Матеуш, приехав, в отчаяние пришел, ведь отличных молочных коров резать — это уже ни в какие ворота не лезет. Но раз нет кормов... Так я ему призналась, что довольно кормовой свеклы и мелких яблок излишек заквасила в огромных бочках, в землю врытых, они ботвой закиданы, так их и не видать. Растрогался кузен и ручки мне целовать бросился, бесценным сокровищем называя. Как-нибудь до первой травы коров прокормим, хотя без сена тяжко будет.

Тут панна Доминика в записках вспомнила о некой слегка помешанной панне Кислинской, мелкопоместной дворянке из-под Бельска. С ранней весны до поздней осени бродила та по полям и лугам с ножничками в руках и отстригала всяческие травы и цветочки, из которых потом делала изумительно красивые букеты. Засушив, развешивала их в доме. Столько там было тех украшений, что шагу ступить нельзя. Соседи смеялись — этой травой, говорили, трех коров можно всю зиму прокормить. И в самом деле, когда панна Кислинская выбрасывала поднадоевшие декоративные букеты, освобождая место для новых, из них набирался целый стог.

Вот и решила предприимчивая панна Доминика жить не только среди овса, но и среди сена. И теперь до самого конца войны блендовский дом набивала вязанками сухих трав, не обязательно ножничками отстриженных и не обязательно изумительно красивых, зато чрезвычайно съедобных и питательных. А букетов из дому никому не дозволено реквизировать! К весне букеты сами исчезали.

И много еще подобных ухищрений, направленных на то, чтобы сохранить от прожорливого врага что можно, описывала на страницах дневника экономка. И ухищрения эти давали неплохие результаты. Впрочем, до поры до времени.

9 января 1918 года

Случилось страшное несчастье — немцы у нас отобрали всех лошадей, всего четыре штуки сохранились, с которыми Польдик поехал в лес за дровами. Бартек не хотел давать коней, на злодеев бросался, люди его едва сдержали, а все равно его ранили, теперь лежит. Конюх же чудом сумел одну жеребую кобылу в дом завести, мы ее пока что в гардеробной при гостиной содержим. Я сама ее хлебом кормила, чтобы не ржала, когда злодеи разбойничали поблизости, а ей больше пришлись по вкусу мои украшения сушеные, так я не препятствовала, и она целый угол объела. От нечистот я велела быстро с чердака принести старые вытертые ковры, и при ней все время дежурил мальчик с ведерком.

Из тридцати двух только пятерых лошадей уберегла! Кузен Матеуш на месте помрет, как услышит. А вдобавок еще и трех коров увели. Худшего несчастья не могло на нас свалиться.

14 января

Лошадей нигде спасти не удалось. Из Глухова тоже реквизировали, кузена Матеуша чудом не убили до смерти, кузине Матильде удалось лишь трех кобыл и одного молодого жеребца укрыть, да три рабочих лошади осталось, тоже потому, что на выезде оказались. А там ведь конюшня на шестьдесят стойл была! Пропали и те, что зять кузена держал под Бялобжегами, тут, однако же, хоть то утешение, что немцы их забрать не успели, так что для польского войска пошли. Но все равно пропали. А кузен Матеуш есть перестал и без просыпу пьет с горя, слезами обливаясь.

Далее узнала Юстина о том, что кобылка, которую в гардеробной держали, благополучно разрешилась жеребчиком. А следующая запись относилась к Гене. Панна Доминика взяла младшей горничной из Паментова молодую девушку, и внезапно обнаружилось, что у нее имеется дите малое, годовалая девочка Геня. Возмущенная очередным проявлением бесстыдства и аморальности среди девок, экономка, как всегда в трудных случаях, обратилась за советом к ксендзу. И выяснилось, что он обвенчал в костеле эту Марысю с парнем, ушедшим потом в польские легионы и сложившим голову за правое дело. Венчание же проходило втайне от господ, известных своей жадностью и нетерпимостью, малышку тоже пришлось от них скрывать, и панне Доминике поначалу ничего не сказали, потом только Марыся призналась. Поскольку Марыся состояла в законном браке, а значит, никакого бесстыдства и непристойностей, то панна Доминика, призвав Марысью, напрямик заявила ей, чтобы кончала темнить, маленькую Геню воспитывала открыто, только бы в работе не мешала, а Блендово еще в состоянии прокормить один лишний рот.

14 мая
На два дня приезжал кузен Матеуш. От него узнала, что воюет, почитай, весь мир, даже Америка и Япония, да и в Африке вроде бились. А в России революция ужасная приключилась, царя уже нет и не будет, к власти пришла чернь, и отсюда по всей империи жуткая неразбериха, править ведь не умеют. Немцы совсем войну проиграли, того и гляди кончатся, да у них тоже произошла революция. Польские же войска теперь повсюду, наверняка Польша наконец свободу обретет, дай-то Бог, аминь.

18 октября
...В Варшаве большие замешательства, с немцами покончили и свободу провозгласили. И теперь, встретив жандарма немецкого, можно свободно его хоть колом забить. Сама я с колом не пойду, но и жандармов немецких что-то уже не видать.

Что ж, вот и войне конец, а Блендово выжило, главным образом благодаря мудрому руководству панны Доминики. Мадеиха совсем постарела, и беспутная в ранней молодости Флорка успешно ее заменила. Приезжала кузина Матильда и в беседе со своей экономкой выразила глубокое удовлетворение тем обстоятельством, что в Пляцувке портреты

298

предков оказались в запустении, совсем потемнели и по этой причине не привлекли внимания немецких оккупантов, которые грабили все подряд. Оторвавшись на миг от записок экономки, Юстина бросила взгляд на эти портреты, висевшие перед ней на стене и еще больше почерневшие.

После смерти Людвика Гортензия отдала портреты ей, поскольку должны переходить в роду по женской линии. Тяжело вздохнув, Юстина возобновила чтение.

28 октября

Какая неожиданность! Ко мне с визитом явился молодой пан Пукельник. Похвастался, что женился и уже сынок годовалый растет. Сославшись на мое знакомство с его отцом, попросился погостить. Не знаю, что на сей счет думает хозяйка, я же отказать не могла. Новости политические привез, проходят какие-то важные международные конференции. Германия совсем разгромлена, императора немецкого сняли, а Польшу все признали, и теперь мы будем республикой, хотя вроде о королевстве мечтали. Царя же российского ужасным образом убили со всем семейством, Россия в страну большевиков превратилась. Не знаю, что это означает, однако бежит оттуда всякий, кто может. Ох, не для моего разума вся эта большая политика, я уж предпочитаю своими трудностями заниматься.

Молодой пан Пукельник зарабатывает продажей старинных вещей. Теперь, после войны, говорит, очень многое пропало да пострадало, взять хотя бы книжки, ведь легко горят, а пожары в любом доме случаются, он же по благородству своему готов спасти, что еще возможно. Библиотеку нашу осматривал и очень меня хвалил, что в отличном состоянии ее содержу, ничего за эти годы не пропало. И пожелал что-нибудь купить, коли в цене сойдемся, его престарелый отец тоже старинными вещами интересуется...

В этом месте у Юстины мурашки по спине побежали от волнения.

...На то я ему отвечала, что без согласия владелицы поместья даже шпильки не продам, права такого не имею. Очень удивившись, пан Пукельник спросил, как это возможно, ведь всю жизнь тут хозяйством ведаю и о поместье, как о собственном, забочусь, так наверняка и права имею. Молод он еще, чтобы я ему душу изливала, потому и разговор на эту тему прекратила. Потом с Польдиком их вдвоем за столом оставила, чтобы побеседовали, а мне недосуг. Меду им первостатейного не пожалела.

Наутро Польдик мне рассказал, что после той беседы сам пана Пукельника на спине отнес в постель, я же его только на следующий день к полудню ближе увидела. Собирался назавтра чуть свет наш дом покинуть, а уехал ли, и не знаю. Никто потом его в глаза не видел, но коль скоро его двуколка с конем исчезли, надо думать, уехал.

22 октября

Всегда говорила, что сплетни да пересуды — глупости, и веры им нет. Теперь вот слухи пошли, вроде в поместье нашем приви-

дение появилось и людей пугает. Никогда никаких привидений не было, так теперь с чего? А все Андзя глупая слухи распускает, вроде стоны загробные да вой жуткий слыхала, в кабинете пыль вытирая, а ведь днем вытирала, какое же привидение средь бела дня? Ночью — это понять бы можно. Глупости одни.

Эти глупости повторялись, по деревне начали судачить, что в барском доме, в кабинете, томится чья-то душа неприкаянная и стенает по ночам. Это так разгневало управительницу, что она решила лично все проверить и провела ночь в кабинете. Не одна, для храбрости прихватила Польдика. Тот сразу же вытянулся в кресле и безмятежно проспал всю ночь, экономка же ничего подозрительного не слышала. Нельзя сказать, что царила мертвая тишина, нет, всевозможные звуки ее нарушали, но звуки обычные: мощный храп Польдика, отдаленный собачий лай, однако никаких стенаний, лязга цепей и прочих потусторонних проявлений. Впрочем, вскоре и другие перестали слышать привидение и слухи о нем прекратились сами собой.

Правда, какое-то время поговаривали о чей-то лошади, прибившейся с двуколкой к дому какого-то мужика. Панна Доминика даже подумала — может, пан Пукельник продал свою двуколку вместе с лошадью или их украли, но раздумывать над этим ей было недосуг, своих дел хватало.

16 ноября
Кузина Матильда прислала гневное письмо, я даже расстроилась. Ей донесли, что принимала я в доме пана Пукельника, и она в очень резких выражениях потребовала, чтобы боль-

ше никогда ни одного Пукельника в дом не пускать. Откуда такая ненависть? Ведь оба Пукельники, отец и сын, господа весьма вежливые и хорошо воспитанные, за что же им оказать такую грубость? Напишу ей, попрошу разъяснений, не ехать же в Глухов только ради этого.

И еще кузина Матильда велела мебелью заняться, она и впрямь в негодность пришла.

16 февраля 1919 года

Мужики нашли человека, замерзшего в сугробе, а поскольку неподалеку от нас, ко мне в дом его занесли. Не до смерти замерз, хотя и немного оставалось, но ожил в тепле. И выясняется — судьба его послала. Был он старшим подмастерьем у известного всей Варшаве столяра-краснодеревщика, взяли его москали в армию, выжил только господним промыслом, из России с ее ужасами и революцией как-то вырвался и до Варшавы добрался. Мастера своего уже не нашел, тот от немцев сбежал куда-то на восток. Ничего за душой не имея, этот подмастерье, Ян Ясинский его зовут, попытался добраться к своим дальним родичам в Раву Мазовецкую и у них как-то перезимовать, да вот заблудился и в снегу чуть не замерз, а родичи в Раве еще неизвестно, живы ли.

Я в том усмотрела перст судьбы и, сразу о мебели подумав, велела этому Яну Ясинскому пока в поместье остаться. Мебель наша и в самом деле находится в плачевном состоянии. И москали ее попортили, а хуже того немцы. Те в доме бесчинствовали так, что я и писать о том не осмелилась, оргии пьяные устраивали, до сих пор вспомнить без дрожи не могу, как сиротку Владзю, шестнадцати лет, из деревни в дом наш взятую... ох, и сейчас рука не поднимается описать, как же страшно над сиротою надругались! Счастье еще, что прежде пьяною ее напоили до беспамятства, а то ведь болезная и ума бы лишилась. С неделю не вставала, потом кое-как ее выходили. А я ту немецкую солдатню еще кормить-поить была принуждена, так больше капустой кормила и на горилку домашнего изготовления не скупилась, чтобы больше спали да меньше бесчинствовали.

А размороженный подмастерье пусть остается, погляжу, на что способен.

20 февраля

Кто бы такое мог ожидать? Кузина Матильда специально приехала в Блендово, чтобы лично, не на письме, сообщить причину своей неприязни к Пукельникам. Оказывается, пан Пукельник-старший в молодости страшное преступление совершил, пани Зенобия Ростоцкая, сердечная приятельница кузины, чуть было тоже его жертвою не сделалась, а ее первого мужа, пана Фулярского, со всею очевидностью старший Пукельник собственной рукой лишил жизни. И только благодаря заступничеству моих хозяев делу не был дан ход и убийца в Сибирь не отправлен, а то и на виселицу. Просто в голове не укладывается!

18 марта

Уж как и выдержала — не ведаю, самой чуть плохо не стало, когда пана Пукельника-старшего в дом впустить отказалась! Поначалу пан Пукельник проявил прежнюю вежливость и воспитанность, и не подумаешь, что душегуб. Однако же после письма и рассказа кузины Матильды могла ли я по-иному поступить? На крыльцо вышла и напрямик заявила — имею приказ от хозяйки в дом его не впускать. Весьма тем удивленный, пан Пукельник-старший ответил, что в дом этот не рвется, лишь о сыне спросить желает, поскольку тот несколько месяцев назад в наши края по делам уехал и до сих пор не возвратился. Так хотел бы знать, появлялся его сын в Блендове или нет? Я правдиво ответила, что был, принимала его, но как уезжал — не видела, меня при том не было. Пан Пукельник-старший принялся всякие вопросы ставить, на кои я отвечать не намерена была, поскольку хозяйка здесь кузина Матильда, а мне заказано с Пукельниками знакомство поддерживать. Может, если пожелает, с Польдиком пообщаться, тот с его сыном больше дела имел.

Действительно пан Пукельник долго Польдика о сыне расспрашивал, да тот сам мало что помнил, вместе ведь с его сыном медом напивался. Занятый работами в саду, Польдик на другой день тоже не видел, как Пукельник-младший покинул наш дом.

Не сразу пан Пукельник уехал из Блендова. В деревне и в корчмах придорожных еще о сыне от мужиков пытался выведать, и те ему в один голос отвечали, что намеревался в дальний путь, а куда — того им не говорил. Пан Пукель-

ник-старший начал злиться и полицию поминать, но уехал наконец. Мне и самой интересно, что может означать такое таинственное исчезновение пана Пукельника-младшего.

Старшая правнучка кузины Матильды оторвалась от записок экономки Матильды и тоже принялась раздумывать над тем, что же произошло с Пукельником-юниором. Человек исчезает таинственным образом и бесследно. Почему же встревоженный отец лишь упоминает о полиции и устраивает скандалы в Блендове, вместо того чтобы поставить ту же полицию на ноги и потребовать немедленного расследования? Может, дело объясняется тем, что происходило все это сразу после войны, в стране разруха и беспорядки, полиции не до того. И как ни верти, а последним местом, где видели живого Пукельника-младшего, было Блендово. Да и лошадь его с двуколкой куда-то там прибилась... Может, и в самом деле оба Пукельника занимались столь подозрительными делами, что не желали привлекать внимание полиции? Чрезвычайно заинтригованная, Юстина вновь принялась за записки панны Доминики.

22 апреля
Никакой пользы от Мадеихи больше мне нет. Едва ноги таскает и от зубов страдает, хотя их, почитай, совсем не осталось.

Подмастерье Ясинский оказался хорошим приобретением, правда, прожорлив сверх всякой меры. Да пускай лопает, худой ведь как щепка. На пробу я ему дала карточный столик отреставрировать, так ничего не скажешь — столик как новый. Фанеровку Ясинский сам умеет изготовить, сухого дерева у меня дос-

таточно припасено, от немцев уберегла. И никакой оплаты не требует, за еду и крышу над головой работает, но при нынешней дороговизне удивляться этому не приходится.

Об умельце краснодеревщике панна Доминика писала много, не скупясь на похвалу. Записи о хозяйственных катаклизмах перемежались с политическими, ибо началась война с большевиками, "а тут еще три курицы вздумали нестись по каким-то закоулкам, и яиц никак не сыскать". И вот триумфальная запись о блестящей победе польских войск:

30 августа
Мы тут с ума сходили, вестей не получая, но Господь над нами смилостивился и от поражения окончательного уберег. Польские войска совсем москалей побили, и больше они уже не вернутся. Аж голова кружится от великой радости, потому как и попрятавшиеся куры нашлись. Гнезда себе понаделали в кустах дрока, прикрытых остатками сена, и, кабы не собаки, облизывающиеся после съеденных яиц, до зимы бы я несла убытки.

Из последующих записей стало известно, что кузина Матильда неизвестно почему запретила умельцу Ясинскому заниматься библиотечной мебелью, разве что в ее присутствии, но ведь когда этого дождешься? Да, с библиотекой сложности. Прояснит ли что-нибудь панна Доминика?

Пока что та с упоением описывала зимний кулиг, ну прямо как в старые добрые времена, с той лишь разницей, что сейчас, кроме саней, гости приезжали и на автомашинах, правда, преобладали все же сани. На сей раз приехало все хозяйское семейство, в том числе и самое молодое поколение. Далее шла свадьба умельца Ясинского с несчастной сироткой Владей, столяр никаких претензий своей молодой жене не предъявлял. Предвоенная еще кобылка ожеребилась, принесла тоже кобылку, кузен Матеуш по этому случаю привез шампанское и панне Доминике тоже велел пить за здоровье новорожденной. Хорошо, в погребе еще лед сохранился, было чем шампанское охладить.

28 июня 1922 года
Пани Дорота привезла мне обеих девочек, чтобы у меня побыли, не знаю почему. Вроде бы я должна учить их ведению домашнего хозяйства, но ведь девочки малы. Хеленке всего восемь, а Юстине и вовсе шесть годочков...

Не сразу поняла Юстина, что читает о себе. Первый раз? Нет, кажется, экономка уже упоминала о приезде в Блендово ее матери с двумя дочерьми. Да, об этом была запись, только имя ее, Юстины, не упоминалось. Тогда она была совсем мала, годика два-три.

Это же, второе, пребывание в Блендове Юстина помнила, и сейчас оно отчетливо всплыло в памяти. Они с Хеленкой, а также их гувернантка поселились на втором этаже, в комнатах для гостей, и с первого же дня возник конфликт между экономкой и гувернанткой. Панна Доминика серьезно отнеслась к обязанности обучить девочек домашнему хозяйству, а гувернантка... минутку, кто тогда был их гувернанткой? Кажется, фрейлейн Клара. Да, фрейлейн Клара своей главной обязанностью считала воспитание в девочках хороших манер и умения держать себя в обществе, посещение же курятника воспринимала как личное оскорбление, не говоря уже о хлеве. И старалась всячески ограничить время пребывания своих воспитанниц в кухне.

А еще Юстина вспомнила, как однажды вместе с панной Доминикой делала запись ежедневных приходов-расходов: яиц 89 штук, молока 61 кринка, сметаны семь с половиной кринок. На масло пошло 5 кринок, из этого получилось полтора фунта масла. Еще помнились огромные количества фруктов и ягод, в основном клубника, из нее готовилось сухое варенье. И сахар, горы сахара! Обе они с сестрой вынуждены были заниматься самой трудной работой — извлечением косточек из ягод. Черешни и вишни, а также крыжовник еще что, а вот выскребывание косточек из черной смородины запомнилось на всю жизнь.

Долго-долго, уставившись перед собой невидящим взглядом, Юстина вспоминала эти тяжкие и вместе с тем чудесные занятия. Боже, сколько же времени было тогда у человека! Хорошо, что панна Доминика не дожила до наших дней, ей бы не выдержать в сумасшедшей суете и спешке. И очень жаль, что нет сейчас таких Доминик, а вместе с ними и безвозвратно утрачены секреты множества прекрасных старинных кулинарных рецептов. Интересно, что бы сейчас ответила Феля на предложение сварить варенье из смородины без косточек? Не говоря уже о Марине, Идальке, Эве...

12 августа

Кузина Матильда навезла родных и знакомых с детьми, чтобы гостящим тут паненкам не скучно было. А я не знаю, куда и глаза девать. О детях не говорю, но ведь некото-

рые девочки, почитай, совсем взрослые, а безо всякого стыда в платьях до колен бегают, и рукава до локтя! Все руки-ноги голые, где же девичья скромность? Говорят, теперь мода такая пошла, а в городах девицы на улицу выходят в сопровождении одного лакея, а то и вовсе сами по себе! Поеду, пожалуй, на свадьбу панны Барбары, чтобы увидеть своими глазами, так ли оно? Свадьба ее в сентябре будет.

Паненка Хелена, из кухни от меня убегая, в только что принесенную корзину яиц вступила, так только четыре целых осталось. Велю, пожалуй, сдобные булки испечь, чтобы добру не пропадать...

Вздохнув, Юстина оторвалась от чтения и с нежностью оглядела некогда принадлежавший панне Доминике секретер, за которым та вела свои записи. Книга расходов Доминики с некоторых пор стала для Юстины не менее интересна, чем ее дневник, в ней наглядно отражались исторические перемены в стране и царящая в те годы инфляция, из-за чего экономка пребывала в смятенном состоянии, не успевая за ростом цен. Юстина вернулась к записям Доминики.

28 сентября
Правду мне рассказывали, своими глазами убедилась! Вечерние и бальные платья такие же, как и прежде, а вот дневные шокируют. А еще я собственными глазами видела, как панна Шелижанка на лошади в брюках по-мужски сидела. В брюках! По-мужски! Я даже глаза протерла, уж не привиделось ли?

Один из наших кабанчиков сбежал, так и не могли его отыскать, а в деревне, говорили мне, пир какой-то устраивали, однако при современном падении нравов меня это уже не удивляет. Ведь теперь, по слухам, молодые девушки из хороших семей в городах одни проживают и в университетах обучаются, и никто их не осуждает. А все война проклятая, из-за нее общее падение нравственности и в народе, и в высших сферах.

9 декабря
Мадеиха померла от старости и болезней, долго хворала, перед смертью уже совсем перестала соображать. Вместо нее будет теперь Флорка, а как ей платить? Ведь, почитай, каждый месяц придется плату повышать. Вся прислуга в доме только за еду и проживание работает, уж и не знаю, что дальше будет. Видно, и мне пора помирать, совсем теряюсь я в этом теперешнем свете.

20 января 1923 года
Пани Кренглевская умерла от печени. Только что я воротилась с ее похорон. Сердце разрывается, на разорение Кренглева глядя. Муж покойницы, пан Кренглевский, хотя всего на два года постарше сестры, кузины Матильды, против нее стариком выглядит. А молодой панич Кренглевский с войны вернулся совсем ума лишившись, слыхала, от пулевого ранения в голову. Все дни по запущенному саду бродит, бормочет что-то под нос, ни дождя, ни снега не замечает, и любой может его куда угод-

но завести. Старший пан Кренглевский с нотариусом советовался, хочет остатки состояния сестре отписать, с одним условием: чтобы о ненормальном паниче заботилась до конца его дней.

Побежали годы, похожие один на другой, записи экономки изобиловали хозяйственными заботами. Редко когда описание изготовления сыров, копченостей, варений и солений прерывалось чрезвычайными происшествиями, вроде аварии канализации. Поскольку это случилось в январе, менять трубы было невозможно, то ждали оттепели. Приехавшие из города рабочие быстро со всем управились, хотя очень хотелось посидеть подольше в гостеприимном и хлебосольном доме. Один из рабочих даже жену с ребенком прихватил, которые помирали в Варшаве от голода. Это было единственным упоминанием о безработице, царившей в стране. "Кормила я их хорошо, — писала панна Доминика, — и малость отъелись. А теперь дом весь проветриваю после запаха ужасного от лопнувшей трубы, по дому сквозняки гуляют, и у меня уже насморк, однако вонь от этих сквозняков и тщательной уборки поуменьшилась".

Случались неприятности и другого рода. Польдик, бывший буфетный мальчик, а теперь правая рука панны Доминики и ее первый помощник, к сожалению, отличался чрезмерной влюбчивостью и с юных лет напропалую ухлестывал за девками и бабами, не помышляя о женитьбе. Чрезвычайно щепетильная в этом отношении экономка вынуждена была закрывать глаза на его шалости, тем более что объекты внимания никаких претензий никогда к нему не предъявляли. Но вот среди бесчисленных избранниц Польдика оказалась особа, муж которой совершенно напрасно после долгих лет отсутствия неожиданно вернулся из германского плена и среди ребятишек у себя в избе обнаружил парочку явно лишних. Бедной панне Доминике немало усилий понадобилось, чтобы замять скандал.

* * *

— Мама, ты что, оглохла? — давно уже отчаянно взывала Маринка. — Мама, ты меня слышишь?

— Слышу, конечно! — поспешила отозваться Юстина.

— Тогда почему же не отвечаешь? Ты поняла, о чем я тебе толкую?

— Боюсь, что не очень, — смущенно призналась мать. — Повтори, пожалуйста.

— Да ты меня вовсе не слушала! Стасик мною пренебрегает!

С некоторым усилием Юстина заставила себя вспомнить, кто же такой Стасик. Ах да, очередной зять, второй Маринкин муж. Дочка вышла замуж как-то тихо и незаметно, а потом триумфально объявила, что ей досталось истинное сокровище, просто идеальный мужчина, лучше в мире не было и нет. Поэтому пусть Эва еще некоторое время поживет у бабушки, чтобы она, Марина, могла без помех насладиться молодостью и медовым месяцем.

К этому времени Эву немного пообтесали и с ней уже можно было выдержать. Эва осталась, Марина наслаждалась райской жизнью с идеальным мужчиной, и вдруг такое заявление.

— Прежде всего успокойся и расскажи толком. Что за трагедия? Ведь ты так расхваливала мужа, откуда же эти недоразумения?

312

— Ничего себе недоразумения! — в истерике выкрикивала Маринка. — Говорю же — он меня бьет! Без конца за девками бегает, а теперь такую лахудру завел — сил нет, и собирается на ней жениться! Домой привел, а меня выгоняет! И дурой обзывает! Что мне делать, что делать? Я с собой покончу! Убью себя, несчастную!

— О, правильно, убей себя! — подхватила Амелия, до сих пор в молчании слушавшая разговор матери с дочерью. — Представляю, как обрадуется твой подонок со своей лахудрой! Для них сразу все проблемы решатся.

— Что?.. — не поняла Маринка.

— А то. Плохо ли? Без развода, без хлопот. Стасик похоронит тебя — и свободен. И квартира в его распоряжении. Кончай с собой, прекрасная идея!

У Маринки моментально высохли слезы.

— Не дождется! — стиснув зубы, мстительно выдохнула она. — Назло ему буду жить!

— Ну, если для того, чтобы жить, нет других причин, — сойдет и эта.

— У тебя дочь растет, — сухо напомнила Юстина. — Этого твоего... как его... Стасика мы совсем не знаем...

— Кое-кто и знает! — веско вставила Амелия.

— Я не знаю. Ты сама себе его выбирала...

— Я ее предупреждала, так она не желала слушать. Подонок, отпетый негодяй и бабник. Хуже не бывает! Только из-за квартиры и женился. Теперь все делает, чтобы ее выжить, а квартиру за собой оставить.

Тут Юстине изменила выдержка.

— Тогда разводись с ним и пускай выметается.

— Он не хочет! — опять захлюпала Маринка.

— Как это "не хочет"?

— Он наоборот хочет!

Толку от Маринки нечего было ожидать. Пришлось Амельке опять давать пояснения:

— Он хочет, чтобы выехала Маринка, а квартиру ему оставила. Просто уехала, и все! Потому и девок к себе водит в открытую, а жена должна сидеть смирно, пикнуть чтоб не смела, а если попытается возникать — нещадно ее колотит.

Юстина пришла в ужас.

— Доченька, и ты это терпишь?!

— Вовсе не терплю! — огрызнулась Маринка. — Я же тебе говорю!

— Ну так разводись! Квартира нотариально оформлена на тебя. Ты имеешь право вышвырнуть его вместе с этими... девицами.

— "Вышвырнуть"! — возмутилась Маринка. — Тебе легко говорить! А жить я буду на что? Ведь он зарплату приносит.

— И ты за эту зарплату терпишь его... пренебрежение?

— А что делать? Жить мне на что?

— Ну, во-первых, получаешь на Эву алименты, а во-вторых, можешь работать. Ты молодая и здоровая.

— Как я стану работать? Я же ничего не умею делать.

— Все-таки твой Стасик прав — дура ты, — пробормотала Амелия.

— Готовить ты умеешь, — ответила Юстина. — Можешь устроиться кухаркой. Читать и писать умеешь, в какой-нибудь конторе найдется работа по твоим силам.

— Но я вовсе не хочу работать! — возмутилась Маринка.

— Тогда попытайся в третий раз выйти замуж.

— А родные, что же, никак мне не помогут?

— Конечно, совсем без помощи мы тебя не оставим, хотя ты сама в своих несчастьях виновата.

Маринка опять разревелась:

— Могла бы и не упрекать меня в такую минуту!

— Я не упрекаю, просто констатирую факт.

Тут решительно высказалась Амелия:

— Перестань закатывать истерику и успокойся немедленно! Ты уже подала заявление в суд? Адвокат у тебя есть?

Постепенно выяснилось, что Маринка вовсе не желала со Стасиком разводиться, ей бы хотелось, чтобы кто-то как-то воздействовал на Стасика, немного приструнил его и заставил остаться в семейном гнездышке не только без главной лахудры, но и без прочих девок. До Маринкиного сознания никак не доходил тот факт, что Стасик ее — прожженный негодяй и мошенник, пусть даже и начинающий. Собственная природная тупость и продуманные умелые действия Стасика загнали Маринку в такой угол, что стало ясно — очередная жизненная ошибка обойдется в очень крупную сумму.

К панне Доминике Юстина смогла вернуться лишь после первого бракоразводного процесса дочери, который ничего не решил.

18 августа

До сих пор я ужасалась дороговизне, а оказывается, все это были пустяки, вот сейчас происходит что-то немыслимое. За месяц все в десять раз подорожало. За отправление одного письма на почте надо заплатить тыся-

чу марок. Всю жизнь я привыкла то в злотых, то в рублях считать, теперь вот с войны вдруг марки появились. Счета веду по-прежнему, но и сама в них ничего не понимаю.

17 ноября

Кренглеву пришел конец, оба барина Кренглевские померли. Старший пан Кренглевский в меланхолию впал и, говорят, погиб при чистке пистолета, мол, руки у него тряслись, однако прислуга перешептывается — застрелился специально, царство ему небесное. Пытались его спасти, сестру и ее мужа Матеуша вызвали, раненый еще дышал, за ксендзом послали и в этом переполохе совсем позабыли о паниче Кренглевском. Предоставленный самому себе, тот в саду заблудился, нашли его только на другой день. За ночь так промок и прозяб, что кончилось воспалением легких. Отдал Богу душу в день похорон отца. Так что сразу после первых похорон и другие были.

Думаю, последний раз видела я Кренглево. Теперь оно кузине Матильде перешло, хотя вряд ли что с него получит, слетелись заимодавцы, точно воронье. Правда, она пану Матеушу говорила, что при скупости покойной пани Кренглевской расходы минимальные шли, деньги тогда у них еще водились. Может, в войну все пропало, вроде она пыталась какие-то дела с евреями иметь, а немцы ведь все у евреев отбирали.

Я сразу после вторых похорон уехала, а кузина Матильда осталась.

18 апреля

...Не знаю, правда ли, но будто кузина Матильда отыскала запрятанные пани Кренглевской золотые империалы, еще довоенные. Само Кренглево с молотка пошло, и кузина очень довольна, что с ним развязалась. А вскоре кузен Матеуш приобрел нового коня.

...Шесть предметов меблировки, совсем жуками поеденных, мы с Ясинским обнаружили. Жуков-древоточцев ядом извели, но мебель так и так погибла.

26 мая

Наконец с деньгами навели у нас порядок. Почтовая марка два злотых стоит, так прямо на ней и написано. Аж слезы на глаза навернулись от радости. Теперь и хозяйство можно вести по-человечески, цены понятные. Знаешь, что стоят яйца, масло, шерсть, перо, мясо, капуста и все прочее. Впрочем, погожу радоваться, вдруг назад все повернется.

16 июля

Уже с месяц гостят у меня обе паненки, Хеленка и Юстыся, а гувернантка у них совсем глупая, ничуть с годами не поумнела. Лягушка на террасу вспрыгнула, так она такой визг подняла — небось в деревне слыхать было. Разве у них в Глухове лягушки не водятся?

Хеленка по-прежнему из кухни сбегает, а Юстыся хозяйством домашним очень интересуется, кажется, девочка умненькая и рассудительная. А раз велела мне кузина Матильда обеих своих правнучек всему обучить, я так и делаю, хотя у самой забот сверх головы.

Гувернантку оса ужалила, от чего она лицом распухла, а панна Хеленка в болото залезла, хотя ее и предупреждали. Счастье еще, что лето стоит сухое, в болоте только туфельку утопила.

23 октября

Должно быть, простыла я, что-то кашель замучил. Ох, старость не радость. Нет-нет да и подумаю, кто после меня будет дом вести? Флорка с кухней справляется, на Фабиане весь дом, но над ними должен кто-то быть, даже ради счетов. Наверное, Польдик, он уже давно всем поместьем заправляет, и счета у него всегда в порядке, однако домашнее хозяйство — женское дело.

4 ноября

Все труднее мне справляться с хозяйством, а уж лично проверять, как откармливают гусей, и вовсе невмоготу, в гусятнике холод невозможный. Чувствую себя не совсем здоровой. Навела в бумагах порядок и теперь возьмусь за перо лишь после того, как здоровье поправится.

На этом закончились записки панны Доминики, и Юстине пришлось обратиться к личным воспоминаниям. Здоровье экономки так и не поправилось, и панна Доминика скончалась незадолго до рождественских праздников, видимо от воспаления легких. На ее похороны приезжали прабабка Матильда с прадедом Матеушем, прихватив с собой много родственников, в том числе и ее, Юстину. Они с Хеленой уже учились в одном из частных пансио-

318

нов Варшавы, так что для обеих праздники в том году начались раньше обычного. В Блендове правил Польдик, отличный мажордом, он так и остался там управляющим, обошлось без женского присмотра.

Захлопнув последнюю тетрадь, Юстина мрачно уставилась на изученные материалы — прабабкин дневник, записки экономки и кучку ее же счетов. Теперь сомнений не оставалось — наполеоновские презенты прабабушка Матильда спрятала в Блендове. Возможно, там же хранились и накопления двоюродной прабабки Кренглевской, те самые золотые империалы, о которых упоминала панна Доминика. Что ж, тем большая потеря! Интересно, что же сейчас делается в этом Блендове?

Ей вдруг захотелось немедленно поехать туда и посмотреть, но желание так же быстро исчезло, как и появилось. Нет, не было у нее сил осматривать фамильные развалины и в который раз запоздало корить себя, что не сделала этого много-много лет назад.

А как теперь быть со всеми бумагами? Никто из родных не должен знать, какой кретинкой она оказалась, все равно уже ничего не изменишь. Сжечь?

Нет, рука не поднимется. В конце концов, в этих старых бумагах заключен определенный исторический отрезок времени. И пусть они повествуют об истории всего одного польского рода, пусть история эта камеральная, она тем не менее остается историей, писанной очевидцами, живо и непосредственно. Тогда эти материалы лучше всего разделить. Спрятать ту часть записей, которая относится к императорским сокровищам, и пусть молодое поколение читает обо всех этих свадьбах, романах, фамильных скандалах, радостных и горестных событиях, о лошадях, гусях, модах, исторических катаклизмах и сухом варенье...

* * *

Два огромных пятна на стене — почерневшие от времени портреты предков — резали глаз. С каждым днем Юстине было все труднее выносить это зрелище, особенно теперь, когда закончилось успокаивающее душу чтение мемуарной литературы и с головой затопили актуальные проблемы: кошмарные жизненные перипетии Маринки; необходимость дополнительной жилплощади для Идальки с двухлетним ребенком и мужем Анджеем — добрым, симпатичным, работящим и талантливым, творения которого, однако, заполнили уже две комнаты и вытеснили из них семейство; нерешенный вопрос с Эвой, которую приходилось держать в отдалении от непристойных супружеских передряг ее глупой матери, и многое другое. Решение всех этих проблем упиралось в отсутствие необходимых средств, взять их было неоткуда, и последним связующим звеном с добрым старым временем оставались черные доски на стене.

С ними надо было что-то делать, и тут свою роль сыграла Идалька. Унаследовавшая от матери ответственность, стремление к чистоте и порядку, она с трудом выносила мужнину безалаберность, хотя отдавала должное специфике его профессии, но нервы ее были на пределе, и ужасающие черные доски на стене добили ее. Настал день, когда Идалия задала вопрос в лоб:

— Мамуля, эту черную мазню ты от дедушки забрала специально для того, чтобы она тут нас пугала? Им обязательно висеть в гостиной?

— Обязательно, — со вздохом отвечала Юстина. — Ты же знаешь, портреты достались нам по наследству. Продавать их мы не имеем права, это в завещании оговорено.

320

— Да кто их купит? Я не о том, ведь можно отреставрировать. Это в завещании не запрещается делать?

Юстина опять вздохнула.

— Я и сама об этом не раз думала, но тут вечно наваливались какие-то срочные дела, не до картин было. Да и отыскать нужных мастеров как-то не удавалось.

— Надо обратиться в какой-нибудь музей, там имеются специалисты по восстановлению старинных картин. Можно узнать.

— Можно, конечно. Интересно, сколько сейчас за это возьмут? Боюсь, реставрация стоит бешеных денег.

Обе молчали, глядя на безнадежно почерневшие полотна.

— А ты уверена, что это портреты? — спросила дочь. — Может, пейзажи? А если портреты, то чьи? Наполеона?

— Нет, прадеда и прабабки. Ну, не совсем так, надо бы добавить по несколько этих "пра". А с чего вдруг тебе пришел в голову Наполеон?

— Понятия не имею. Откуда-то взялся, просто застрял в памяти. Вроде бы в детстве слышала я от Марины, что Наполеон как-то с нашим родом связан. Мамуля, я не хочу, чтобы такое висело у нас в гостиной, надо что-то сделать. Да и раз уж ты так свято придерживаешься воли завещательницы, тем более следует позаботиться о сохранности. Они чьи, твои?

— Теперь, наверное, мои. По завещанию портреты достались дедушке Людвику...

— Дедушку Людвика интересовали только лошади.

— Правильно, а его жена, бабушка Гортензия, отдала портреты мне, в соответствии с пожеланием Людвика, так она сказала.

— Их надо отреставрировать. Ладно, позвоню в музей...

— Нет, — перебила дочку Юстина, — я сама этим займусь, ты права, я должна выполнить волю завещательницы.

Принимая это решение, Юстина вдруг испытала какое-то иррациональное удовлетворение от некой причастности к прабабке Матильде.

Довольно скоро Юстина узнала, что музейные реставраторы принимают и частные заказы, но, во-первых, это дорого стоило, во-вторых, нужно было занимать очередь, ибо множество граждан воспылало вдруг желанием отреставрировать старинные картины, и, в-третьих, картины следовало привезти в музей, только там имелись необходимые для работы реставраторов условия.

Посоветовавшись с Болеславом, Юстина теоретически заняла очередь в музейной реставрационной мастерской.

Портреты предков перевозили два раза, сначала из Пляцувки их доставили в квартиру Гортензии, потом оттуда — в дом Юстины. И всякий раз нанимали носильщиков-профессионалов, ибо портреты были тяжести неимоверной. Потому, собственно, они так и висели на стене, куда их первоначально повесили, перевешивать было проблемой.

— Должно быть, рамы такие тяжелые, — рассуждал Болеслав, — ведь не на камне же нарисованы. Полагаю, нет смысла в таком виде отвозить их в музей, проще вынуть из рам.

— Рамы тоже нуждаются в реставрации, — с некоторым сомнением заметила Юстина.

— Да нужны ли они вообще? Может, проще сделать современные, полегче, а эти выбросить? — предложила Идалька.

Ее муж, призванный на семейный совет, робко высказал свое мнение:

— А не жалко? Кажется, они были позолочены.

— Если даже и были когда-то, позолоты на них не осталось, — возразила Идалия. — Папа прав, нужно вынуть. Закажем новые рамы.

— Какие?

— Пока не знаю. Сначала отреставрируем, а потом посмотрим, какие рамы заказать, чтобы подходили по стилю. Сейчас мы даже не знаем, в какой цветовой гамме выдержаны портреты.

Решающее слово оставалось за Юстиной, а она колебалась. В ее сознании рамы были неразрывно связаны с портретами, и надо бы их так и оставить. Болеслав внимательно изучал рамы. Взял лупу.

— Жуки-древоточцы, — сообщил он, рассмотрев под увеличительным стеклом угол. — Полно дырок. Полагаю, это решает наш спор?

— Если жуки сожрали древесину, почему же рамы такие тяжелые? — задумчиво произнес Анджей.

— Потому что сожрали и остались внутри вместе со съеденным, — предположила Идалия.

— Ладно! — вдруг решилась Юстина. — Делаем новые рамы, а старые сожгу в камине. Снимайте портреты со стены. Справитесь?

— Да, справимся вдвоем, если Идалька отцепит веревку от крюка, — ответил Болеслав. — Надо попытаться дотянуться кочергой.

С большим трудом тесть с зятем сняли со стены поочередно обе картины и уложили у стенки, лицом вниз, даже не очень грохнув по полу. Идалия уже приготовила кусачки и плоскогубцы, ее муж принялся отгибать и вытаскивать бесконечные гвоздики.

Наконец выдрал последний, однако широкая планка не снималась. Может, ее приклеили каким-то неизвестным старинным столярным клеем? Болеслав опять вооружился лупой и сквозь нее разглядел еще один ряд совсем мелких гвоздочков, придерживающих планку по наружному краю рамы. Извлекать их было намного труднее, чем первые, загнутые.

— Ничего не скажешь, в старину мастера работали на совесть, — весь взмыленный, пробормотал Болеслав.

Анджей пришел на помощь тестю. Оба сопели и пыхтели. В дверях гостиной появилась Феля, какое-то время наблюдала за происходящим, потом сочувственно предложила:

— Раз уж вы так тут мучаетесь, пойду, пожалуй, чайку свежего заварю.

Юстина кивком одобрила хорошую идею. Идалия стала испытывать угрызения совести, ведь это она настаивала на реставрации картин, не предполагая, что на это потребуется столько труда.

Когда наконец все гвоздики с одной стороны рамы были вытащены, планка пошевелилась.

— Тут четыре такие планки, — неизвестно к кому обращаясь, произнес Анджей и одним сильным рывком отодрал длинную плоскую деревяшку. У присутствующих перехватило дыхание. Весь край обратной стороны картины под рамой оказался выложен тесно прижатыми друг к другу золотыми кружками. Они лежали аккуратной длинной дорожкой и весело блестели в электрическом свете. Фантастическое зрелище!

— В глазах рябит, — только и вымолвил Болеслав.

Протянув руку, он с некоторым трудом отодрал одну монету. Одновременно то же сделала и Идалия.

— "Пять рублей", — прочла она. — Пять рублей! Мама, как думаешь, они настоящие?

— Золото! — ответил ей Болеслав вместо матери, к которой еще не вернулся дар речи. — Золотые полуимпериалы. Во времена оккупации у нас они назывались "свинками". Откуда они здесь?

— Так вот почему картины были такими тяжелыми! — догадался Анджей.

— Имитация, — предположила Идалия. — Подделка. Правда, мама?

Юстина молчала. Уж она-то знала, что ни о какой подделке речи быть не может. Вот, значит, где прабабка спрятала сбережения своей скупой невестки пани Кренглевской! Подумать только, такое сказочное богатство висело у них на стене, когда Людвик с Гортензией едва сводили концы с концами, ее мать жила из милости у родных на жалкую пенсию, Ядвига с Юрочкой у себя в деревне вкалывали, как невольники на хлопковых плантациях, а дети вынуждены были эмигрировать в поисках лучшей доли. Она сама десятый год ходит в одном и том же вытертом зимнем пальто, Амелия никак не расплатится за свой чердак, Маринка не может получить развод с негодяем мужем, Идалька с семьей теснится в двух маленьких комнатках. Интересно, сколько же сэкономила эта скупердяйка пани Кренглевская?

К счастью, вошедшая с чаем Феля успела поставить поднос на стол, из рук вывалилась лишь пепельница, которую Феля хотела немного переставить.

— Езус-Мария, что это? Вы клад разыскали? Пани Барбара спрятала?

— Вот именно, что это? — сурово поддержал домработницу Болеслав, подозрительно глядя на жену.

— Это Матильда, наша прабабка припрятала, — выдавила из себя Юстина. — И наверняка золото настоящее, если, конечно, в свое время пани Кренглевскую не обманули. Двоюродная пра...

— Что за двоюродная пра?.. — поинтересовался Анджей.

Юстина вдруг отдала себе отчет в том, что не только для Анджея, но и для ее близких прабабка Матильда, панна Доминика, жена брата Матильды пани Кренглевская — совсем неизвестные люди. Это только она сроднилась с ними, такое ощущение, будто знала их лично.

— У моей матери Дороты была бабка, — запинаясь начала она. — Это и есть моя прабабка Матильда...

В двух словах всего не расскажешь, но Юстина попыталась. Не очень понятно получилось, даже Феля позволила себе перебить хозяйку:

— Сели бы лучше за стол да не торопясь обо всем поговорили. А я бы еще рюмочки поставила, ведь если клада не обмыть, он в прах рассыплется.

И опять все с Фелей согласились. Раскуроченный портрет со своей золотой окантовкой остался лежать на полу. Неторопливо попивая красное вино и закусывая солеными палочками, семейство внимательно слушало рассказ Юстины о перипетиях предков. Дойдя до скупой пани Кренглевской, Юстина уже не стала так сокращать свое повествование, а рассказала немного подробнее о том, каким образом Кренглево досталось прабабке Матильде. И все равно получилось очень сжато.

— А что, у Матильдиного брата и его скупой жены детей не было? Почему все досталось Матильде? — допытывалась Идалька, во всем любившая точность и порядок.

— Были дети, вернее, один сын, сумасшедший. Он после ранения в голову спятил. Так он тоже умер. Простудился и умер. Но это было уже потом.

— А что было *до этого*? — укоризненно поинтересовался Болеслав, тоже любивший точность и пунктуальность. — Почему ты рассказываешь как-то с конца?

— А ну, помолчите! — гневно прикрикнула на них Юстина. — С этой историей я знакомилась двадцать пять лет, не всегда последовательно. Пожалуйста, по желанию присутствующих могу тоже двадцать пять лет рассказывать!

Угроза подействовала, Юстину перестали перебивать, и она смогла беспрепятственно проинформировать родных, откуда в рамах портретов предков оказались золотые монеты. В мемуарных записях об этом нигде не было прямо сказано, но все наталкивало на мысль — прабабка Матильда после обретения Кренглева в собственность отыскала накопления своей скупой невестки, а та все деньги очень умно превращала в царские золотые пятирублевки, и уже сама Матильда умело припрятала эти полуимпериалы в рамах портретов предков. Ага, возможно, часть золотых монет истратила на покупку для мужа породистой лошадки, но остальные скрыла. Теперь видно где. Вот почему столь настоятельно упоминала в своем завещании эти портреты.

Произнося слова "теперь видно где", Юстина ткнула в портреты на полу и замолчала. Вроде бы теперь объяснила как следует.

— Надеюсь, дядя Людвик о кладе ничего не знал? — сухо поинтересовался щепетильный Болеслав.

— Ничего! — успокоила его жена. — И вообще никто ничего об этих монетах не знал.

Феля, внимательно слушавшая рассказ, облокотясь о буфет, перекрестилась и, набожно глядя вверх, промолвила:

— Просто чудо, что в войну не пропало.

Болеслав не успокаивался.

— А тетя Гортензия после смерти Людвика отдала тебе эти портреты в соответствии с его пожеланием? Ты полагаешь, все в порядке? Ведь у них же есть сын...

Юстина задумалась. Она хорошо знала своего мужа, скорее умрет, чем притронется к чужим деньгам. Она и сама не собиралась обкрадывать родственников, однако из завещания прабабки следовало, что Блендово достается ей, дневник тоже... а вот портреты оставлены сыну Томашу, от него перешли Людвику, а тот хотел, чтобы их взяла она, Юстина.

— Не знаю, — честно призналась она. — Дядя Людвик отдал мне. Может, по закону они должны принадлежать Дареку, его сыну?

— Ну что пани несет! — обрушилась на нее Феля. — Панича Дарека ничего не волновало, когда поехал в дальние края, бросив своих стариков на произвол судьбы! Геня мне все рассказала! Когда последний раз при жизни пана Людвика приезжали, так ихний сын неизвестно по-каковски болтал! А как опосля смерти родителей приехал, так дом пан Дарек продал за бесценок, даже не спросил, может, кому из родичей жить негде! И вещи разбазарил, половину просто на свалку вышвырнули. Да будь там в ту пору эти картины, беспременно их тоже на свалку бы выбросили! Дарек! Дарек совсем иностранцем заделался! А такого наследства не положено отрывать от польских корней!

Все молча слушали Фелю и, по-видимому, соглашались с ней. Все, кроме Болеслава.

— Да пусть Стефанек хоть по-китайски бы говорил, закон остается законом, — сухо, но твердо заявил он. — Я полагаю, даже если тебе и передали фамильные реликвии, вложения в них, так сказать, Людвик завещал бы сыну.

Прозвенел звонок входной двери, Феля пошла открывать.

— А разве подарок не остается подарком при любых условиях? — осторожно поинтересовалась Идалия. — Всякий подарок при ближайшем рассмотрении может оказаться не совсем таким, каким представлялся. Вот, скажем, ты, папочка, отдал кому-то свое старое пальто и в кармане вдруг обнаружили портмоне с... бешеными деньгами. Ты бы потребовал свое пальто обратно?

— Пальто наверняка бы не потребовал. Но давай не будем философствовать. Мы же не рассматриваем вопрос о возвращении картин.

— Нет, ты скажи, что бы сделал с портмоне?

Болек затруднился с ответом. Его выручило появление сестры Амелии. Уже извещенная Фелей о сенсации, она влетела в гостиную и застыла на пороге, уставившись на золотые россыпи на полу.

— Это же надо! Можно и мне глоток вина?

Чтобы понять происхождение клада, Амельке хватило двух слов пояснения. Она накинулась на монеты, одну даже попробовала на зуб, потом тоже уселась за стол и приняла участие в дискуссии.

— Глупости ты говоришь! — бесцеремонно оборвала она возражения брата, не смущаясь тем, что дискредитирует его в глазах молодежи. — Если даже предположить, что наследство оставлено вашему двоюродному дедушке Томашу, сыну Матильды, так учтите, у него, кроме сына Людвика, была еще и дочь Барбара, она что, не человек?

— Была, родная сестра Людвика, — оживилась Юстина.

— А Барбара все, что имела, завещала Юстине. Официально, по закону, бумага есть. Так что если даже и учесть Дарека, половина всего этого *законно* принадлежит Юстине. А сколько там всего?

Только сейчас присутствующие, теперь счастливые обладатели клада, вспомнили об этом существенном моменте и вмиг отодрали оставшиеся планки. Потом сделали то же со вторым портретом. Царские полуимпериалы были равномерно, по справедливости, распределены, окаймляя аккуратной рамкой все четыре стороны. Под обеими рамами было скрыто двести штук золотых монет.

— Не так уж много сэкономила ваша ненормальная скупердяйка, — скривилась Амелия. — Двести умножить на пять... всего тысяча рублей золотом. Что можно было купить за эту сумму?

Начитанная Юстина смогла дать ответ:

— Если не ошибаюсь, прабабушке хватило бы на три платья. Правда, она носила очень дорогие платья.

— Давайте пересчитаем на теперешние деньги, — предложила Амелия и сама принялась считать вслух: — Сто свинок, я беру Юстинину долю, сто свинок по две с половиной тысячи злотых каждая, столько приблизительно можно выручить в данный момент, получается двести пятьдесят тысяч, четверть миллиона. Неплохо. А что можно на это сейчас приобрести? Три подержанных машины хорошей марки, двухкомнатную квартиру, две с половиной тысячи долларов, совершить потрясающее путешествие по Европе...

Юстина чувствовала, как с каждым словом золовки у нее становится теплее на сердце.

Болеслав сделал официальное признание:

— Моя сестра подметила весьма существенную юридическую деталь. Несомненно, половина обнаруженного золота должна была достаться тете Барбаре, а коль скоро моя жена — ее законная наследница, значит, переходит в ее пользование. Признаюсь, мои дорогие, я испытываю глубокое удовлетворение...

Прошло немало времени, пока все не успокоились. Тогда вспомнили о первоначальном замысле — отправке картин на реставрацию. Теперь, когда сняли широкие планки по их обратной стороне, ничто не мешало вынуть полотна из рам и скатать в трубочку, если получится. Самый молчаливый из присутствующих, Анджей, высказал робкое предположение, что и по другую сторону полотна под рамой вполне могло бы уместиться столько же, и все повскакали с мест. Склонившись над картинами, Идалия подняла полотно, на котором предположительно был изображен прапрадед, Юстина присела над предположительной прапрабабкой. Вынули оба холста, и тесть с зятем принялись исследовать рамы.

За тонкими планками оказались такие же ровные ряды царских полуимпериалов. Воцарившуюся по этому поводу эйфорию никто и не думал скрывать. Болеслав, скинувший с себя бремя законности, сиял не хуже золотых монет, его сестра быстро подсчитывала дополнительные материальные блага, Идалия покрылась горячим румянцем, а ее муж меланхолично разглядывал кучки золотых пятирублевок, и взгляд его выражал робкую надежду. Ни один из присутствующих не обращал внимания на Юстину, которая осторожно укладывала на диване вынутые из рам полотна.

И слава богу, что не обращал. На обратной стороне одного из полотен ее пальцы нащупали что-то твердое. Оказалось, тонкий лист картона. Его легко удалось приподнять, и между картоном и холстом обнаружились довольно толстым слоем ровненько разложенные конверты, документы и перевязанные ленточками связки каких-то бумаг.

Юстина точно знала, что это означает, никаких сомнений. Трясущимися руками собирала она в кучу эту старинную макулатуру, жалея, что не носит, по обычаю прабабок, длинных, до полу, широченных платьев с множеством складок и оборок, в которых легко было скрыть не очень крупного слона, не то что эти бумаги. Но их можно затолкать под одну из диванных подушек, вот так, ничего не заметно. И для верности Юстина еще и сама села на подушку.

— А ты, мамуля, ничего не знала о монетах, хотя и читала дневники прабабки? — обернулась к ней Идалия.

— Догадывалась, — терпеливо отвечала мать, даже не раздражаясь, напротив, с удовольствием повторяя только что рассказанное. — Прабабушка лишь намекала, мол, что-то где-то спрятала, но не написала что и где. Правда, подчеркивала, чтобы портреты предков ни в коем случае не продавать. Но мне и в голову не пришло, что они с такой начинкой.

— Господь завсегда вознаградит за благое деяние, — наставительно заметила Феля. — Вот как вы, барыня, собрались наконец старичков помыть — так золото и посыпалось. Давно пора.

Юстина отрешенно наблюдала, как Анджей под присмотром Идалии аккуратно складывает оба полотна — в трубочку свернуть их не удалось — и заворачивает в простыню за неимением упаковочной бумаги. Феля пожертвовала бельевую веревку, которой и обвязали большую плоскую пачку. Без старинных рам пачка оказалась совсем легкой.

А Юстина подумала — если в портретах обнаружилось такое богатство, что же тогда припрятано в Блендове?

Не слушая радостного щебетания присутствующих, она занята была одной мыслью: ни за что на свете не встанет с подушки, пока все не отправятся спать, так и будет сидеть до ночи...

* * *

На следующее утро Юстина сделала попытку, скрывшись ото всех, ознакомиться с документами. Скрыться не удалось. Мешала в основном Агнешка, маленькая дочка Идалии, девочка чрезвычайно милая и воспитанная, но слишком уж живая. Ребенок обладал удивительной способностью стягивать себе на голову абсолютно все, что находилось в квартире выше ее роста. Поэтому во время отсутствия Идалии Юстина вынуждена была неотступно ходить за внучкой, ненавязчиво, но решительно вынимая из ее ручек вазочки, шкатулки, столовые приборы, настольные лампы, альбомы с фотографиями, флаконы одеколона, хрустальные пепельницы и стаканы с горячим чаем. А вместе с Идалией и остальные приходили с работы, так что уединиться Юстине никак не удавалось.

Вот почему уже и отреставрированные портреты вернулись из музея, а Юстина все еще не прочла новые записки предков. Впрочем, два отдельных документа все-таки прочла, но они оказались какими-то официальными справками и не произвели на Юстину особого впечатления.

Портреты из музея принес Анджей. Все столпились вокруг, горя желанием увидеть наконец изображения предков, особенно прапрабабки, прославившейся своей красотой. Это известно было всем ее потомкам, даже непонятно каким образом, просто передавалось из поколения в поколение из уст в уста. Прапрадед такого интереса не вызывал.

Вот обе картины уже висят на стене в новых рамах на прежнем месте, прекрасно освещенном, и Юстина молча разглядывает поясной портрет молодой женщины. Дама, несомненно, красива, ее улыбающееся милое личико окаймляют английские локоны, красоту подчеркивает изысканная простота платья в стиле ампир. Но не это потрясло Юстину. Она не могла оторвать глаз от декоративных элементов.

Декольте прекрасной дамы украшало роскошное бриллиантовое ожерелье с кулоном из огромного рубина, с ушей свисали сверкающие серьги, сложную прическу венчали две булавки размером с десертную тарелку, тоже сплошные бриллианты и рубины. Это еще не все. Присобранная у бюста ткань была заколота столь потрясающей брошью, что невольно закрадывалось сомнение, а не фантазия ли это художника, вряд ли такое существует на самом деле. Юстина с горечью подумала — да это не портрет, а просто ювелирная витрина. Неужели молодая дама, позируя художнику, не могла нарядиться хоть чуточку скромнее?

Напрасно, напрасно согласилась Юстина на реставрацию портретов! Если эти драгоценности возлюбленной Наполеона перешли потом к прабабке Матильде, все родичи увидят, что потеряла Юстина из-за своего легкомыслия. И не простят. Правда, вряд ли ей грозят какие санкции, но все ее осудят, а главное, поймут, сколь она глупа. Всю жизнь ее уважали за несомненные достоинства ума и сердца, и она действительно выгодно отличалась от дурех вроде Хелены и Гортензии, а особенно собственной дочери Марины, от таких неуравновешенных созданий, как Барбара и Амелия, теперь же никто ее и в грош не будет ставить. Нет, такого она не переживет! Немедленно, немедленно ознакомиться с новыми документами, хватит, всю жизнь тянула с прочтением дневника Матильды, может, это что-то даст или окончательно ее добьет, если выяснится, что в свое время можно было с помощью фамильных сокровищ обеспечить всем родным сладкую жизнь.

И тут до Юстины дошло, о чем говорят в гостиной.

— Красивым парнем был этот ваш прапрадед, — одобрительно сообщила Амелия Идалии. — Встреть такого — сама бы не устояла. Впрочем, мундиры наполеоновских времен кого угодно красавчиком сделают.

— Да ты что, наверняка они не ей принадлежали, такие драгоценности в те времена дамы специально надевали, когда с них писали портреты, — наставительно разъясняла Маринке сестра Анджея Беата. — А часто случалось так, что художник сначала намалюет бабу, а уж потом, отдельно, пририсует на ней украшения, какие она только пожелает. Точно так же писали и конные портреты, отдельно мужик, отдельно лошадь. Ты можешь себе представить, чтобы лошадь часами стояла неподвижно?

— Колье не лошадь, — возразила Маринка, — висит себе и висит.

— Зато в отличие от лошади может оказаться поддельным.

Брат Анджея Кароль проявил оригинальность и не восхитился красотой прапрабабки.

— Конечно, о вкусах не спорят, — выпендривался он. — Нет, не скажу, что некрасива, вот только излишне... сладкая какая-то, и энергии в ней не чувствуется.

Ему возразил Болеслав:

— Мода такая была, и среди современников ее вполне могли счесть идеалом красоты. Кстати, я вроде бы читал, что Наполеон любил послушных женщин.

— А стиль ампир все-таки ужасен, — критиковала Идалька.

— Прошу всех к столу, гренки совсем остынут, — энергично пригласила Феля, положив конец спорам.

Только теперь Юстина увидела, что в гостиной собралась вся семья, она и не заметила этого, думая о своем. А главное, драгоценности императорской любовницы не произвели сенсации, даже не привлекли особого внимания. Люди обсуждают портреты в целом, как публика в картинных галереях, их суждения вполне здравы, кроме Маринкиных высказываний.

Немного успокоившись, Юстина сумела взять себя в руки и приступить к обязанностям хозяйки дома.

* * *

Немедленно ознакомиться с новыми документами не удалось, оказалось много текущих дел, и преимущественно неотложных. Нужно было связаться с Дареком, увязшим где-то в дебрях Южной Америки, помочь Маринке в расчетах с мужем, купить квартиру Идалии, поспособствовать в разрешении Амелькиных проблем. Дарек отыскался, приехал за своей частью наследства и, разумеется, поселился у Юстины, которая лишь накануне освободилась от дочери с зятем и только приступила к ликвидации последствий творческой деятельности Анджея. Хотя Эва вернулась наконец к матери, у Юстины осталась другая внучка, Агнешка, потому как ее родители в обретенной наконец квартире собирались делать ремонт, а маленький ребенок при этом совсем уж лишняя обуза. Правда, она уже не отнимала столько времени, перестала стягивать предметы на свою голову и спокойно играла одна, предпочитая куклам разные железки.

Только через два года все как-то упорядочилось, Юстина осталась в квартире с Болеславом и Фелей, и можно было спокойно заняться разборкой старых бумаг.

Писем Наполеона Бонапарта в них не оказалось. Пачка писем, бросившаяся в глаза Юстине первым делом, особого интереса не представляла. Писала их какая-то приятельница прапрабабки в ответ на получаемые ею письма. И все-таки из ответов приятельницы неопровержимо следовало — роман с императором имел место. Вспыхнул он внезапно и продолжался недолго, так недолго, что история его не заметила в отличие от романа с пани Валевской. Зато, судя по всему, пришелся на момент какой-то особой щедрости и расточительности французского императора, не очень-то характерных для его величества, ибо презенты на предмет чувств хлынули лавиной. Один раз всего, но зато лавиной. Презентов было столько, что хватило на все: и пережить горечь расставания с августейшим любовником, и залечить нанесенные внезапным разрывом раны.

Чувства прабабки Матильды Юстина в полной мере поняла после того, как прочла несколько других писем. Имя их автора ничего ей не говорило, судя по содержанию, он был, скорее всего, адъютантом императора, а может, и каким-то доверенным его приближенным. Без сомнения по уши влюбленный в прекрасную адресатку, он неосторожно выболтал служебную тайну, написав о происхождении наполеоновских подарков. Они и в самом деле явились военными трофеями, доставшимися Наполеону не очень-то достойным путем, потому он так и швырялся ими. Ничего удивительного, что очередные прабабки предпочитали драгоценности особо не афишировать.

В чтении старинных документов Юстина столкнулась с новыми затруднениями — большинство писем оказались на французском. В детстве Юстина по-французски говорила свободно, язык не совсем еще забыла и как-то справилась с переводом. Имело смысл попыхтеть, поскольку из этих писем Юстина узнала, что Пляцувку прапрабабка получила тоже от императора, тот купил ее для своей польской возлюбленной и на ее имя, имелась официально заверенная нотариусом купчая. Портрет писался специально для Наполеона, правда, с портретом вышла неувязка: когда тот был готов, император уже не пожелал его получить, увлекшись очередной доступной польской красоткой. Покинутая любовница велела для отвода глаз написать и портрет мужа, которому император милостиво разрешил вернуться из каких-то несомненно очень важных служебных командировок. Оба портрета больше столетия провисели в Пляцувке, неизменно вызывая уважение и даже пиетет потомков, чему, зная поляков, удивляться не приходится.

Ознакомившись с письмами, написанными разными почерками, Юстина на закуску приберегла письмо прабабки Матильды, которое безошибочно узнала по столь знакомым бледно-зеленым каракулям.

Первые слова буквально потрясли:

К правнучке своей обращаюсь...

Господи, ведь это же ей, лично ей, Юстине, адресовано письмо с того света, написанное полвека назад! Нет, больше, прабабушка наверняка писала его в то время, когда запрятала сокровища, до своего последнего приезда в Пляцувку, а было это или во время первой мировой, или еще до нее.

“Какое счастье, что Фели нет дома”, — мрачно подумала Юстина, открывая кухонный буфет и вытаскивая бутылку коньяка.

Немного успокоившись, она вернулась к водянисто-зеленым каракулям.

Если ты читаешь эти слова, моя правнучка, значит, у тебя хватило ума позаботиться о портрете моей бабки, продавать который я тебе строго запретила. А если кто другой найдет это мое письмо — ничего не поймет, ибо места я не назову.

Имущество мое тебе завещаю и наказываю — со вниманием к нему подходи. И помни, переходило оно от прабабки к правнучке, от бабки к внучке, тебе понятно, о чем я веду речь. Там спрятала я все драгоценности, а поступать следует так: один шкаф в библиотеке от стены отодвинуть. Для того внутри шкафа, над верхней полкой, по левой стороне, с самого краю плинтус на себя потяни, как за ручку, а под ним увидишь замочную скважину. В скважину ту вставь ключик, один из трех на запаянном кольце висящих. Ключики должна была с моим дневником обнаружить...

Точно, были ключики! В сейфе Людвика вместе с Матильдиным дневником лежали! На них тогда она не обратила внимания, ухватившись за дневник. Что с ними стало? Кажется, взяла тетка Барбара?

С трудом Юстина заставила себя вспомнить первые трудные послевоенные годы, бурную деятельность Барбары и... да, отчетливо всплыло в памяти. Вот Барбара кладет на стол связку ключей и говорит: "Отдаю тебе, поскольку они являются историческим объектом, бери, спрячь куда-нибудь".

Она, Юстина, взяла и спрятала. Автоматически. Не думая об исторических ключах. Взяла и спрятала. Господи боже, где?!

Нет, это последнее Матильдино письмо ее доконает, кондрашка хватит. Прабабка словно специально подчеркивала все ее, Юстины, ошибки и упущения, прямо загробная месть какая-то. Что ж, она ее заслужила. Дура безмозглая, не могла ключики толком припрятать, где их теперь искать, после всех бесчисленных ремонтов и переездов? После ежегодных генеральных уборок?

Вскочив, Юстина лихорадочно порылась в нескольких ящиках секретера, да опомнилась. Ключи не заяц, в лес не сбегут, если до сих пор где-то лежат, могут и еще полежать. Надо дочитать до конца послание прабабки.

Опять хлебнув коньяка, Юстина мужественно продолжила чтение:

...прокрути два раза вправо и изо всех сил потяни на себя шкаф левою рукою. Шкаф не совсем отойдет от стенки, лишь отклонится немного, однако не чрезмерно тучный человек сумеет протиснуться. А вход так хитро устроен, что если кто шкаф силком от стены отдерет, за ним кроме кирпичной стены ничего более не увидит. Когда же ключиком отомкнуть, стена та кирпичная вместе со шкафом вход откроет.

Сойди вниз по узкой лесенке, памятуя при том, чтобы не ступить на третью ступеньку, иначе вход тот наверху за тобой затворится, а изнутри его никакими силами не откроешь. Крики и стуки не помогут, напрасно силы потратишь, все одно снаружи их не услышат.

Как на самый низ сойдешь — другой вход ищи, сокрытый в стене. Для того поверни вправо и отыщи нужный кирпич — с левого края четвертый, снизу же тринадцатый. Тот кирпич вынуть надобно, а за ним замочек малый, вторым ключиком отпираемый. Влево его дважды прокрути, одновременно надавив другою рукою на кирпич, который аккурат под твоею левою рукою окажется. И опять стена отойдет, и покажется малый коридорчик, вправо уходящий. Не торопись в тот коридорчик бежать, наперед в каморку по левой стороне войди, о которой никому не догадаться, потому как коридорчик сплошь кирпичом выложен и на тайное помещение ничто не указывает. Тут ключа не потребуется, просто в самом начале коридорчика по его левой стенке кирпичи надо нажать в такой очередности: от низу считая седьмой да третий, потом тринадцатый и второй, потом двадцать четвертый и третий, а затем обеими руками со всею силой опять нажать на тринадцатый и третий. Если ошибешься, все вдруг закроется и придется опять с самого начала нажимать.

А если правильно нажмешь, стена откроется, на тебя падая, так что соблюдай осторожность и сразу в сторону отскакивай. И за стеною та малая каморка, а в ней по шкатулкам да ларцам драгоценности мои упрятаны, однако не все.

Теперь можешь тем подземным коридорчиком идти, он под домом и садом ведет аж до беседки. В конце его дверка обычная, железная, и отпирается третьим ключом, но на особый манер: крутить ключом раз вправо, три раза влево, опять вправо четырежды и, наконец, влево два раза. Дверца отворится. За нею помещение, и в нем оставшиеся драгоценности, однако выйти не сможешь, коли дверца замкнется, а замыкается она сама по себе. Чтобы не захлопнулась, подложи под нее кирпич.

Имеется еще иной выход, через беседку, и через него же можно из беседки в то помещение с ценностями войти. В беседке стена камнями выложена, многие торчат вроде как для украшения. На те камни торчащие тоже надобно нажать, а делать то в такой очередности: третий и седьмой, восьмой и четвертый, шестой и пятый, и одновременно оба последних, девятый и третий с седьмым и четвертым, что без особого труда обеими руками легко делается. И тогда пол в углу беседки опустится вниз и увидишь лесенку, по ней дойдешь до той дверцы железной, что третьим ключом отпирается. О способе отпирания я уже писала. И опять тебя усиленно предостерегаю — будь внимательна и осторожна, ибо если о дверце забудешь, захлопнется не только она, но и западня в полу беседки, так что следа от человека не останется.

На ухищрения такие подвигло меня опасение от злоумышленников, а все эти хитрости по моим задумкам смастерил многомудрый немец из Петербурга, коего я на работы тайные выписала, а сама повсеместно распустила слухи, будто в доме удобства проводятся в виде электрики и воды в трубах. Немец тот по-польски ни единого слова не знал, да и по-русски тоже с пятого на десятое понимал и потому никому не мог проболтаться. Польдик малость по-немецки говорит, но его при тайных работах не было, он наблюдал только за теми, что делались поверху.

Если даже весь дом разрушится, подземные помещения должны остаться в целости.

А цифры все я еще для памяти на особой бумажке записала и в книгу в библиотеке сунула. Если даже в одном месте затеряются, в другом могут сохраниться. Книга же — сочинение французского писателя Виктора Гюго, называется "Отверженные". Береги ее как зеницу ока.

Дочитав до этого места, Юстина опять вынуждена была подкрепиться коньяком, так как ей вспомнились замечания панны Доминики о пронырливом Пукельнике, неважно, старшем или младшем, который долгими часами просиживал в библиотеке Блендова. Любитель чтения, чтоб ему!.. Правда, ключиков у него все равно не было, даже если и нашел "особую бумажку" прабабушки. А может, действовал отмычками?

Оставив прабабкино письмо на секретере в спальне, Юстина встала и прошла в гостиную. В ярком солнечном свете свежеотреставрированный портрет наполеоновской полюбовницы просто слепил глаза, а драгоценности на ней... Минутку, как же звали эту красавицу? Ага, вспомнила, Габриэла. Так вот, рубины и бриллианты сияли собственным блеском. Художник, мерзавец, просто с каким-то злорадным наслаждением выписал каждый камешек, блестели не хуже настоящих. Вот тут он проявил талант! Всего три дня пользовалась Габриэла благосклонностью французского императора, но, судя по всему, тот просто пылал страстью. Мрачно глядела на это сияние бедная Юстина, не оправдавшая прабабкиных надежд. Ну как ей теперь быть?

Вернувшись к письму Матильды, Юстина еще несколько раз подкреплялась глотками коньяка и наконец приняла решение: больше угрызаться не станет. Все равно потерянного времени не вернешь, что ж теперь отчаиваться. В бывший барский дом в Блендове не проникнешь: коль скоро он объявлен памятником старины, значит, дело дохлое, все там законсервировано, заперто и в таком состоянии может простоять не одну сотню лет, постепенно приходя в упадок.

В конце послания прабабки имелась приписка:

Я этими драгоценностями уже не буду пользоваться, но ты, моя правнучка, можешь их спокойно надевать. Сколько лет пройдет, никто уже не будет никаких претензий предъявлять. А мне заграничные путешествия стали неинтересны, силы еще есть, но вот охота пропала. Ханя, дочь моя, глупа, внучка Доротка какая-то сонная мямля, ничем не интересуется, может, ты, моя старшая правнучка, проявишь и ум, и расторопность, и воображение? А я уж в завещании позабочусь, чтобы ты свое получила.

Тут вдруг Юстина сообразила, что ведь письмо адресовано не ей, а ее старшей сестре Хеленке, на ее ум и расторопность рассчитывала прабабка. Нашла на кого рассчитывать! Впрочем, а она чем лучше? Вот разве что дневник расшифровала, потратив на это, почитай, всю жизнь.

Долго сидела за секретером Юстина в грустном бездействии. Потом встала, собрала все оставшиеся от прошлого века бумаги, аккуратно сложила их, обернула, тщательно заклеила пакет клейкой лентой, для верности обвязала бечевкой и затолкала сверток на нижнюю полку старинной этажерки.

* * *

С малых лет наслушалась Агнешка разговоров о деньгах.

Из разговоров следовало, что деньги — самое главное в жизни, на них стоит мир и свет ими держится. Деньги решают проблемы, ликвидируют неприятности и облегчают жизнь, которая без них сложна и неимоверна тяжела.

Будучи девочкой тихой и хорошо воспитанной, Агнешка никогда не вмешивалась в разговоры взрослых, только внимательно слушала да на ус наматывала и благодаря этому в возрасте двенадцати лет услышала на бабушкиных именинах и запомнила весьма знаменательные слова.

Сначала за праздничным столом родня обсуждала Эву, двоюродную сестру Агнешки, которая только что закончила среднюю школу, сдала экзамены, получила аттестат зрелости, две недели назад отправилась на экскурсию в Вену, и вот выяснилось, что оттуда она не намерена возвращаться. Эва выбрала свободу. За границей она выйдет замуж и получит разрешение работать, скорее всего устроится в гостиницу. Никто из родных особенно не возмущался поступком Эвы, главным образом потому, что в Австрии на любой работе она заработает больше, чем на родине.

С Эвы разговор автоматически перешел на жену дяди Кароля, брата Агнешкиного отца. Жена дяди сбежала недавно с каким-то турецким торговцем, прихватив трехлетнего сына, и живет с ним во внебрачной связи (такие слова Агнешке тоже не раз уже приходилось слышать, и она понимала их значение). Где дядина жена откопала своего турецко-подданного — никто не знал, зато знали, что его соблазнила упитанная блондинка, а ее — перстень с брильянтом и колье к нему. Дядя Кароль дарить жене перстни и колье не имел возможности. Он недавно получил от жены письмо и теперь делился с родными новостями.

— Она не упускает случая подчеркнуть разницу в имущественном положении между мною и этим... паном Селимом, кажется, — удрученно говорил интеллигентный дядя Кароль. — Куда мне до него! А еще выясняется, что восточный темперамент намного превосходит жалкие представления о страсти европейцев.

— Она же сама испытывала к тебе вполне восточную страсть, — ядовито заметила двоюродная бабушка Амелия.

— О, это было еще тогда, когда из портрета вашей пра... родительницы посыпалось золото. Но его уже нет, теперь доминируют брильянты, и ее страсть ко мне давно остыла.

Вот слова о прародительнице, из портрета которой посыпалось золото, и заинтересовали Агнешку. Ничего такого лично она не помнила, видимо, это чудо произошло еще до ее рождения. Незаметно бросив взгляд на висящие в гостиной фамильные портреты, девочка решила разузнать все о чуде с золотом.

На следующий день после школы она не пошла домой, а отправилась в гости к бабушке с дедушкой. В это время их наверняка застанешь дома. Может, и обедом накормят, а маме позвонят по телефону, чтобы не беспокоилась. От вчерашних именин наверняка остались торт и еще что-нибудь вкусненькое.

— Бабуля, — попросила она тоненьким вежливым голоском, глядя на портрет, украшающий противоположную стену, — расскажи, пожалуйста, как из этого портрета золото сыпалось? Ведь именно из этого, правда? Она мне кто?

Юстина даже вздрогнула от неожиданности — уж слишком напомнил вопрос внучки тот, что много лет назад задала ей школьница Марина о любовнице Наполеона.

— Почему ты об этом спрашиваешь?

— А вчера дядя Кароль сказал, что из портрета нашей прародительницы золото сыпалось. Она моя прабабушка?

— Нет, если говорить о тебе, то надо больше этих "пра" добавить. Погоди-ка, подсчитаю, сколько именно... Получается пять.

Агнешке очень понравилось такое количество прародительниц по прямой линии. Девочка вообще любила истории о прошлом, вместо сказок просила рассказывать о происшествиях давно минувших дней, а можно и не очень давно, лишь бы минувших. Лучше всех такие повествования получались у бабушки, иногда их дополняла двоюродная бабушка Амелия, а случалось, пару слов подбрасывал и дедуля Болеслав. Никто не знал о прошлом больше их!

— Ну а теперь, бабуля, расскажи, откуда у нее золото? Как оно высыпалось? Когда это было? Ну же, рассказывай!

— Прямо сейчас? Скоро обедать будем.

— Начни сейчас, а если не успеешь, доскажешь после обеда, потому что потом мне придется спешить домой, уроков много задали.

Агнешка очень рассчитывала на то, что потом подключится дедушка и дополнит наверняка таинственную и потрясающую историю.

Юстина легко позволила себя уговорить. Она давно заметила во внучке интерес к старине, столь похожий на ее собственный. Одновременно радовалась этому и огорчалась, ибо умненькая девочка, когда подрастет, может ознакомиться с мемуарами их предков по женской линии и обнаружит глубоко скрываемую жизненную тайну бабушки. Ладно, чему быть — того не миновать.

— Ну хорошо, слушай. Все началось жутко давно...

Как и надеялась Агнешка, потрясающая история не уложилась в обед и даже десерт. Дедуля свои замечания принялся делать только под самый конец.

— Сразу надо было подумать, почему портреты такие тяжелые, — недовольно говорил Болеслав. — Даже самые большие рамы из самого тяжелого дерева не могли столько весить. А портреты переносили два раза, и никому в голову не пришло. И вообще какие-то мы несообразительные. После того как раскурочили прадедушку, надо было сразу приниматься за прабабушку, ведь оба портрета были одинаковой тяжести. А мы сидим, радуемся, а прабабушка все еще на полу лежит.

— Нет, не так было, — перебила мужа Юстина. — Никто из нас не подумал, что и другая сторона тоже выложена золотом. Кажется, один Анджей догадался, потому что вы вместе с ним портреты со стены снимали.

— Папа? — обрадовалась Агнешка.

— Да, твой папа. Догадался, что в портретах должны быть еще монеты. И в самом деле были...

— Но, к сожалению, все потратили, — вздохнула бабушка и спохватилась: — С толком потратили, у вас отдельная квартира и машина.

Агнешка не стала вникать в проблему расходования золотого клада, ей вполне хватало для размышлений самого факта золотоносного чуда. Девочка вполуха слушала взрослых, разумеется, какие-то сложности с деньгами, нормальное дело, опять деньги...

Как дошла до дома, Агнешка не заметила.

* * *

Агнешке уже было тринадцать, когда к ее матери пришла зареванная приятельница. К этому времени девочка уже отчетливо понимала роль денег, с материальными проблемами сталкиваясь буквально на каждом шагу. Даже в школе. Одежда некоторых учениц и образ жизни некоторых учеников говорили сами за себя. Нет, она, Агнешка, не ходила в беднейших, ни в коем случае, но были и побогаче. Вроде бы все равны, неважен финансовый статус родителей, важны другие ценности, а вот поди ж ты... Агнешка умела наблюдать жизнь, подмечать факты и делать выводы.

Приятельница матери была так убита горем, а пани Идалия так расстроилась из-за приятельницы, что обе напрочь забыли о наличии в доме ребенка и без стеснения говорили о своих проблемах. А проблема заключалась в том, что приятельницу бросил муж, вернее, не муж, а постоянный сожитель, четырнадцать лет были вместе, казалось бы — на всю оставшуюся жизнь, и вдруг такой гром средь ясного неба!

— И все потому, — рыдала пани Халина, — что я разорилась. И с этого момента он перестал меня любить.

— А ты не преувеличиваешь? — спросила потрясенная и шокированная пани Идалия. — Он же никогда не был корыстолюбивым.

— Не был! Как же! — фыркнула пани Халина. — Сплошное притворство. Знаешь, с кем он сейчас живет? Со Сверчиковой!

— Не может быть! С этим чудовищем!

— Это чудовище — вдова миллионера, у нее есть вилла, "мерседес", забегаловка в центре Вар-

350

шавы и сто кило ювелирных изделий советского производства. И еще квадратный километр теплиц, которые она сдает в аренду. Я почему знаю — она давно ему звонила, вроде бы в его драгоценных советах нуждалась, так теперь он отправился эти советы лично давать. Увидишь, он еще на ней женится!

— А почему на тебе не женился?

Пани Халина вытерла слезы и пожала плечами.

— Потому что его бракоразводный процесс все тянулся, а я за него все платила... А теперь Сверчикова даст судье в лапу и его мигом разведут. Увидишь!

— Никак не могу поверить, — вздохнула пани Идалия и долила подруге бренди. — А я уж думала — вот есть же порядочные люди на свете. Может, ты все же ошибаешься? Хотя... ведь не ради ее красоты и интеллекта он к ней переехал. Она же примитив, особенно в сравнении с тобой.

Пани Халина шмыгнула носом, пожала плечами и хлебнула из бокала. Агнешка была во всем согласна с матерью, ведь пани Халина, несмотря на пожилой возраст — за сорок лет, все еще была очень красивой женщиной, а выглядела как моло- денькая девушка. И лицо, и фигура, и ноги... Правда, в данный момент она красотой не блистала, но ведь это из-за слез.

— И знаешь, дорогая, — доверительно сказала подруге пани Халина, — я уже давно стала подозревать, что со мной он только из-за моих денег. Вроде бы и не обращал на них внимания, но всегда пользовался, да я сама ему их навязывала. А как кончилось, нечего навязывать, так и не нужна. Выжили меня с работы, слишком много знала. Хорошо еще, живой выпустили, хотя сейчас меня это совсем не радует. Ясное дело, от меня ему теперь никакой пользы, а Сверчикова в деньгах купается.

Пани Идалия опять вздохнула, покачала головой и тоже отхлебнула бренди. Должно быть, она здорово расстроилась, потому что в принципе крепких напитков не употребляла. Эта начатая бутылка с полгода простояла в буфете, встречи с друзьями проходили за чаем и кофе.

— И тебя ничему не научил пример Марины? — вдруг сердито поинтересовалась Агнешкина мама. — Помнишь?

— Ну и что с того? — грустно отозвалась приятельница, протягивая пустой бокал. — Знаешь, я, наверное, упьюсь... А в этих делах на чужих примерах не научишься, всегда кажется — уж со мной такое не может произойти. Я ведь ему верила как не знаю кому! А Марина, она ведь тоже не виновата, откуда ей знать, что это не мужик, а пиявка?

— Все равно следовало принять меры предосторожности, оформить брачный договор, оставляя за собой квартиру.

Агнешка не знала, в чем причина жизненных неурядиц тети Марины и какие они, эти неурядицы, но, сопоставив услышанное в последнее время, поняла, что из-за них родные потеряли все свои накопления вместе с золотым дождем прабабки. Хотелось бы узнать поподробнее, да ведь мама не скажет. Опять расспросить бабулю или прямо тетю Марину?

Тетю Марину Агнешка взяла хитростью. Отец одной из ее одноклассниц работал по контракту в Ливии и привез дочери настоящую арабскую халву. Банку халвы Агнешка получила в обмен на три свитка шпаргалок, выцыганенных у дяди Юрека из Косьмина, куда Агнешка съездила на велосипеде.

Поездка заняла два дня. Девочка отправилась после обеда в пятницу и вернулась вечером в воскресенье, и за это время основательно изучила собственную анатомию, ощущая в теле каждую косточку и каждую мышцу в отдельности.

Немного отойдя после путешествия, Агнешка отправилась к тетке.

— Кроме вас, тетечка, никто не сможет по достоинству оценить настоящую арабскую халву, — с порога сладко пропела она. — Съесть-то всякий сумеет, но ведь жалко... только добру пропадать. Вот я и принесла ее вам, тетечка.

— Дорогуша, я же худею! — простонала Марина, алчно глядя на лакомство.

— Нестрашно, не так уж часто подворачивается такая халва. А раз в десять лет даже дервиш не растолстеет.

Туманный аргумент оказался неопровержимым. Дервиш, изображенный на крышке жестяной коробки, был так строен, что Марина легко затоптала и без того едва тлеющие угрызения совести и дрожащими руками схватила коробку с халвой. Теперь Агнешка могла вести разговор на любую тему.

Она узнала, что в давние-давние времена, можно сказать вообще в седой древности, их предки были очень богаты. Две войны основательно подорвали их благосостояние, и все-таки остатки его очень помогали потомкам существовать. Последняя финансовая инъекция поступила из портрета прабабки, и это могло бы значительно изменить их положение к лучшему, но, к сожалению, половину огреб совсем не заслуживающий этого кузен Дарек из Южной Америки, а вторая половина...

И далее Агнешке пришлось о многом самой догадываться, ибо тетя Марина принялась бекать, мекать, сбиваться в своих показаниях и вообще всячески пыталась себя оправдать. Сначала подчеркивала другие траты из наследства, перепавшего от предков. Благодаря им Амелия наконец устроилась, родители Агнешки расплатились с долгами и купили квартиру, удалось освободить от жильцов фамильную развалюху в Пляцувке и заплатить за нее бешеные налоги, а вот она...

И тут тетку Марину словно прорвало. Забыв, что ее слушает ребенок, она принялась жаловаться на несчастную свою планиду. Разошлась с мужем и за огромные деньги выкупила у него свою же собственную квартиру. Второй муж тоже оказался нехорошим, а если честно — настоящий изверг и тиран, и уж он так хитро обманул бедную тетку, что пришлось отдать все фамильные средства, чтобы от него отделаться. К счастью, тут как раз привалило прабабкино золото.

— А квартира? — поинтересовалась Агнешка, осматривая скромное двухкомнатное жилище.

Выяснилось, что ее бывшая трехкомнатная досталась все-таки извергу, а родные пожалели дать денег на трехкомнатную для нее.

Все правильно. История тети Марины могла служить авторитетным подтверждением всеобъемлющей власти денег и клиническим примером теткиной глупости. Как бы она жила со своим извергом, не имей семья возможности от него избавиться?

А вскоре Агнешке выпал счастливый случай — она подхватила свинку. Случилось это в то время, когда в их квартире произошла авария центрального отопления, а, как известно, свинка требует длительного лечения и тепла. Восьми градусов выше нуля было явно недостаточно для выздоровления ребенка, поэтому его перевезли к бабушке с дедушкой и оставили там на весь период ремонта, который протянулся до весны. С наступлением тепла батареи принялись греть как бешеные и Агнешка вернулась к родителям, проведя у бабушки больше месяца.

Это был восхитительный месяц, возможно самый счастливый в жизни девочки. Окруженная теплом и заботой, освобожденная от необходимости ежедневного хождения в школу, она прочла множество интересных книжек, а потом, в поисках каких-нибудь журналов, наткнулась на большую пачку старых бумаг, которую из любопытства распаковала, не зная, какими грандиозными последствиями это чревато. Разрешения у бабушки внучка не спрашивала, ей позволялось читать все, что захочет, а предположить, что бабушка станет держать секретные материалы в открытом доступе, девочка не могла.

Первым делом Агнешка вытащила из свертка большую толстую тетрадь в твердом красном переплете. Заглянула в нее и убедилась, что прочесть не сможет, почерк совершенно неразборчивый. Однако вскоре обнаружила внушительную стопку отдельных страниц, частично написанных от руки, частично напечатанных на машинке, и, сопоставив их содержание с записями в красной тетради, поняла, что это два идентичных экземпляра. Умная и начитанная девочка сообразила — запись в тетради является оригиналом и представляет собой дневник одной из ее пра... и так далее бабок, а какая-то добрая душа ее переписала. Девочка начала читать дневник — и окружающий мир перестал для нее существовать.

Любовь — явление эфемерное, главное в этом мире — материальные предпосылки. Вот они — прочная база, на которой зиждется все остальное. Эта мысль зародилась в детской голове и крепла по мере чтения, прапрапрабабка Матильда последовательно вдалбливала ее, подтверждая конкретными историческими примерами. Любительнице истории Агнешке такие примеры казались чрезвычайно убедительными. Драма Зосеньки, лишившейся по вине пана Вацлава счастья в жизни, Петронелла, покинутая лакеем ради денег, кошмарная судьба Зени да вечная боязнь самой прапрапрабабки неудачных браков для своих детей — все это говорило само за себя, не оставляя и капли сомнения.

Зачитавшись, Агнешка успела добраться до преступления проходимца Пукельника, когда Юстина вдруг заметила, чем так увлеклась ее внучка. Как всегда рассеянная, она не обращала внимания на это раньше, хотя Агнешка совсем не скрывала от бабушки, что именно читает. Может, потому не заметила, что приученная к порядку девочка аккуратно вынимала из пачки понемногу страничек и так же аккуратно складывала прочитанное обратно, не устраивая кавардак.

Обнаружив сей ужасающий факт, Юстина не стала закатывать истерик, не вырвала с криком из рук внучки свою рукопись, хотя у нее перехватило дыхание и подкосились ноги. Проснувшись на следующее утро, Агнешка обнаружила на этажерке лишь фамильные альбомы с фотографиями, и ничего больше. Изумительные записки исчезли.

Девочка помчалась к бабушке.

— Бабуля, что случилось? Там, на этажерке, были такие потрясающе интересные вещи, куда они подевались? Ты их забрала? Почему?

— Потому что я пока еще жива, — ледяным голосом ответила бабушка. — А пока жива, никому не разрешу этого читать. Возможно, даже попрошу бумаги со мной в гроб положить. Придется тебе с этим примириться.

Агнешка так и села.

— Нет, не понимаю... Но почему?

Юстина дрогнула и вроде как заколебалась.

— Я бы даже, пожалуй, могла тебе сказать почему, но, боюсь, слова застрянут в горле. Нет, не скажу. И больше меня об этом не спрашивай.

Последняя фраза была произнесена таким тоном, что Агнешка язык прикусила. Человек дисциплинированный, она смирила в себе недовольство и сожаление и даже не пыталась разыскать припрятанные бабушкой бумаги, пока еще продолжала обитать в ее квартире. Однако прочитанное в детстве навсегда осталось в памяти девочки. Мир стоял, стоит и будет стоять на материальном фундаменте...

* * *

Только перед самой смертью Юстина изменила свое решение. Естественно, она выбрала Агнешку. Во-первых, внучка и так начала читать рукописи, а во-вторых, обладала качествами, которых недоставало представительницам уже нескольких поколений. Юстина написала завещание, четко оговорив в нем все необходимое, и, призвав внучку, выколупала из себя кое-какие признания.

Призванная к умирающей бабушке двадцатилетняя Агнешка с трудом поняла из едва слышного шепота старушки, что теперь должна прочесть бумаги, отобранные у нее семь лет назад, но вот для чего? Этого бабуля не сказала, сообщив только, где спрятаны бумаги, — вон в том шкафу. Вот так получилось, что часть Агнешкиного наследства составила тайна.

А наследство ей досталось изрядное. Агнешка получила бабушкину квартиру, потому что дедушка умер еще раньше, живой душой в квартире оставалась лишь Феля, благословение божие, живая, деятельная, заботливая и непонятно каким чудом так привязавшаяся к их семье. Будучи немного младше Юстины, семидесятилетняя Феля с удивительной энергией носилась по квартире и даже слышать не пожелала о пенсии, которую Агнешка предложила выплачивать ей, не требуя никакой работы.

— Господь с вами, паненка! — даже обиделась Феля. — На что мне пенсия? Да мне у вас одно удовольствие работать, при всех ваших удобствах. К сыну не перееду, в деревне придется ишачить, так ихний хлеб у меня костью в горле застрянет. А тут я уже привыкшая.

Агнешка, разумеется, поступила на исторический факультет, больше всего ее интересовало средневековье. Эпоха последних королей из династии Пястов безгранично увлекала ее, можно сказать, являлась смыслом жизни. Пока материально помогали родители, но уже стало ясно, что их зарплаты на все не хватит. Время от времени кое-что подбрасывала двоюродная бабушка Амелия, широко известный мастер художественной фотографии, но на это тоже нельзя рассчитывать. Амелии было уже шестьдесят с гаком, и, хотя с возрастом ее талант не состарился, силы были не те, не могла она бегать за моделями; теперь модели должны были приходить к ней.

Познания в области истории материальной пользы пока Агнешке не приносили, хорошее знание традиционного в семье французского давало лишь незначительный приработок. А ведь надо было на что-то жить, платить Феле, оплачивать квартиру, телефонные разговоры и многое другое.

Она, конечно, могла в своей огромной квартире сдать две-три комнаты, но решила это сделать лишь в случае крайней необходимости. Унаследованная от бабок-прабабок квартира, уцелевшая и в военных передрягах, и в период социального равенства, ценилась ею как последняя искорка некогда внушительного состояния. И она, Агнешка, обязана сохранить ее не только для себя, но и для будущих поколений. Должна же быть какая-то преемственность!

Агнешка была красивой девушкой. Точнее сказать, не столько красивой, сколько статной и цветущей. Рост метр шестьдесят восемь, вес шестьдесят два килограмма, сильные мускулы скрыты под мягкими, женственными линиями, а цвет ее лица пристыдил бы самый роскошный персик. Как-то мать, женщина такого же телосложения, глядя на дородную красавицу дочку, вспомнила, что в юности мечтала стать профессиональной наездницей, да излишне выросла, и ясно стало, что нужный вес сохранить не удастся. Даже в виде скелета она была бы слишком тяжела для лошади. Агнешка не ставила перед собой жизненной цели стать наездницей, хотя очень любила конный спорт. Для нее не составляло разницы, ездить ли на чистокровных скакунах или на какой-нибудь пожилой полукровке. У дяди Юрека было много лошадей, и, часто бывая в Косьмине, она вдоволь наслушалась рассказов о том, каких лошадей в свое время держали их предки.

Время от времени Агнешка посещала бега и, смешное дело, сплошь и рядом выигрывала, делая ставки на почему-то пришедшие ей в голову цифры. Именно обозначенные этими цифрами лошади, как правило, первыми приходили к финишу. Возможно, такие способности она тоже унаследовала от какого-нибудь прапрапрадеда.

И сейчас, распаковывая вытащенный из шкафа сверток с мемуарами предков, девушка невольно подумала — а что, если свою везучесть на ипподроме сделать источником дохода? Вдруг эти гены предков окажут ей такую услугу?

Размышляя о способах зарабатывать на жизнь, Агнешка почему-то подумала вдруг о мужчинах. Не много было их у нее, если точно — всего трое. В Ярека она без памяти влюбилась в шестнадцать лет, но он очень скоро принялся болтать глупости о каких-то доказательствах ее любви, даже пытался лишить ее невинности. Девушка воспротивилась, все в ней взбунтовалось, а он обиделся и так мерзко порвал отношения, что она невольно отомстила другому своему мальчику, Рышарду. Это был очень порядочный парень, влюбленный и робкий, никаких доказательств от нее не требовал и до такой степени раздражал Агнешку своей покорностью, что она чуть ли не сама готова была проявить инициативу. К счастью, до этого не дошло. И вот теперь третий, Томаш. Студент последнего курса юрфака. Этот вел себя, как и следует, никаких ошибок не совершал, дай бог сохранить его навсегда. А что касается этого самого... да ведь каких-то несколько раз не в счет.

Наконец сверток распакован. Агнешка стряхнула с себя размышления о жизни и извлекла первые бумаги. Ага, вот знакомая красная тетрадь. Вот ее переложение, сделанное бабушкой Юстиной. А это? Документы и письма.

Было полдесятого, когда к ней заглянула Феля.

— Паненка не проголодалась? — спросила она. — С четырех часов здесь паненка сидит, пани

Юстина тоже вот так зачитывалась, о времени забывала. Но поесть надо. Раз уж без обеда, так хоть поужинать. Не бог весть какой ужин, сделала я омлет с шампиньонами, пока горячий...

— Феля, — поднимая голову, спросила Агнешка, — найдется в нашем доме какое-нибудь вино?

— Как же, еще от пани Барбары осталось, лет, почитай, пятьдесят стоит. Так как насчет омлета? Станете есть?

— Стану, — торжественно заявила Агнешка. — При условии, что вы, Феля, тоже поедите и выпьете со мной старого вина. И пусть это будет ужин столетия.

* * *

С огромным венком отправилась Агнешка на могилу Юстины, не придумав другого достойного способа отблагодарить бабулю, которая провернула гигантскую работу, расшифровывая и переписывая дневник пра... (ох, сколько этих "пра" надо писать? Раз она была прабабкой бабушки, значит, для нее, Агнешки, потребуется три штуки.) Итак, переписывая дневник прапрапрабабки Матильды. И сделала это в последний момент. Ей самой уже не удалось бы разобрать зеленые каракули, чернила совсем выцвели. Почему эта Матильда писала зелеными? Ведь были же в ее время нормальные чернила, вон, панна Доминика писала черными, они прекрасно сохранились.

И вообще Агнешка преисполнилась чрезвычайного восхищения перед терпением бабули, уж она-то сама кое-что понимает в неразборчивых письменах, приходилось иметь дело со средневековыми закорючками, но Матильдины безобразия превосходили все. И ведь не средневековье глубокое, не готический шрифт, просто такой почерк.

У Юстины чтение мемуаров XIX столетия заняло более четверти века, Агнешка провернула всю работу за полтора месяца. Все прочла, все поняла и с трудом взяла себя в руки, подавив разбушевавшиеся эмоции.

Как раньше для Юстины, так теперь для нее панна Доминика вдруг стала знакомым и близким человеком, Матильда же просто стояла рядом и требовала выполнить ее заветы. В Блендове Агнешка никогда не была, а такое ощущение — все там знакомо, словно детство провела в доме с панной Доминикой. И что же, выходит, это Блендово, некогда потаенная сокровищница, теперь в соответствии с самыми официальными и законными документами должно принадлежать ей? Ведь из поколения в поколение очередные бабки завещали его своим внучкам.

Берлинская стена рухнула, в Польше сменилась власть, столько слышишь о возвращении недвижимости бывшим владельцам. А вдруг и Блендово удастся как-то заполучить?

* * *

На разведку в Блендово Агнешка поехала вместе с Томашем. Поехали они на машине двоюродной бабушки Амелии, которая купила машину и отдала внучке с условием возить ее, когда это потребуется. Амелия уже вела не слишком оживленный образ жизни, так что условие не отравляло внучке жизнь.

Заканчивая юридический, Томаш неплохо разбирался в новых законах. Всю дорогу он разъяснял Агнешке, какие она должна иметь документы и

362

кому их представить, начиная дело о вступлении во владение унаследованной недвижимостью. Документов требовалось несметное количество. В свертке с дневниками обнаружились нотариальные акты, заверенные копии ипотечных накладных и завещания, в том числе и хронологически последнее завещание бабушки Юстины, написанное на всякий случай, но по всей форме, в присутствии и при участии нотариуса. Томаш пришел к выводу, что документов достаточно. Он в принципе поддерживал желание Агнешки стать владелицей поместья предков, хотя особого смысла в этом не видел.

Сам Томаш был так называемым потомственным интеллигентом, в их роду никогда не водилось никаких существенных материальных ценностей, прецедент Агнешки интересовал его с чисто профессиональной точки зрения и являлся чем-то вроде боевого крещения. Просто любопытно, в состоянии ли он так все организовать, чтобы официальному адвокату уже нечего было делать? А официального придется искать, если Агнешка желает все оформить по закону.

— А как к этому относятся твои старики? — поинтересовался он, покончив с юридическими аспектами.

— Да никак! — немного раздраженно ответила Агнешка. — Отец вообще ни во что не вмешивается, а мама, кажется, немного дуется на бабулю, что та оставила все мне, а не ей. Хотя честно признается, что старьем никогда не интересовалась. Бабушка всю жизнь проторчала над старыми бумагами, а маму это злило, только бабуле старалась не показывать. Говорит — если бы не Феля, пришлось бы самим готовить еду и убирать квартиру, мама, по ее словам, умела только распоряжаться. И все.

— Ну и читать тоже...

— Да! Это она доказала. И еще, кажется, бабушка умела транжирить деньги.

— Очень редкое в женщине умение! И было что транжирить?

— Изредка было. Если бы я отыскала клад, тоже бы немножко потранжирила.

— С удовольствием бы поглядел. А пока поглядим на твои владения.

Владения выглядели ужасно. Прежние деревушки превратились в городки, прежний сад перестал существовать, прежний хутор стал составной частью госсельхоза, развалившегося после жалкого десятилетнего прозябания. Помещичий дом стоял в некотором отдалении в окружении каких-то унылых развалин, да и сам был такой же развалиной, ведь за последние десятилетия его всего раз ремонтировали. А использовали за эти десятилетия и в качестве дома отдыха, и в качестве дома культуры с кафе, одно время он служил резиденцией дирекции госсельхоза, потом превратился в склад его же, госсельхоза, готовой продукции, был жилищем агронома и чем только еще не был. Сейчас же он стоял пустой и заброшенный, а повисшая на одном гвозде табличка с надписью "Памятник старины" только усугубляла общее впечатление запущенности.

Дороги к дому не было, подъехали с трудом, и оба вышли из машины. Агнешка глядела на дом и чувствовала, как ее все больше охватывает волнение. Еще бы, ведь это было поместье какой-то из прародительниц, нелегальной наполеоновской дочери, здесь провела всю жизнь управительница, милая панна Доминика, здесь Матильда прятала императорские презенты и морочила голову своей экономке сухим вареньем. Интересно, сохранились ли еще книги в библиотеке, а среди них "Отверженные" Виктора Гюго на французском языке?

Долго так стояла Агнешка, и много мыслей пронеслось в ее голове. Томаш деликатно не мешал девушке, тоже осматривая старинную постройку.

— Неужели тут нет сторожа? — удивился он, глядя на окна, в которых еще чудом уцелели стекла. — Никто не присматривает?

Агнешка проглотила ком в горле и ответила почти нормальным голосом:

— Чуть ли не сто лет за домом присматривал некий Польдик, нечто вроде мажордома, доверенный слуга, а потом управляющий, сменил на этом посту панну Доминику. Сейчас наверняка уже умер, хотя после войны еще был жив. Ему было бы... погоди, подсчитаю... около ста двадцати пяти лет. Может, оставил какого заместителя, обрати внимание, полвека дом без хозяина, а выглядит вполне прилично. Надо бы поузнавать.

— Как же войти внутрь? Дверь имеется, но, похоже, заперта.

Они обошли вокруг дома и обнаружили еще два входа — бывший черный и дверь, выходящую в сад, тоже бывший. Выяснилось также, что внизу окна застеклены, выбиты лишь некоторые на втором этаже. А все двери заперты, так что проникнуть в дом можно было, лишь выбив стекло или взломав дверь.

— Словно и впрямь Польдик постарался, — пробормотала Агнешка.

— А как его звали по-настоящему? Это кличка или уменьшительное имя?

— Погоди, дай вспомнить.

И вспомнила. В хозяйственных книгах панны Доминики всегда аккуратно записывались нанятые в дом слуги. В 1877 году в буфетные мальчики был принят некий Аполлоний Кшепа из Домбрувки, круглый сирота, сын уже покойного слуги ясновельможной пани. Кроме пропитания, одежды и крыши над головой Аполлонию были назначены еще целых два рубля в год. Единственный раз проскользнула в записках панны Доминики фамилия Польдика, но у Агнешки была хорошая память.

— Аполлонием Кшепой его звали, я точно вспомнила. Так никогда и не женился, но дети наверняка остались, потому что бабником был страшным и многие из окрестных баб и девок оказывались с неожиданной прибылью. А кроме того, он присматривал за прислугой и обучал молодое поколение.

— Откуда тебе это известно? — со смехом поинтересовался Томаш.

— Из дневников и хозяйственных записей прошлого века. Чудом до сих пор сохранились.

— Может, и из детей твоего Польдика тоже кто сохранился? Пойдем поспрашиваем.

— Постараемся отловить людей постарше, может, кто-нибудь что и помнит. Не дети они его, а вот внуками могли бы быть.

Через заросли лопухов и крапивы они продрались к ближайшей хате, изображавшей из себя роскошную виллу времен процветания сельского населения. Жестяные крышки от пивных бутылок в цементном цоколе добросовестно блестели на солнце, торчащий над входной дверью балкончик украшала резная балюстрада. За домом просматривались в траве стеклянные стены и крыши теплиц, а перед домом сидела весьма пожилая особа в брюках и разбрасывала корм суетившимся курам и уткам.

Агнешка сочла особу подходящим для них объектом, и очень скоро выяснилось, что не ошиблась.

В ответ на расспросы приезжих особа, при ближайшем рассмотрении оказавшаяся чуть ли не столетней, но очень энергичной и разговорчивой бабой, пренебрежительно махнула рукой.

— А, чего там, столько лет прошло, что уж теперь скрывать. Я как раз и буду дочкой Аполлония Кшепы. Мать мне призналась, когда тятя помер, он ничего не знал. Восемьдесят с гаком живу на белом свете, в отца пошла, Польдик до ста дожил, и все мы, его потомки, крепкие. Ну да! Не одна я ему родной дочерью прихожусь, много тут нас таких. А паненка что? По панне Доминике поместье наследует?

— Так вы знали панну Доминику? — обрадовалась Агнешка.

— Как не знать? Мне, чай, уже шестнадцать минуло, когда она преставилась, светлая ей память. Только в толк не возьму, как же это, она ведь девицей померла.

— Да нет, поместье мне переходит не от нее, а от пани Вежховской.

— А, тогда понятно. Ясновельможную пани мне тоже доводилось видеть, правда всего два разочка. Как приезжала, так все сбегались на барыню поглядеть, уж больно хороши у нее платья были, да и с народом просто себя держала, хотя и важная барыня. Уже немолодой в ту пору была, больше я о ней наслышана, да и отец мой настоящий о ней много чего рассказывал. Я в ту пору и не знала, что Польдик мой отец, а он знал, ясное дело, и очень заботливый ко мне был, приданое хорошее выделил, когда замуж выходила опосля той войны и еще до этой. Так паненка сюда воротится? Таперича такие времена настали, ну совсем как прежде были, и большевистский коммунизм закончился из пекла родом, так что б ему там на веки вечные оставаться, аминь.

Агнешку даже растрогало столь богоугодное пожелание. Вот, оказывается, и простой народ не любил коммунистов, да и кто их любил, кроме партийной верхушки? Правда, она сама не испытала их гнета на своей шкуре, только по рассказам знает, не довелось ей переживать переломный период, а вот теперь на наглядном примере как-то сразу очень хорошо уловила суть происшедших перемен. Теперешние порядки кажутся ей естественными, этой старой женщине тоже.

— Не знаю, перейдет ли мне поместье, — вздохнула она. — Ведь его у нас отобрали, бабушка мне рассказывала...

— Погодь, — перебила ее баба, — а кем паненке приходится ясновельможная пани Вежховская, законная владелица Блендова? Дочка ее сюда приезжала с двумя девочками, еще при жизни панны Доминики, так те девочки владелице внучками были...

— А я как раз прихожусь внучкой одной из тех внучек.

— А вторая внучка что?

— Умерла, еще в девушках, совсем молодой.

— В таком разе паненка... постой-ка...

Баба принялась считать на пальцах, кем доводится Агнешка ясновельможной пани.

Томаш в полном восторге слушал этот занимательный разговор, впервые в жизни столкнувшись с живой историей. И восхищался Агнешкой, сумевшей так просто найти общий язык с этим чуть ли не столетним историческим персонажем. Да и в разговоре с бабой сама Агнешка вдруг представилась ему девушкой тех давних времен.

Баба с Агнешкой совместно вычислили те самые три "пра" и перешли на современную тематику.

— Мой сын приглядывал за домом, — похвалилась баба. — Я ему велела, после того как папаша скончались, Польдик значит. Помирая, он всем нам наказывал барское добро по возможности блюсти, так я блюла. А сын мой партийный был, власть имел, абы кого не пущал, порушить дом не дозволил. Сын, значит, а опосля него и мой внук, он в сельском правлении важная шишка, от него зависит, кому продать, кому запретить. А я им обоим своим материнским проклятием пригрозила, отец мне довольно всего оставил, так лишу их имущества, коли ослушаются его воли. Они меня слушают, ведь миром деньги правят, ничего другого. Я грамотная, школу закончила, могу понять, какую силу нотариус имеет. А паненка — другое дело, тут все по закону, на прародительское наследие человек завсегда имеет право.

В разговор вмешался будущий законник.

— Нам здорово повезло, что мы именно на пани попали! — восхищенно вскричал Томаш. — Одна вы, наверное, только и можете нам обо всем рассказать.

— Да господь с тобой, молодой человек, — возразила разговорчивая баба и, оглядевшись, махнула рукой. — А вон там, видите, мужик идет, так вы думаете, он кто? Ветеринар он и тоже внук моего папани. А что незаконный, так это без значения, и так все знают. А вон в той хате внучка папани живет, отец ее сыночком ему приходился, братом мне единокровным, так она женщина ученая, первый у нас специалист по травам и всяким растениям, тоже знает, от кого происходит. Да здесь редкий дом найдешь без сродственников, от моего отца род ведущих, только что многие из молодых ни своего деда, ни панны Доминики не помнят. А я — дочь его родная! И признаюсь вам, мои милые, не самая младшенькая, младшенькая в Груйце в школе учит.

— Я об этом в записках панны Доминики читала, — похвалилась Агнешка. — Она писала, что Польдик был очень до баб охочий, ни одной не пропускал.

Дочь местного Казановы так вся и расцвела, торжество и гордость ее просто распирали.

— Панна Доминика на это закрывала глаза, делала вид, что ни о чем не знает. И то сказать, война шла, та, первая, мужиков в солдаты или легионы забрили, так отец мой баб утешал. И потом тоже, ни одна перед ним не устояла. И красив был, и такой... вроде как из господ.

Тут впору было пожалеть, что не происходишь от столь темпераментного предка. Баба, похоже, могла о своем выдающемся отце говорить часами, Агнешка ловила каждое ее слово. Наконец вспомнила о том, с чего следовало бы начать, — о ключах от входной двери в барский дом.

Услышав о ключах, баба со стоном поднялась, помогая себе палкой, стряхнула с брюк остатки птичьего корма, с некоторым трудом разогнулась и заковыляла к своей "вилле". Гости двинулись за ней, поскольку она не переставая говорила:

— А ключи, проше паненки, от самой смерти папаши у меня висят, кому войти требуется — у меня их берет. Так что я завсегда знаю, кто приходит и зачем, давать или нет. И все признали — ключи у меня должны быть, я первая на пенсию пошла, и времени у меня довольно. Одна Иоаська иззавидовалась, средняя она,

370

промежду мною и младшенькой учителкой, старшие все поумирали, никто до папашиных лет не дожил, а все через проклятых коммунистов, все зло от них идет. А в привидение, что ни говори, не верю...

Несколько ошарашенная привидением, Агнешка принялась лихорадочно рыться в памяти. Как же, панна Доминика однажды упомянула о привидении, но тоже не очень в него верила, да и вреда от него никакого не было, и вскоре слухи прекратились сами собой.

— ...потому в ту пору никакого резону появляться привидению не было. Вот кабы позже появилось, после того как трупа в кабинете обнаружили, — другое дело. Но это сразу после войны случилось, тогда уже мода на привидения прошла.

— Какого трупа? — тут же вмешался будущий юрист. — Тьфу, какой труп обнаружили в кабинете?

— Какой-то посторонний. И честно говоря... столько лет прошло, так уж признаюсь. — Старуха обернулась, испытующе глянула на молодую пару и, видимо успокоенная, продолжала: — Это его отец мой, Польдик, собственною рукою на месте преступления прибил, он ведь в дом для грабежа и смертоубийства пробрался, тот бандит. Да его полиция забрала, и разговоров лишних не было.

— Срок давности истек, — вынес вердикт будущий юрист.

— Вот именно. Сейчас ключ принесу.

Старуха скрылась в доме и тут же вернулась с ключом.

— Вот, пожалуйста. От парадной двери. Паненка имеет право.

Агнешка трепетно взяла ключ и пообещала принести обратно. Оба опять принялись продираться сквозь заросли сорняков.

— Феноменальная баба! — восхищался Томаш. — Живая история. А ты с ней говорила так, словно все это уже знаешь. Откуда?

— Я же тебе сказала — из дневников тех, кто некогда жил в этом доме.

— И в этом доме водилось привидение? А что за история с трупом?

— О трупе я ничего не знаю, — решительно заявила Агнешка, — о привидении же мне попались лишь короткие упоминания, и вроде бы никто в него не верил, так, просто слухи ходили.

Пробились наконец к двери. Ключ подошел прекрасно, легко повернулся в замке. Жутко взволнованная, Агнешка вошла в резиденцию своих предков.

Полнейшее запустение и беспорядок. Кое-где еще попадались обломки старинной мебели — останки мягких кресел, перевернутые столы с поломанными ножками, жалкое воспоминание о секретере, повисшая на электрическом проводе разбитая люстра. В столовой у стены приткнулся стол на двадцать четыре персоны, весь в трещинах, и лишь одно выгнутое и чрезвычайно обшарпанное кресло. У другой стены пугалом высился кособокий старинный буфет с выдранными дверцами. Гостиная поразила огромной грудой каких-то ящиков, коробов, упаковочной бумаги и совсем истлевших веревок.

С бьющимся сердцем шагнула Агнешка в библиотеку. Громадные книжные шкафы, вмурованные в стены. Деревянные резные панели. Все почему-то выкрашено зеленой краской. На редких полках сохранились лишь отдельные книги, все изодранные и неинтересные, видно, никому не при-

глянулись. Отдельно стоящим предметом меблировки была лестница-стремянка, тоже в плачевном состоянии.

Девушка с трудом удержала себя от желания
немедленно, словно за ручку, потянуть край плинтуса над верхней полкой, но при Томеке не хотелось
это делать. Не потому, что не доверяла ему, просто
боялась — а вдруг что не так. Разочароваться боялась. Шкафы-то вот они, в стене, но как догадаться,
который из них тот, заветный? Шкаф могли сто раз
разломать, плинтус мог давно куда-то затеряться и
так далее до бесконечности. Нет, такое лучше пережить в одиночестве.

Осмотрели кабинет, потом поднялись наверх.
Потомки Польдика свои обязанности выполняли —
из крана неожиданно потекла вода! Здесь было две
ванных комнаты, невиданная роскошь по тем временам, а ведь наверняка внизу, у кухни, есть еще
одна. И электричество в порядке, зажглась даже
лампочка в чудом уцелевшей люстре. Постепенно
становилось ясно, что дому требовался капиталь-
ный ремонт, только и всего.

— Этот дом не подходит ни для каких учрежде-
ний! — авторитетно заявил Томаш. — В нем можно
только жить. Обычный дом для семьи, ну разве что
очень большой. Но никакой школы, никакой поли-
клиники, никакого дома культуры из него не получится. Тут просто должны жить.

— Отшельники, — уточнила Агнешка.

Томаш выглянул из окна, в котором не хватало
одного стекла.

— В определенном смысле ты права, доехать
трудно, от шоссе далековато. Может, именно благодаря этому никто и не польстился.

— Старуха говорила — кто-то пытался, да сельские власти отказали.

— Должно быть, боялись осложнений с правом собственности. Здесь непременно должен быть винный погреб. Я посмотрю, ладно?

— Посмотри, а потом...

— Что потом?

— Да нет, я так...

Они спустились на первый этаж. Томаш отыскал лестницу, ведущую в погреб, и выключатель на стене. Щелкнул, вспыхнула слабая лампочка, но лестницу осветила вполне удовлетворительно, можно легко спуститься. Агнешка, оглядев кухню и прилегающие помещения, в том числе, кажется, и бывшую буфетную, опять пошла в библиотеку. Оказавшись одна, она не выдержала искушения. Нужный шкаф нашла уже со второй попытки. Пододвинула стремянку и с левой стороны над верхней полкой в темноте нащупала толстый плинтус. С бьющимся сердцем уцепилась она за его край и потянула, как ручку, на себя. Кусок плинтуса легко отошел от стены. За ним, в деревянной задней стене шкафа, Агнешка другой рукой нащупала замочную скважину...

Все так, а теперь три ключика на одном запаянном кольце.

Отпустив плинтус, который вернулся на свое место, девушка слезла со стремянки и оттащила ее в сторону. Из библиотеки Агнешка вышла задумавшись и испытывая нечто вроде претензии к бабуле Юстине.

Претензия связана была с ключами. Дело в том, что в раннем детстве Агнешка не только любила стаскивать всевозможные предметы себе на голову, но и играть с ключами. Ни куклы, ни кубики она так не любила, как ключи. Собирала их со всего дома, цепляла в огромные связки и встряхивала с наслаждением, слушая, как они бренчат. Ну как можно было разрешать такое маленькому ребенку?!

Перед смертью бабуля несколько раз пыталась обратить внучкино внимание на ключи, хотела, чтобы та поняла, как это важно. Из невнятных бормотаний умирающей Агнешка уловила, что ключи действительно были обнаружены вместе с дневником Матильды в сейфе дедушки... нет, прадедушки Людвика. А потом куда-то запропастились. В то время бабуля не придала этому значения, может, сама дала внучке поиграть. А кретинка внучка...

— Знаешь, кто я? — встретила она вопросом возвратившегося Томаша. — Законченная идиотка. И я эту идиотку очень не люблю.

— А я напротив. Мне эта идиотка нравится. С чего вдруг такой приступ самокритики?

Агнешка тяжело вздохнула, раскрыла рот — и засомневалась. Рассказать ему обо всем? Выдать фамильную тайну? А если он ее разлюбит и уйдет? Вместе с ее тайной. Или повторится история тетки Марины. Любовь — чувство мимолетное, в жизни главное — материальная база.

— Так что там, в погребе? — постаралась она притвориться заинтересованной.

Томаш оживился и вмиг позабыл об идиотке.

— У меня создалось впечатление, что бывшие владельцы погреба не очень-то о нем заботились. Сто лет там не наводили порядка, и это дает основания надеяться, что по углам могли сохраниться и бутылки со столетним вином. Вот добраться до них будет трудновато, все завалено остатками угля, гнилой картошкой и еще черт знает чем, заставлено жутко вонючими бочками, одним нам этого не разгрести. Надо бы бригаду крепких ребяток призвать, на всякий случай непьющих. Но говорю тебе — вино должно быть, забодай меня комар! И понюхай дикая свинья!

— Бригаду крепких трезвенников сейчас найти можно. А вонючие бочки — наверное, капуста. Ну как, светит мне это заиметь?

— Вдохновившись бутылками, я на пути из погреба подумал... понятно, ты не о капусте спрашиваешь? И пришел к выводу — светит. Только зачем?

И опять Агнешка воздержалась от признания. А ведь так просто было объяснить: чтобы спокойно обыскать весь дом. Чтобы в случае обнаружения кое-чего не возникли сомнения, кому это кое-что достанется. Чтобы делать здесь все, что захочется.

— Чтобы иметь! — сердито ответила она. — На память о прабабках. Может, мне пригодится. Выкладывай!

Томаш осмотрелся — присесть не на что. Пришлось перейти в кухню, где имелась вмурованная в стену скамья. Сели, и он стал выкладывать.

От юридических премудростей в Агнешкиной голове и вовсе все смешалось. Предстояло столько хлопот в административном, юридическом, социальном и еще куче других аспектов, что невольно мелькнула мысль — а не проще ли потихоньку забраться сюда ночью и поискать нелегально?

Агнешка с Томашем вернулись к старухе, которая опять занималась птицей, только на сей раз раскапывала мотыжкой огромную кучу компоста. Домашняя птица безумствовала от счастья при виде такого обилия жирных гусениц и прочих червяков.

— Люблю я, грешная, божьи создания кормить, — сказала старуха, бросая мотыжку. — А кабы не я, тут и живого духа бы не было. Всего-то у нас две коровы, да и от тех хотят избавиться. Хуже нет, когда у человека глупые дети, вечно за ними глаз нужен.

Томаш сразу приступил к делу:

— Если мы вас правильно поняли, внук пани в правлении работает?

— Да, и на очень важной должности. А что?

— От гмины* ведь зависит, вернется ли сюда пани Агнешка.

— Как же это? Ведь ей по закону положено.

— Положено, причем двойное обоснование. Все поместье пятидесяти га не имело, так что его незаконно забрали, даже по тем временам такие законы были. И второе — она прямая наследница прежней владелицы, это доказывается документально. Однако у нас до сих пор не принят сеймом закон о возвращении таких поместий, все отдано на откуп местным властям. Они могут отдать, могут продать, могут отказать.

— Как это продать? — возмутилась баба. — Законному владельцу его же собственность продавать, слыханное ли дело? Да пусть он, внук мой, только попробует такую глупость отмочить, уж я ему мозги-то вправлю!..

И темпераментная дочь Польдика принялась метать громы и молнии по адресу проштрафившегося внука. Томаш немного невежливо перебил ее:

— Может, нам имеет смысл с вашим внуком предварительно побеседовать?

— Конечно, поговорите, а как же! Только сразу скажите, что эта паненка — ясновельможная пани.

---

* Гмина — самая мелкая административная единица сельской местности в Польше.

С внуком оказались сложности. Сначала его пришлось долго ждать, потом он дал понять, что о таких вещах надо говорить с глазу на глаз, потом, проводив их к машине, признался, что с поместьем дело не простое. Зарится на него одна шишка из воеводства, правление согласно дать ему разрешение на покупку имения, причем по очень сходной цене, однако с условием капитального ремонта памятника старины. Он лично считает, что надо отдать законной наследнице прежних владельцев, и он лично очень обрадуется, если в результате судебного разбирательства дело решится в пользу Агнешки Бучицкой.

— Так ты действительно хочешь приобрести это строение? — официально поинтересовался на обратном пути Томаш, размышляя о трупе, привидениях и поместье, от которого не будет никакого толку, зато предстоит множество хлопот и крупные расходы.

— Действительно, — без колебаний ответила Агнешка.

— Тогда начинаю сдавать экзамены. Нотариат я знаю неплохо, особенно раздел о наследственных правах, и если в твоем случае и при твоих бумагах дело не будет решено на первом же заседании суда, то можешь мне плюнуть в глаза. Сегодня же пишем заявление!

* * *

Наследственные права Агнешки и в самом деле сияли собственным светом и били в глаза. А вот поди ж ты, появились непредвиденные осложнения. Гмина неожиданно отказалась выдавать Агнешке разрешение. Местные власти ссылались на запрет из воеводства. Воеводский глава реприватизационной комиссии, которая должна была утверждать решение гминного правления, ставил палки в колеса и тянул, беззастенчиво переходя все границы административной бюрократии. А тут еще вдруг дало о себе знать Общество реставрации исторических памятников, какой-то их посланец повесил на второй гвоздь оторванную табличку с надписью "Памятник старины".

Нотариус, которому Агнешка поручила дело, на официальный запрос получил официальный же ответ: передача даром данного объекта частному лицу, пусть и законному владельцу, была бы материально невыгодна гмине, лишая ее крупных инвестиций, столь необходимых в ее, гмины, бедственном положении, когда ниоткуда никаких доходов не поступает. А вот продажа данного объекта частному лицу за крупную сумму явилась бы выгодным предприятием как для сельских властей, так и для законного наследника, которому гмина согласна уступить определенную сумму, по договоренности. Последнее обстоятельство может стать предметом переговоров, местные власти готовы пойти навстречу, в крайнем случае сбросить даже половину...

Ознакомившись с документом, Томаш сделал вывод:

— Кто-то очень заинтересован в том, чтобы ты не получила поместья, холера! Прет напролом, как дикий бизон, и явно сам на него нацелился. Наверняка крупная рыба. Взяток не жалеет, вот в гмине и крутят.

От дочери Польдика и его правнука удалось получить дополнительную информацию. Оказалось, дикий бизон прет уже не первый день. Начал еще эвон когда, как только коммунистов скинули, и, кабы не Польдиковы потомки, наверняка давно добился бы своего. А потомки бдят, в правлении гмины не один оказался, вот и пришлось сделать вид, что гмина мечтает приобрести поместье для себя. Бизон на время притих, но наверняка не смирился.

— Да кто он вообще такой? — раздраженно поинтересовалась Агнешка, сидя на крылечке дома Польдиковой дочери.

Агнешка с ней давно подружилась, дела требовали постоянного общения, и теперь они с Томашем знали ее имя. Собственно, первым узнал его Томаш, он энергично занимался оформлением документов и сбором недостающих и был очень горд собой, поскольку удостоился похвалы официального нотариуса — документация не нуждалась ни в каких дополнениях и изменениях.

Дочь Польдика звали Габриэлой Витчаковой. Престарелая Габриэла пожала плечами и стряхнула с фартука крошки хлеба. Как всегда, ее застали за кормлением домашней птицы.

— Фамилия у него такая... на языке вертится. Не то Пуглявый, не то Пуклястый...

— Может, Пукельник?

— О, вот именно, Пукельник. Анджей Пукельник.

— В чем дело? — спросил Томаш, заметив, что Агнешка словно окаменела на мгновение. — Знакомый тип?

— Вот папаша мой его наверняка знал, в прежние-то времена Пукельники сюда хаживали, — вместо девушки ответила хозяйка. — Прорва Пукельников тут ошивалась, надо думать, еще в те времена присмотрели себе это имение.

Не удовлетворенный информацией из прошлого, Томаш продолжал вопросительно глядеть на Агнешку. Та наконец отозвалась:

— Лично я его не знаю, только слышала о нем. То есть не о нем, а о Пукельниках вообще. То есть не слышала, а читала.

— Где?

— В дневниках Матильды и записках панны Доминики.

— И что?

— И кажется, догадываюсь, чего он так сюда рвется.

И Томаш, и Габриэла с интересом ждали продолжения, столь краткий ответ их не удовлетворил, однако девушка замолчала и погрузилась в невеселые размышления. А потом сама принялась задавать вопросы:

— А он здесь бывал, этот Пукельник?

— Бывать-то бывал, да много не добился, — с удовлетворением сообщила старая Габриэла. — Я еще с молодых лет запомнила, что Пукельников не велено в дом пущать, и, хотя папаша мой не об этом Анджее говорил, а, может, о деде его или другом каком Пукельнике, внуку наказала от ворот поворот ему дать и всяческие препятствия чинить. И сама старалась одного в доме не оставлять, а уж он рвался! Да меня не проведешь.

— И что он в доме осматривал?

— Покои разные на первом этаже, более других ту комнату, в которой книжки раньше стояли. И в погреб спускался, а как же, вроде для того, чтобы в этом... как его... цоколе стены каменные оглядеть да простучать, не сыплются ли от сырости, не завелся ли грибок или еще что. Так в том погребе далеко не пройдешь, там на моей памяти отродясь порядку не наводили. А уж так щупал стены да по штукатурке стучал, я боялась, как бы штукатурка не осыпалась. Да нет, в старину работали на совесть.

— А полы?

Габриэла тяжело вздохнула.

— С полами хуже дело. И дожди сквозь разбитые окна заливали, и дети бегали, и лук хранили, яблоки там, а то и зерно. Так что полы малость попорчены, но ведь дубовые, еще послужат. А этот Пукельник, он что выделывал? Я думала — не спятил ли, часом, словно краковяк отплясывал, притоптывал да подпрыгивал, а ведь сам ни в одном глазу. Да ничего не вытоптал.

— Последний раз давно он приезжал?

— С полгода будет. И еще заявлялся, да я не впустила, на ключи сослалась, что где-то запропастились, то у внука на работе, то еще что придумаю. И больше в дом не заходил, а раза два пытался. Эй, паненка, сдается мне, в доме что-то прабабками вашими припрятано, так он за тем и приходил. Давно, видать, Пукельники за этим охотятся. Правильно я говорю?

Столько доброжелательности и сочувствия прозвучало в вопросе старухи, что Агнешка не стала темнить.

— Правильно. И в прежние времена кое-что интересное находилось в доме, и теперь, возможно, осталось. И все мои бабки-прабабки в могиле бы перевернулись, если бы проклятый Пукельник это разыскал и забрал. Именно Пукельник! В давние времена эти Пукельники много чего плохого тут натворили, как-нибудь на досуге расскажу поподробнее.

— Может, как-нибудь на досуге и мне кое-что расскажешь? — попытался съехидничать Томаш. Должно быть, все-таки затаил обиду.

— Бабы, проше пана, они любопытные, — наставительно заметила старуха. — Мужик-то промолчит, а вот баба... И паненка знает, где это спрятано?

— Знать наверняка не знаю, но догадываюсь. — И, вставая со ступеньки крыльца, добавила: — Топать по прогнившему полу я не собираюсь, но вот оглядеть то, что от сада осталось, хотелось бы. Некогда он был потрясающе хорош, посмотрим, каков сейчас.

— Еще как хорош, там даже балы устраивались! — подхватила старая Габриэла. — Своими глазами видела, как господа в саду танцевали. Там была такая большая беседка, под крышей, а вокруг нее трава ровнехонькая да твердая, так вокруг беседки хороводы водили. А то в самой беседке танцевали, она просторная. Теперь один фундамент остался...

Бальная беседка и газон вокруг чрезвычайно заинтересовали Томаша, так что Агнешке не было нужды выдумывать причину, чтобы отыскать беседку. Дочь Польдика охотно пошла с молодежью, чрезвычайно гордясь ролью предводительницы.

Каменный круг и в самом деле оказался огромным. Среди густой травы и одичавших кустов кое-где еще виднелись разрушенные столбики и остатки балюстрады. Между гранитными плитами, из которых состоял пол в беседке, росла трава и даже осока, а это такое растение, которое с легкостью покрыло бы весь земной шар, не попадись на его пути Сахара, Гоби да парочка пустынь поменьше. Хотя, кто знает, может, могучее растение и с пустынями бы справилось? Агнешка испытала к ней глубочайшую благодарность, ибо в одном месте, вроде бы на более новой части каменного круга, никакая трава не росла, а вот осока прорвалась, укоренилась в расщелинах между плитками. Не будь ее, этот кусок пола очень бросался бы в глаза.

В дом Агнешке не было резону лезть, в отличие от Пукельника. Сначала следовало отыскать три ключика на одном кольце, не то возникнет необходимость разобрать все здание на мелкие кусочки, а это могло не понравиться воеводским властям и хранителям старины из Общества реставрации. Не говоря уже о замечании Матильды о том, что, даже если разрушить дом до основания, сокровищ все равно не найти.

* * *

Томаш уже явственно ощущал веяние тайны. Молчание Агнешки его чрезвычайно заинтриговало и слегка обидело. Гордость не позволяла расспрашивать, и он решил сам раскрыть секрет. Что за загадка, которую от одной к другой передавали бабы в нескольких поколениях, таилась в полуразвалившемся старинном доме? И которая представляла интерес также для какого-то постороннего мужика? Не только теперешнего, похоже, и его предки этой загадкой занимались.

А Агнешка решила молчать. Словечка не проронит, не хочется предстать дурой со своими великими надеждами. Пока ключей не найдет...

В своей громадной, пятикомнатной, квартире, доставшейся от деда с бабушкой, она всю площадь разбила на квадраты и попросила Фелю оказать помощь. Несмотря на приближающееся семидесятилетие, Феля ни в чем не проявляла склероза и старческой немощи и охотно присоединилась к молодой хозяйке. Велено было искать ключи — старые, новые, большие, маленькие, одиночные и в связке.

Феля начала с прихожей и добросовестно принялась просматривать обувной ящик. Чего только в нем не было! Облысевшие обувные щетки, коробочки и тюбики с окаменевшими остатками гуталина, фланельки, губки, стельки, разрозненные шнурки, а кроме того, еще и посторонние предметы: школьный ластик, какая-то стеклянная пробка, сломанный перочинный ножик, петля от маленькой дверцы, подкова и много чего еще. В том числе и кое-какие ключи. Перебирая все это, Феля не умолкая болтала, радуясь возможности поговорить.

— Так ведь, проше паненки, у вас в роду уже был такой случай. Геня мне рассказывала, что до самой кончины у Вежховских служила, так она помнит — вот так же искали старинную шкатулку, еще от старой пани оставшуюся. Давно, еще до войны. Дом вверх ногами перевернули, пока в самый день свадьбы вашей бабушки, царствие ей небесное, в капусте не обнаружили. В погребе на бочке заместо гнета служила. Да паненка видела ее, в спальне стоит, совсем от времени почернела. И чего это барыни, как им время помирать придет, толком не скажут, да будет им земля пухом, вот теперь и ищи, ровно делать нам нечего.

Просматривая пустые чемоданы и дорожные сумки с их многочисленными кармашками, девушка сочла нужным оправдать прародительниц:

— На сей раз я виновата. Бабуля дала мне ключи, я ими играла и куда-то сунула.

— Ну, с ребенка какой спрос, — примирительно проговорила домработница. — Авось найдем. Я еще чуланчик при кухне просмотрю. А что паненка тут ключами играть любила, я и сама помню. Когда совсем маленькой была, годика три не то четыре. Потом уже не играла. А с ключами баловалась дома, не в палисаднике. Вот только раз...

— Что "только раз"? — встревожилась Агнешка.

С легким стоном поднявшись, Феля вставила в стенной шкафчик уже просмотренный ящик.

— Только раз паненка так хитро посцепляла ключи один за другой, что длинная цепь получилась, и паненка поволокла ее за собой во двор. Но тут дождь пошел, бабушка велела в дом идти, и ни один ключ не потерялся.

— Вот чего я боюсь, — призналась верной служанке хозяйка. — Они, эти ключи затерявшиеся, могут оказаться в квартире моих родителей. Вдруг я с собой от бабули унесла.

— Где там "у родителей", ведь паненка тут до четырех лет жила, пока родители новую квартиру приводили в порядок, я же хорошо помню. О, звонок!

И Феля из очередного ящика извлекла старинный серебряный колокольчик, которым прежде вызывали прислугу.

— От ясновельможной пани Вежховской остался, еще из Глухова. А на что паненке эти ключи?

Хранить в тайне свои большие надежды было столь мучительно, что Агнешка не выдержала.

— Пожалуйста, Феля, никому не говорите, не хочется дурой выглядеть, но не исключено, что Блендово все-таки достанется мне, а там, в одном шкафу, наследство бабушкино спрятано. Я не очень надеюсь, все-таки столько лет пролетело, две войны по Польше прошли, но ведь попытаться можно? Я стараюсь пока помалкивать, одни только идиоты клады ищут...

— А пан Томаш знает об этом? — спросила Феля, подняв голову.

— Нет. Никто не знает.

— Вот и хорошо.

— Почему?

— А потому, что если женится на паненке, то не из-за клада, а сам по себе. Я ведь достаточно на свете прожила, довоенные времена помню, да и вообще уши у меня хорошо слышат, а болтали вокруг всегда много. И сколько же я наслушалась еще с малолетства о таких паразитах, которые сами работать не хотят и на приданом женятся. И о том, как самая старшая пани Вежховская всю жизнь делала что хотела, а потому — были у нее собственные деньги, муж не мог отобрать. Геня мне о ней много чего порассказала, она ведь еще в первую войну родилась и пани Вежховскую хорошо знала. Нет, я ничего не хочу сказать, пан Томаш — хороший хлопец, порядочный, да кто его там знает...

О том, что Матильда пользовалась финансовой свободой, Агнешка знала лучше Фели, но сейчас речь не о том.

— Да, вот именно. Мне кажется, Томаш — не паразит, но вы правы. Если я разбогатею... нет, не так. Скажу я ему, что у меня такие надежды, он женится на мне и даже может не отдавать себе отчета, что это деньги мне красоты прибавили. Или не женится — подумает, что я глупая и жадная. Так плохо и так не лучше.

— А паненка его хочет?

Агнешка замерла, не вытащив рук из очередной торбы. Относительно этого у нее сомнений не было. Да, она его хотела. Каждый раз при виде любимого сердце так и падало. Вкусы и интересы их совпадали, поводов для ссор не было, с сексом все в порядке. Возможно, они оба слишком практично подходили к жизни и их собственным отношениям, возможно, мало было романтики в этих самых отношениях, но куда денешься? Надо было на что-то есть, чем-то платить за квартиру, за что-то покупать одежду, ездить отдыхать. В лес, к озеру, с палаткой — все это прекрасно и дешево, при условии, что стоит хорошая погода, а если нет? Тогда нужен дорогой пансионат или хорошая гостиница. К примеру, в Ницце, на Английском бульваре, куда ездили в свое время прабабки.

Ей бы тоже хотелось, как прабабки, и лучше всего с Томашем. Он ей очень подходил, вряд ли найдешь другого такого, в любой ситуации он был на месте и все умел делать. А если чего и не умел — тоже нестрашно, как-то справлялся. Правда, не мог оседлать лошади, зато Агнешка могла, а он так ею при этом восхищался, что она вся просто расцветала. Хотя, надо признать, неряхой был, носки разбрасывал по всей комнате, бумаги у него всегда в беспорядке...

Вспомнив о носках и бумаге, Агнешка с удивлением почувствовала, как тает от нежности, и поняла — она смертельно влюблена в Томаша.

— Да, — ответила она, — я его хочу. Говорю это только вам, Феля, больше никому, потому что не знаю, хочет ли он меня в такой же степени. Но покупать его не стану. А если вдруг он на мне захочет жениться ради денег, я не захочу.

Феля полностью разделяла чувства своей подопечной. Богатство заиметь — вещь хорошая, но мужику о том докладывать не следует, кто их там знает.

— Ну тогда, проше паненки, ищем ключи.

* * *

Выпросив под каким-то предлогом у приятеля мотоцикл, Томаш отправился в Радом на встречу с этим таинственным Пукельником. Погода стояла прекрасная, Краковское шоссе было не очень забито, водить он умел хорошо, на досуге можно и поразмышлять. Об Агнешке, о ком же еще? Что эта девица себе думает и за кого его принимает? Неужели считает, что он может польститься на деньги? Или ее устраивает мальчик на побегушках? Сама мысль об этом была невыносимой. Не обладая излишним самомнением, Томаш тем не менее считал себя человеком, достойным уважения, и тряпкой не был. А вот Агнешка ведет себя непонятно. Три четверти ее поступков говорят о том, что она не только осознает его достоинства, но и очень его ценит, однако одна четвертая вызывает серьезные сомнения. А он уже настроился на эту девушку, уже чувствовал — нашел ту, единственную, и вдруг это дурацкое поместье в Блендове перепутало все карты.

И Томаш, и Агнешка были из разряда мыслящих молодых людей. Несмотря на молодость, каждый из них серьезно раздумывал о жизни, знал, чего хотел. Может, Томаш и увлекся бы ненадолго глупенькой девушкой, мечтающей лишь об удовольствиях, но жениться хотел на человеке. А от девушек отбою не было, внешние данные Томаша покоряли с первого взгляда: высокий, стройный, сильный, с милыми, хоть и немного неправильными чертами лица и обаятельной улыбкой. У него было время и возможности убедиться, что на свете существует не только секс.

Женщин миниатюрных и хрупких Томаш не любил, он их боялся. Ведь такая от одного прикосновения может сломаться. Впрочем, больших и толстых он тоже не любил. А также слишком худых, вот почему ему не нравились манекенщицы. Встретил Агнешку, и что-то в нем дрогнуло — в самый раз девушка! С первого взгляда это понял. А когда при более близком знакомстве открыл в ней сдержанность и недюжинный ум, уже не сомневался — это то, что надо. Однако, привыкнув к успехам, не подумал о необходимости ее завоевывать. Взаимную симпатию счел естественным явлением и теперь, вдруг обнаружив между ними какую-то преграду, был просто потрясен. Черт подери, ведь он же на эту Агнешку уже настроился!

О том, что и Агнешка на него настроилась, Томаш не имел ни малейшего понятия. Сбивали с толку ее недоверчивость и замкнутость в связи с Блендовом.

И тут в Томаше взыграла мужская гордость. Не желает девушка говорить — не надо, он не унизится до расспросов, сам раскопает, в чем дело, и тем посрамит бабу! Ладно, не обязательно посрамлять, не обязательно оказаться умнее ее, лучше; во всяком случае — не хуже, отношения надо строить на равных, а помыкать собой он не позволит. Значит, надо действовать самому, иначе потеряет девушку или веру в себя, придется обратиться к психотерапевту.

Ощутив вдруг необоснованную неприязнь к ни в чем не повинным психотерапевтам, Томаш ни с того ни с сего, без всякой связи, подумал о детях, которых ему могла бы родить Агнешка, и его словно кипятком обдало. И сам такого не ожидал, чисто безумие. Однако как же он любил эту девушку!

Сомнительно, задумался бы когда-нибудь молодой человек столь глубоко о своем отношении к Агнешке в круговерти будней, но нет худа без добра. Пришлось отправляться в это нелегкое путешествие, ехать долго, все время прямо, вел он мотоцикл отлично, автоматически обходя машины, и думать ничто не мешало, тем более что ехал по делу, связанному с Агнешкой.

Пана Пукельника Томаш застал там, где и договорились, — в Отделе культуры при воеводском управлении, тот занимал должность заместителя начальника. Томаш представился в телефонном разговоре журналистом, специализирующимся в области юриспруденции. В области культуры Томаш особыми познаниями не отличался, хотя и был достаточно эрудированным, так надо постараться хоть в чем-то проявить профессионализм.

Заместитель начальника отдела оказался мужчиной лет пятидесяти, чрезвычайно располагающей внешности, что весьма удивило Томаша, ибо тот уже настроился на мерзкого буцефала, в лучшем случае — на пронырливого авантюриста. Молодой человек ничего не знал о фамильной черте Пукельников, их умении легко сближаться с самыми разными людьми и с ходу завоевывать симпатии собеседника. Не читал Томаш признаний панны Доминики и Матильды. Вот и теперь достойный потомок клана Пукельников вмиг подружился со столичным журналистом.

Заранее обдумав характер беседы, Томаш без промедлений углубился в памятники старины и вскоре добрался до Блендова.

Через полчаса доверительного трепа он уже знал, что речь идет о на редкость ценном в культурном отношении историческом объекте. Да, вы правы, молодой человек, чувствуется в вас юридическая подготовка, не часто встретишь у современных журналистов, у них ведь, кроме наглости, за душой ничего нет, поместье действительно отобрано было у законных владельцев с некоторыми нарушениями законодательства, но в те времена и не такие нарушения допускались. Он, Пукельник, как представитель культурного учреждения, имеет все основания утверждать — и правильно сделали, что столько лет не отдают бесценное строение никаким организациям, оно просто исключительно подходит под музей. Ведь это, обратите внимание, не просто обычный дом девятнадцатого века шляхтичей средней руки, как у нас говорится, "деревянное строение на каменном основании". Нет, здание построено из кирпича и камня, такое века простоит и очень неплохо сохранилось, и принадлежало оно некогда старинному польскому роду, находящемуся где-то на стыке зажиточной шляхты и магнатства. Потеря этого памятника старины была бы для польской культуры невосполнимой. А интерьер! Там такие антишамбры и лепные украшения, при виде которых дух захватывает, камины в стиле барокко, ну, разумеется, немного восстановить, античные, то есть, простите, ампирные консоли, а мебель! Одни гданьские шкафы XVIII века чего стоят! И жирандоли, зеркала, настенные кинкеты...

Хотя Томаш и не был, как известно, специалистом в области культуры, от всего услышанного он просто опешил. И попытался припомнить перечисленные старинные шедевры. Холера, ведь он совсем недавно осматривал дом вместе с Агнешкой и никаких гданьских шкафов, хоть убей, припомнить не мог, разве что под это определение подходил буфет с выдранными дверцами. Антишамбры... а это еще что такое? Ничего похожего на роскошные вестибюли и анфилады комнат не было в Агнешкином доме. Что-то лепное могло и оказаться, за паутиной не разглядишь, а что касается каминов, так они выложены обычным клинкерным кирпичом, и вряд ли из него изобразишь барокко. Консолями дом его тоже не ошарашил, нет там консолей, если уж что притягивать за уши под это название, то единственную лавку в кухне, вмурованную в стену. Так она такая же ампирная, как он сам!

Если бы Томаш своими глазами не видел интерьера обсуждаемого дома, непременно поверил бы работнику культуры. Надо же, какой гениальный лгун! И значит, под этим что-то кроется. Агнешка молчит, а пан Пукельник врет как нанятый. Оба что-то знали, и оба хотели оставить в тайне свои знания. И оба уперлись во что бы то ни стало приобрести в собственность дом, только вот у Агнешки на него больше прав.

Ее победа не вызывала у Томаша сомнений, и их адвокат был того же мнения, но и сама победа несла в себе зародыш опасности. Будучи особой совершеннолетней, Агнешка должна была подписать обязательство привести здание в первоначальный вид, причем твердо решила так и сделать, хотя Томаш прекрасно знал — денег на это у нее нет.

— Отличная мысль! — похвалил он, перебивая откровения Пукельника в не очень удачном месте. — А что станет, если владелец этого обязательства не выполнит? Сроки какие-то установлены?

— А как же! — торжествующе воскликнул разогнавшийся Пукельник. — Две недели. Если по прошествии двух недель ремонта не начнут...

— Предположим, не начнут. Что тогда?

Пан Пукельник снисходительно улыбнулся.

— Тогда бывший владелец лишается всех прав. Он вообще не имеет права явиться на территорию поместья без стройматериалов и бригады рабочих. И в этом случае здание переходит к нам за символическую цену. А мы устроим в нем музей.

— По какой статье переходит?

— Нет пока такой статьи в кодексе, мы действуем на основании подзаконных актов, достаточно постановления Центрального правления защиты и консервации памятников старины.

— А консервация памятников старины имеет право явиться?

— Разумеется. Сразу, как только владелец лишается своих прав. И уверяю вас — на следующий же день начнется инвентаризация объекта. А также появляется возможность приобретения поместья посторонним лицом, которое выполнит данные обязательства, такие же, а не исключено, и более жесткие, чем поставленные перед законным владельцем.

— Значит, постороннее лицо обязано въехать на территорию поместья на самосвалах с кирпичом и так далее?

— Вот именно. Кто успел, тот и... то есть я не то хотел сказать, ну да мы понимаем друг друга. Доверительно могу вам сообщить, что в этот дом прямая выгода вложить средства, окупится с лихвой, ведь там есть что смотреть, любой согласится заплатить живые деньги. И, если новый владелец Блендова провернет с умом рекламную кампанию, он скоро получит обратно вложенные капиталы.

— И мебель?

— Что мебель?

— Вы говорили, в доме сохранилась старинная мебель, не под старину, а подлинная?

Деятель культуры победно усмехнулся.

— Да, сохранилась, прежняя прислуга припрятала ее, но как только юридическая сторона дела стабилизируется, мебель мы вернем...

Весь обратный путь Томаш провел в интенсивных раздумываниях, но теперь уже не на любовные темы. Где же мебель и почему дочь Польдика ни словечком о ней не обмолвилась? Опять солгал пан Пукельник?

394

Вспоминая все его высказывания о порядке очередности, Томаш автоматически обогнал большегрузный фургон, два маленьких "фиата", одну "шкоду" и три грузовика и за это время проанализировал возможности нанять бригаду рабочих. Без денег исключено. Отсюда простой вывод: в дом Агнешке не войти, что и требуется Пукельнику. Возможно, у дочери Польдика уже отобрали ключи, хотя, зная характер старухи, вряд ли. Но даже если... Получается, сверхзадачей всей этой псевдокультурной деятельности является недопущение Агнешки в дом!

Значит, в доме находится то, чего жаждет Пукельник и что надеется обрести Агнешка. Обрести, вот точное слово, ведь это нечто принадлежало когда-то ее предкам. Интересно, что же это такое? Мешок талеров? Нет, не те времена, тогда уж мешок золотых рублей. Картина Рембрандта, спрятанная от грабителей в одну из войн? Алмаз из царских регалий? Дневник адъютанта Наполеона? Хотя при чем тут Наполеон и с какой стати его адъютанту оставлять свой дневник в Блендове? Тогда уж скорее в Яблонне*. Что-то очень ценное, но не из фамильных сокровищ, на них Пукельник претендовать не может, не принадлежа к роду Вежховских. А не пускают в дом из-за того, что нужно время на поиски, понятно. И вообще все понятно, только почему же Агнешка от него это скрывает?

Вот что было самым неприятным. И пришло решение. Неизвестную вещь Томаш решил условно

---

* Яблонна — в эпоху наполеоновских войн поместье Валевских, жена владельца которого, пани Валевская, стала любовницей Наполеона и тем самым национальной гордостью поляков.

называть "кладом" и притвориться, что ему абсолютно все известно, пусть не думает!

В доверительной беседе у пана Пукельника вырвались слова, из которых Томаш понял — тот знал дом в давние времена, в период расцвета поместья, а ведь это невозможно, ведь родился он где-то под конец войны. Но познаниями обладал. Откуда? Наверняка из того же источника, которым пользовалась и Агнешка, — из мемуаров предков. Выходит, и предки Пукельника домом интересовались.

Томаш доехал до Варшавы, вернул мотоцикл приятелю и помчался к Агнешке.

* * *

К этому времени Агнешка с Фелей успели обработать всю огромную прихожую и переместились: Агнешка — в кабинет, Феля — в каморку у кухни. Плодом их трудов явились одиннадцать ключей, но трех на одном кольце среди них не было. Агнешке очень хотелось знать, как выглядит кольцо, но тут Феля ничем не могла помочь, даже если и видела когда, так позабыла.

На звонок открыла Феля, и Томаш увидел свою предполагаемую невесту сидящей на полу кабинета, всю взъерошенную, запыленную и явно расстроенную. Вокруг громоздились кучи всевозможных предметов, вываленных из ящиков письменного стола. Поскольку, проходя мимо каморки, парень уже видел перевалившие через порог подобные кучи, его осенило.

— Если вы не ключи ищете, пусть у меня кактус на пятке вырастет, — рискнул он. — А Пукельник спит и видит, как бы тебе в этом помочь.

Агнешка вскочила на ноги.

— А ты откуда знаешь?

— Такое у меня создалось впечатление.

— Видел его?

— Собственными глазами. И у нас состоялась весьма содержательная беседа. Дружественная.

Не помня себя от волнения, Агнешка перелезла через кучи мусора, споткнулась о мраморное пресс-папье и угодила прямиком в объятия парня. Отдавшись его поцелуям, девушка понемногу приходила в себя. Ну конечно, проклятый Пукельник знает о ключах! Сколько лет преследует их семейство! Сначала вкрался в доверие к пану Фулярскому, потом завоевал симпатии панны Доминики, а теперь вот Томаша. Минутку, не может это быть один и тот же Пукельник, ведь ему должно быть за сто пятьдесят. И с чего вдруг Томаш заинтересовался этим типом?

Осторожно, но решительно, хотя и вопреки собственному желанию, девушка высвободилась из объятий молодого человека.

— Расскажи мне о беседе, — попросила она.

И Томаш рассказал. Честно и откровенно признался, мол, захотел сам узнать, что от него скрывают, а кроме того, Пукельник показался ему личностью подозрительной. Теперь, после доверительной беседы, кажется еще более подозрительным. И он сделал для себя кое-какие выводы.

Агнешка оглядела свалку в кабинете и предложила перейти в столовую. Придется, видно, немного приоткрыть завесу тайны.

— Ты уже догадался, что мне попали в руки дневники прабабки, которой некогда принадлежало Блендово, и я имею на него все законные права. Начну, пожалуй, с сообщения, что Пукельник совершил уголовное преступление. Не этот, теперешний, а его пра... дай посчитаю... получается — прадед, наверное?

Преступление замяли, но тот прадед, а потом и дед вдруг стали усиленно интересоваться Блендовом.

— Ты знаешь почему?

— Знаю, но не знаю, откуда он знал.

— От своих предков, откуда же еще.

— Должно быть... Видишь ли, там... — Агнешка села за длинный обеденный стол, расставила локти и мужественно двинулась дальше: — Видишь ли, похоже, моя бабуля сделала большую глупость и не хотела в ней сознаваться. Я тоже не собираюсь трезвонить о бабулиной дурости, не то проклянет меня с того света. Лучше уж постараюсь исправить, что смогу. Ты правильно понял, я ищу ключи, сейчас это главное, без них пришлось бы весь дом разложить на элементарные частицы, да и то сомневаюсь в успехе. И вообще не уверена, там ли оно еще.

— Что? — терпеливо поинтересовался Томаш, непонятно почему усевшись тоже за стол, только на другом его конце. Сидя так по оба конца длинного стола, молодые люди напоминали средневековых феодалов или даже монархов, которых во время церемонного обеда обслуживают дюжины две прислужников.

— Если собираетесь поужинать, — ехидно заметила заглянувшая в дверь Феля, — так, может, усядетесь как-то поближе? Гостей нету, а мне бегать несподручно, да и времени маловато.

Оба удивленно посмотрели на старую служанку, потом, переглянувшись, расхохотались и сели рядышком.

— Вот так-то лучше, — похвалила Феля и исчезла.

Смех сблизил молодых людей и даже сломал барьер, выросший между ними в последнее время. Агнешка почувствовала, как напряжение ее отпустило.

— Да я и сама, скажу тебе откровенно, не хотела выглядеть дурой. Потому и решила до поры до времени никому не говорить, пока не найду ключи. И даже потом собиралась сама проверить, без свидетелей. Разочарование легче пережить одной. Решила — если повезет, сообщу родным. И тебе. Понимаешь, приду в себя и сообщу...

Томаш понимал и тоже расслабился.

— Значит, все о'кей. И я правильно понял, сейчас дело в ключах, для Пукельника недоступных?

— Вот именно.

— И ты рассчитываешь, что тебе как-то удастся выполнить условия реставрационно-восстановительного договора?

— Рассчитываю... немножко. Во всяком случае, намерена попробовать. А вдруг?..

— Так что же там такое? Вот этого я, признаюсь, разгадать не мог.

— Давным-давно оставленные ценности, не знаю точно, в каком виде, но, судя по дневнику прабабки Матильды, — очень значительные. Однако ведь прошло столько времени, их уже может там и не быть. Две войны, Пукельники...

— Вот как раз Пукельники отпадают, не лезли бы теперь так настырно, если бы твои ценности захапали. И какие-то ваши трупы тоже успеха не имели.

— И я так считаю, — согласилась Агнешка. — Поэтому, видишь сам, ищу ключи. Хочу реабилитировать бабулю и при случае сама разбогатеть.

Феля принесла блюдо ужина в виде макарон, запеченных с сыром и ветчиной, сдобрив их маринованными грибочками, корнишончиками и малюсенькими зелеными помидорками. Немного посомневавшись, Агнешка достала красное вино.

— И если бы у меня были ключи, я бы без всяких соглашений тайком пробралась в дом.

— А ты уверена, что ключи сохранились?

— Надеюсь. Моя мать очень педантична по натуре, прежде чем выбрасывать, спросила бы.

— Помочь тебе искать?

— Если есть время. Знаешь, я сегодня даже на занятия не пошла.

В результате поисками трех ключиков на одном кольце занялись все. Даже тетка Марина перетряхнула свою квартиру, чтобы отвязались, хотя в этом не было необходимости, но ведь родичи найдут к чему придраться! Искала у себя Амелия. Пани Идалия решила уж заодно сделать в своей квартире генеральную уборку, куда входило также мытье окон и натирка полов. Подключился даже косьминский дядя Юрек, ведь в детстве Агнешке случалось там бывать. На целых две недели ключи радикально отравили жизнь всем родственникам, причем никто из них толком не знал, зачем их нужно искать.

Результат оказался внушительным. Все трофеи сносили к Агнешке, и вскоре посередине кабинета возвышалась большая куча железяк. И так случилось, что с находками все явились к Агнешке в один день. Пани Идалия с мужем принесла увесистую сумку. Младший сын дяди Юрека, Михалек, ровесник Агнешки, которого чрезвычайно смешила ключевая лихорадка кузины, тоже приволок изрядную тяжесть. Двоюродная бабушка Амелия явилась с обнаруженной под старыми негативами коробкой, забитой всяким железным хламом, а тетка Марина пришла просто так.

Неожиданное нашествие гостей заставило Агнешку мобилизоваться, и она без особого промедления устроила прием. Угощением служили сельдь в оливковом масле, крутые яйца в горчичном соусе и огромное количество картофельных оладий, которые непрерывно жарила Феля, принося по мере готовности. Ничего другого в доме не оказалось. Видимо телепатически что-то почувствовав, с некоторым опозданием явился Томаш, принеся мороженое.

— А, собственно, зачем тебе, дорогуша, все эти ключи? — поинтересовалась тетка Марина, накладывая добавку. Поскольку тут как раз явился Томаш, пришлось прервать процесс, переждать приветствия. Покончив с добавкой, тетка Марина для верности повторила вопрос.

— Ну! — живо поддержал ее любопытный Михалек.

— Все мне не нужны, — вежливо ответила Агнешка. — Я ищу конкретные, три ключика в одной связке, на запаянном кольце. Однако за долгие годы они могли рассыпаться, поэтому надо осмотреть все.

— Лично я без претензий, — сообщила бабушка Амелия, — потому что в ходе поисков отыскала парочку очень нужных мне ключей. Их я не принесла, надеюсь, сделала правильно.

— А зачем тебе эти три ключика? — упиралась тетка Марина.

— Должно быть, для того, чтобы отпереть какие-то замки, — пробурчал Агнешкин отец.

— Фамильный сувенир? — предположила ее мать.

— И ради сувенира мы все на голове стоим? — удивился Михалек.

— А что такого? Наша мать ради фамильных сувениров полжизни читала фамильную литературу...

— Некоторые всю жизнь читают, причем не только фамильную...

— Так пусть она прямо скажет, зачем ей!

— А ну, тихо! — прикрикнула на родичей Амелия. — Я тут самая старая, и что-то мне вспоминается...

Наморщив лоб, она задумалась. Ложка застыла в руке, и с нее капала на оладью густая сметана. Остальные тоже замерли, с надеждой глядя на Амелию.

— Ну? — не выдержала Марина.

— Кончай нукать. Ты в семье нашей старшая, — упрекнула ее сестра Идалия. — Как мама читала записки предков, ты никогда не поинтересовалась, что там, а если мама и рассказывала, то не слушала. А если и слушала, то ничего не запомнила...

— Могла бы и сама запомнить, — огрызнулась Марина.

— Меня история никогда не интересовала, но я хотя бы понимала, что мама читает из чувства долга...

— ...и для собственного удовольствия, — добавила Амелия и передала ложку Агнешке. — Господи, у вашей Фели оладьи еще вкуснее, чем у Гени когда-то! Юстина любила старину, сколько раз тетка Гортензия ее упрекала, что уж если воткнет нос в старинные бумаги, так обо всем на свете позабудет. Барбара с Антосем могли поубивать друг дружку, а ей хоть бы что, даже не заметила бы.

Агнешка вдруг испытала глубокое сожаление от того, что позже уже никто не писал дневников. Взять хотя бы бабулю Юстину. Исторический отрезок времени она прожила интереснейший, послевоенные события по драматичности отнюдь не уступали событиям прошлого века, в том числе и в недрах их семейства. О двоюродной прабабушке Барбаре уже приходилось слышать, а ведь можно было бы прочитать и подробности. Мать уверяет, что ничего не помнит, возможно, тетка Амелия...

— Но и ответственная была, ничего не скажу, — продолжала Амелия. — А завещанный дневник обнаруживался два раза, один раз — в капусте, а второй — в сейфе, причем я лично при этом присутствовала.

— Оба раза присутствовали? — поразился Михалек.

— В принципе оба, только первого не помню, меня и остальных детей выгнали из дому. Зато второй раз... Надеюсь, у вас еще где-то сохранилась старинная шкатулка? — подозрительно поглядела Амелия на Идалию и ее дочь. — Не выбросили на помойку?

Обе отрицательно покачали головой.

— Значит, порядок. Тогда вместе с дневником нашли еще какие-то старинные бумаги, тоже точно не знаю, какие именно, и ключи. Три ключика на одном кольце. Так и вижу, как все по очереди их разглядывали, а потом их забрала Барбара. Кольцо я очень хорошо запомнила, потому что оно нетипичное, не обычный брелок, с него нельзя было снять ключей и пользоваться ими отдельно. Запаяно печаткой, что-то малюсенькое... ага, вспомнила, в виде клеверного листа. И Барбара передала ключи Юстине, любительнице старинных вещей.

— Это я знаю, — вздохнула Агнешка. — А бабушка Юстина отдала их мне для игры.

— Не иначе как умственное затмение на нее нашло, — сурово изрекла Амелия, не скрывая, что чрезвычайно шокирована.

— Да скажут мне наконец, от чего эти самые ключи, которые мы все, как дураки, ищем! — взорвалась тетка Марина.

И опять Агнешке пришлось сделать полупризнание.

— Судя по дневниковой записи нашей прапра...

— И так далее бабки! — раздраженно перебила Амелия.

— Да, Матильды. Этими ключами отпирается один из шкафов в Блендове, а в том шкафу, вернее, за ним, возможно, все еще лежат какие-то ценные старинные вещи. Во всех завещаниях о них упоминается, так я решила попытаться их разыскать.

— А без ключей нельзя? — удивился Михалек.

— Без ключей не откроешь, пришлось бы стену ломать, а там бдит охрана памятников старины, и они сразу вцепятся.

— Факт! — впервые раскрыл рот Томаш.

— Вот именно! — прицелилась в него Амелия вилкой с куском политой густой сметаной оладьи. Сметана капнула в чай Михалека. Амелия опустила вилку. — Что за наказание в этом семействе, как только заговорят о серьезных вещах, сразу продукты начинают прыгать и безобразничать. То же самое было в доме Гортензии. А тебя, — забывшись, она ткнула вилкой в Идалию, и кусок оладьи влетел в вырез декольте Марины, — вот, что я говорила! Так тебя еще на свете не было.

Михалек расхохотался. Амелия тут же обернулась к нему.

— И тебя тоже. В тот день мы узнали, что твой отец жив, кажется, ему уже годик стукнул.

— Вы, тетушка, оказывается, прекрасно запомнили множество никому не нужных вещей, — сердито проговорила Марина, извлекая и съедая злополучный кусок оладьи, — а как дело доходит до ключей, так ничегошеньки не помните.

— У меня тогда были свои проблемы. Супружеские.

— Верно, были проблемы, — подтвердила Феля, появившись с новым блюдом горячих оладий. — Я в ту пору только к вам нанялась, очень помню, как пани по всему дому с ножом в руках мужа гоняла. Так хозяева велели пани отловить, потому как муж не грозный был и знай убегал. Да и кому это помнить, как не мне, остальные все уже померли. Оставьте эти две холодные, я горяченьких поднесла.

Амелию очень взволновали воспоминания старой служанки.

— А я когда с ножом бегала, говорила что-нибудь? Вот ведь, не помню.

— Убью тебя, свинья паршивая, кричала пани, убью тебя, свинья паршивая, и так без остановки, как заведенная. Тогда еще старинная вазочка разбилась, жутко дорогая, пани Барбара пожалела выбрасывать, хотела отдать в мастерскую склеить. А нож у пани отобрали, и все утихомирилось.

— Теперь понятно, при таких обстоятельствах трудно было помнить о ключах, — сочувственно отозвался тихий Анджей, отец Агнешки.

— А что за вазочка? — заинтересовалась Идалия, ее мать. — И совсем вдребезги разбилась?

Прихватив со стола блюдо с двумя остывшими оладьями, Феля пожала плечами.

— Не сказать чтобы совсем. Отбилось в ней что-то, так пани Барбара ее на место поставила, а отбитые куски внутрь ссыпала и все собиралась отдать склеить, да ведь у нее тоже проблем хватало. Стояла она так и стояла, пока незадолго до смерти пани Юстина не нашла хорошего мастера, так мне говорила. Не помню, сама отнесла этому склейщику или кого попросила. Может, паненку Эву?

Упоминание о дочери заставило Марину угомониться, и она уже не настаивала больше на раскрытии фамильных тайн, погрузившись в невеселые воспоминания о нехороших мужьях. Поскольку ее супружеские неурядицы вконец разорили семейство, она притихла и постаралась не привлекать больше к себе внимания. Зато не успокаивалась ее сестра Идалия.

— Так где же эта вазочка? — хотела она знать. — Вернулась от склейщика?

Феля не знала, и мать обратила вопросительный взгляд на дочку. Агнешка сконфузилась.

— Моя вина, бабуля просила меня сходить за вазочкой, да я напрочь забыла.

— Дочь моя, очень легкомысленно с твоей стороны, — напыщенно укорила Идалия. — Не исключено, что вазочка была чрезвычайной ценности, возможно, эпохи Минг, а может, даже Сунг. Из Блендова она. Давно прошли времена, когда мы могли себе позволить пренебрежительное отношение к дорогим вещам.

Тетка Марина воспрянула духом.

— Вот, пожалуйста, велит нам тратить время на поиски сомнительных ключей, а сама наплевательски относится к совершенно реальным ценностям.

Агнешка совсем поникла, и Амелии стало ее жаль.

— Нечего теперь причитать задним числом, да и разбитый китайский фарфор никакой ценности не представляет. Если от него одни осколки остались, склеивай не склеивай...

— И вовсе не осколки! — с возмущением перебила ее Феля. — Ведь как падала, пани Барбара ее на лету поймала, лишь о полку ударилась, и что-то от нее отбилось. Так пани Барбара черепки все до крошки подобрала и в маленький мешочек ссыпала.

— А сами, Феля, только что сказали — черепки в вазочке были.

— Так ведь всего сразу не вспомнишь. Уже как опосля при генеральной уборке пани Юстина на разбитую вазочку и мешочек, что рядом лежал, наткнулась, развязала, увидела в нем черепки от вазочки и в нее сунула, чтобы не затерялись. И вскоре мастера нашла.

— А у тебя его адрес есть? — спросила Идалия у дочери.

— Да, и фамилия тоже! — успокоила мать Агнешка. — Непременно к нему схожу.

— Может, хватит о разбитом фарфоре? — потеряв терпение, вмешалась в разговор Амелия. — Давайте вернемся к ключам. Вы уже все обыскали?

— Почти все, только совсем уж бесперспективные закоулки остались.

— Вот-вот, насколько я помню, эта девчонка любила прятать свои игрушки по самым дальним углам, потом сама с собой играла в поиски кладов. Так что надо непременно все углы обыскать.

* * *

Желая облегчить работу матери, Агнешка лично перетряхнула в доме родителей то, что оставалось непросмотренным. И повторилась история с квартирой бабушки: обнаружилось множество всевозможных ключей, но среди них не оказалось трех на запаянном кольце. Не было их, и все тут! В душе девушка не раз благодарила тетку Амелию, которая категорически утверждала — ключики нельзя было снять с кольца, иначе Агнешка пребывала бы в сомнениях — а не поснимала ли она сама ключики еще в детстве и они благополучно затерялись поодиночке? Да если бы и не затерялись, как распознать их в этой разнокалиберной груде?

Угрызения совести совсем замучили бедную Агнешку, и она решила сделать хотя бы то, что в ее силах, — выполнить, пусть с большим опозданием, просьбу покойной бабушки и принести из склейки вазочку. К счастью, фамилия и адрес мастера были записаны еще Юстиной на листке отрывного календаря, который сохранился.

Приход Агнешки очень обрадовал мастера, человека весьма пожилого, но еще достаточно энергичного.

— Наконец-то пришли! — суетился мастер, усаживая клиентку. — Жду, жду, уже собирался давать объявление, да все текста не мог придумать, знаете ведь, сколько жуликов развелось в последнее время, не хотелось привлекать их внимание. Ведь это же ваза эпохи Сунг! Сунг! Боюсь, вы, уважаемая, даже не понимаете, что это значит.

Но тут мастер ошибался. Глубокий интерес к истории заставил девушку не так давно внимательно ознакомиться и с ее, истории, так сказать, боковыми линиями, историей костюма, мебели, часов, стекла, музыкальных инструментов. И фарфора тоже. Так что она прекрасно понимала, что означает вазочка эпохи Сунг, и ее обдало жаром. А мастер продолжал монолог, не ожидая реплики собеседницы:

— Уникальная вещь! Такие лишь в музеях встретишь, да и то чрезвычайно редко. Откуда такое сокровище в вашей семье?

Агнешка уже не сомневалась — имел, имел место пусть кратковременный, но страстный роман в истории их рода, пылал, пылал чувствами французский император к ее пра... и так далее бабке. А вот никакого упоминания о путешествиях в Китай каких-либо ее предков в семейных архивах не встретилось.

— Где-то Наполеон слямзил! — вырвалось у нее. Слово не воробей... Желая поправить бестактность по отношению к монарху, девушка, заикаясь, добавила: — То есть... так я предполагаю, ведь французский император был лично знаком с нашей...

А мастер не слушал ее объяснений.

— А, если Наполеон — тогда понятно. Войны, как известно, уничтожают культуру. Бесценная вещь! Разумеется, склеенная ваза теряет половину своей стоимости, но все равно остается уникальным шедевром минувших эпох. Уже больше года... да нет, что я говорю, уже почти три года стоит готовая, а я все голову ломаю, почему заказчик за ней не приходит?

— Видите ли, моя бабуля скончалась полтора года назад, и тут столько было всевозможных... осложнений... проблем, — бормотала Агнешка, изо всех сил стараясь не выглядеть идиоткой. — Лишь недавно мне удалось найти ваш адрес и квитанцию, и я сразу же приехала.

— Ну тогда все понятно. А я уж думал — может, заказчика ограбили, раз у него такая ценная коллекция. Да и сам стал побаиваться, если бы узнали, что у меня хранится такая историческая реликвия, знаете, в наше время... ах да, об этом я уже говорил. Подумывал, не застраховать ли вазу, да это так дорого, и можно ли доверять страховым обществам? Жулики они все! А ваша... бабушка? Да, ваша бабушка мне уплатила аванс, так что теперь с вас за работу всего одиннадцать миллионов четыреста тысяч злотых.

Агнешка потеряла дар речи.

— Как?.. Сколько?.. Вы сказали — миллионов?! Одиннадцать?

Волнение клиентки смутило старого мастера.

— Паненка не ожидала такой суммы? Но ведь артистическая работа. Да, понимаю, таких денег в кармане не носят, но теперь я могу спокойно подождать. Какой день вам удобен?

Одиннадцать миллионов так ошарашили Агнешку, что она машинально назвала первый попавшийся на следующей неделе. Да-да, ближайший вторник.

Ломая голову, где раздобыть деньги на выкуп вазочки, Агнешка в первую очередь подумала о тетке Амелии. Нет, сначала надо посоветоваться с матерью, ведь в настоящее время цена вазы эпохи Сунг — сотни тысяч долларов. Принадлежит вазочка ей, Агнешке, раз она наследует все имущество бабули. Если удалось бы продать вазочку, денег с избытком хватило бы на ремонт Блендова.

Деньги, всюду деньги! В который уже раз упираешься лбом в денежные проблемы. Возможно, не в деньгах счастье, но как же без них трудна жизнь! Вот и все эти бабы из мемуарных записей ломали себе головы — выходить за молодого и красивого или предпочесть богатого старого хрыча... Никаких "или", ведь все они в конечном итоге выбрали молодых и красивых, а вовсе не хрычей. Вот если бы ей подвернулся какой антипатичный миллиардер... симпатичные, разумеется, все давно заняты. Ох, о чем это она думает, кретинка несчастная! Отказаться от Томаша? Ни за что на свете!

Добравшись до квартиры родителей, Агнешка уже преодолела душевные терзания и пришла к решению, окончательно забраковав старого, мерзкого деспота, каким непременно будет миллиардер. Почему-то все знакомые ей пожилые богатые мужчины были именно таковы, к тому же все они обожали молоденьких девок, при виде которых истекали слюной. Связать свою жизнь со столь отвратительной личностью?! Любительница и знаток истории, Агнеш-

410

ка давно уже сочувствовала прежним куртизанкам, а к их профессии у нее выработалась стойкая неприязнь. Тогда остается одно: заставить Томаша разбогатеть, а самой попытаться разыскать завещанное ей прародительницами наследство.

Встретив в арке дома возвращавшуюся с работы мать, Агнешка с раздражением спросила:

— Ну как они могли растранжирить такое состояние?

Мать почему-то сразу поняла, о ком идет речь, и сделала попытку оправдать предков:

— Так случилось, что в роду не оказалось человека со способностями финансиста. Ну разве что за исключением тетки Барбары. Да и то она умела лишь зарабатывать, а не сохранять богатство, тем более приумножать.

— Да дело даже не в накоплении, не в сохранении. Но зачем же так глупо транжирить?

— Не преувеличивай и перестань хаять предков. Не забывай, две войны пережили. Да еще тетка твоя Марина... Впрочем, ты и сама все знаешь.

Известие об одиннадцати миллионах огорчило Идалию, даже предполагаемая баснословная стоимость вазочки не радовала. Ведь сначала надо было ее получить. Идалия тоже сразу подумала об Амелии.

— Если в данный момент не едет снова путешествовать, может, хоть половину тебе одолжит. Остальное как-нибудь наскребем. В принципе и у нас столько наберется, но ведь надо оставить на жизнь.

— А дядя Юрек? — без особой надежды спросила Агнешка, механически заглядывая в ящики буфета. Шарить по углам в поисках ключей у нее уже стало нехорошей привычкой.

— Не хотелось бы просить у него. Долгие годы они нас кормили, а сейчас, насколько мне известно,

Юрек во что-то вкладывает деньги, свободных у него нет. Оставь, я сто раз все там перетряхнула.

— А если что продать?

— Продать одно, чтобы купить другое?

— Не купить, а выкупить свою собственность. И очень ценную.

— Разве ты собираешься продать вазочку?

Агнешка не ответила, она еще и сама не знала. Может, и продала бы, если кто даст хорошую цену, тогда сразу решается проблема с Блендовом. С другой стороны, Блендово — мираж, слабые надежды, а вазочка — синица в руках, единственное, что остается на черный-пречерный день... На кой ей Блендово, если в нем ничего не окажется?

— Или Сунг, или ключи! — неожиданно для самой себя пробормотала девушка.

Ничего на это не ответив, пани Идалия занялась ужином. Она не собиралась подключаться к историческому безумию, которому посвятила жизнь ее мать и которое теперь явно охватило и ее дочь. Бзик накатывает волнами, проявляется через поколение. Счастье еще, что Агнешка не была такой не от мира сего, как ее бабка, во внучке достаточно чувствуется практическая жилка.

Ужин, или, вернее, поздний обед особых хлопот не доставил. Суп из шампиньонов (из пакетика), готовые котлеты и готовое замороженное картофельное пюре. А к этому кочанный салат, достаточно отодрать несколько листиков, побрызгать соком лимона — и вся стряпня. Теперь с продуктами легче, не то что в прежние времена. Все можно купить, никаких очередей... С удовлетворением отметив сей факт, Идалия вспомнила бесконечные очереди, а в магазинах из доступных продуктов лишь уксус и плавленые сырки.

412

Агнешка прежние времена помнила плохо, они не отравляли ей жизнь так, как старшему поколению. Зато она подумала о другом: теперь, при обилии всяческих полуфабрикатов, у женщин остается выбор. Или тратить время, готовя обеды из нормальных продуктов, и дешевле, и вкуснее, или же пользоваться замороженными и нарезанными, экономя время, но тратя больше денег. Что ж, пусть каждая выбирает для себя то, что ей выгоднее. Вот, скажем, ее мать домашним хозяйством занималась безо всякого удовольствия, только в силу необходимости, поэтому старалась посвящать ему как можно меньше времени, с удовольствием пользуясь имеющимися в продаже готовыми продуктами. Зато могла больше времени отдавать работе и культурному досугу.

— Два миллиона ты сможешь одолжить, мамуля? — вернулась она к главной проблеме. — Придется собирать частями, так что мне надо знать твердо. От тебя отправлюсь прямиком к тете Амелии.

— А что у нас сегодня? — вопросом на вопрос ответила мать.

— Пятница.

— Точно могу сказать в понедельник. До понедельника доживешь?

— Доживу. С мастером я уговорилась на вторник.

— Ну садись, поедим.

— Нет, спасибо. Феля обидится.

Пани Идалия не повторила приглашения. Агнешка выглядела здоровой и упитанной, кормить ее силой не было причины. Излишне дородная девица. Какая жалость, ей тоже не бывать жокеем...

Пани Идалия до сих пор не забыла увлечения своей юности, когда лошади были для нее смыслом жизни. Да и теперь изредка посещала ипподром, отдавая дань прежней страсти и в память о дедушке Людвике. И каждый раз при взгляде на лошадей сжималось сердце.

В эту субботу под вечер она тоже поехала на ипподром. Одна, без мужа, хотя бывать там с ним — сплошное удовольствие. Совершенно не разбираясь в лошадях, муж смешил Идалию своими простодушными высказываниями о бегах, о шансах на выигрыш того или иного участника, и вообще замечаниями и соображениями о лошадином спорте, от которых прямо хоть падай. Сама же пани Идалия унаследовала закодированные в генах познания предков о лошадях, основательно подкрепив их полученными в молодые годы сведениями о всевозможных ипподромных махинациях. Сегодня присутствие мужа мешало бы ей, потребуется максимальная сосредоточенность.

Изучив расписание, пани Идалия выбрала подходящий заезд, в нем определила нужных лошадей, разгадала задуманную махинацию. Как следует все проверив, убедилась — мафия игнорирует фаворита. Пани Идалия была против мафии.

Лошадей уже выводили на поле, когда она пробралась к самому оградительному барьеру. От фаворита ее отделял всего какой-то метр.

— Ясь! — прошипела Идалия свистящим шепотом. — На тебя поставлю!

Знаменитый жокей мирового класса Ясь поднял голову и увидел Идалию. Потрясенный, он в мгновение ока оценил ситуацию.

Четверть века назад Идалька была его большой и единственной любовью. Шестнадцатилетним юношей он страстно и безнадежно полюбил эту статную девушку и, хотя не было никакой надежды на взаим-

414

ность, верность ей пронес через всю жизнь. После ухода Идалии из спорта он редко ее видел, но чувство не умирало. Ради нее он решил подняться на высочайшие вершины в их деле, мечтал о подвигах и славе, которые мог бы положить к ее ногам, готов был совершить для нее любое безумство. Идальке подвиги и безумства не требовались, но Ясь и в самом деле многого добился, стал величайшим мастером в конном спорте, а пламенная любовь постепенно перешла в щемящее душу трогательное воспоминание о былом.

За то, чтобы мафия могла провернуть свой план, то есть за то, чтобы попридержать свою лошадь, Ясь уже получил от ипподромных воротил шесть миллионов. И вообще перед ним стояла нелегкая задача: *не войти в первую четверку*, что было очень непростым делом, вот и платили столько. Ничего, вернет прохиндеям их шесть миллионов, пусть подавятся, теперь скорее умрет, но придет первым! Мафии Ясь не боялся, это она нуждалась в нем, а не он в ней, все эти занюханные мафиози разбирались в лошадях как свинья в акробатике, он им запросто задурит голову. Идалька наверняка выбрала какую-то комбинацию, в которой ему отводилась главная роль.

Не много понадобилось Ясю времени, чтобы разгадать Идалькину комбинацию. Да, вот она-то лошадей знала, и нюх у нее всегда был потрясающий! Разобралась в сути задуманной махинации, должна была вписаться в нее, значит, все начнется по намеченному плану, а потом пойдет честная борьба. Вот удивится тренер Сятковская, что ей в кои-то веки разрешили занять достойное место!

Если учесть, что жокей Ясь фактически руководил ипподромным коллективом, то пани Идалии сравнительно легко удалось выиграть свои восемь с половиной миллионов. Она и выиграла, невзирая на яростный вой некоторых пострадавших зрителей.

Перехватив бывшего поклонника после заездов, она рассказала ему о своих проблемах.

— Все ради дочки, — вздохнула Идалия в заключение. — Возникла срочная необходимость в наличности, и у меня не было времени заранее переговорить с тобой. От всего сердца благодарю!

— Для тебя я готов на все! — галантно ответил бывший поклонник. — Конечно, было бы легче, предупреди ты пораньше, но, сама видишь, если опять понадобится — можно сделать.

— Что ты, Ясь, не стану я злоупотреблять твоей добротой, это ведь был исключительный случай. А когда дочка уже решит свои проблемы, мы закатим пир на весь мир. Приглашаю!

* * *

В воскресенье взволнованная Агнешка позвонила матери.

— Мамуля, я просто себе не верю! У меня набрался целый миллион, а тетя Амелия предлагает всю сумму. Как думаешь?

— Очень просто, половину пусть дает тетка Амелия, а половину получишь от меня. Но с условием: если обретешь Блендово, устроишь там для нас всех грандиозный банкет. Сама устроишь, я буду гостьей!

Потрясенная Агнешка недолго ломалась. Двух секунд хватило, чтобы примириться с неизбежным.

— Устрою! Матильде тоже приходилось устраивать такое, а я себя считаю ее достойной пра... и так далее внучкой.

Во вторник Агнешка с деньгами в сумочке отправилась выкупать вазочку. Первый раз узрела она древнекитайский шедевр и была несколько разочарована. Невзрачный он какой-то, форма совсем простая, можно сказать примитивная, а цвета какого? Неопределенного. Хотя... Если внимательно всматриваться в вазочку, цвет в ней обнаруживался, но на первый взгляд его вроде как и вовсе не было. А место склейки приходилось искать лишь с помощью лупы, гениальная работа!

Девушка уже направилась к двери с драгоценной вазочкой, как вдруг старый мастер ее остановил:

— Минуточку, уважаемая паненка! Опять чуть было не забыл. Видите ли, в вазочке под черепками я обнаружил... ну где же они? Ага, обнаружил вот это, когда мне ее только что сдала ваша бабушка. Столько лет прошло, но, возможно, они вам понадобятся? Возьмите.

Уже приоткрывшая входную дверь Агнешка обернулась. Старый мастер протягивал ей три ключика на стальном колечке...

* * *

На традиционном семейном сборище первой высказалась Амелия:

— Не знаю, что ты собираешься делать со своим Блендовом и зачем тебе понадобились ключи, но предупреждаю: я намерена туда часто приезжать. На уик-энды, в отпуск, просто так. И если при этом не обнаружу за окном курей, уток, гусей... ладно, на индюках не буду настаивать... А может, и на гусях не стоит?

И Амелия в поисках совета выжидательно обвела взглядом собравшихся родичей. Компетентный совет ей могла дать лишь Агнешка, знакомая с историей Блендова, все остальные были людьми городскими, истории поместья не знали. Сельская молодежь в лице Михалека разбиралась лишь в помидорах, спарже да луке, Идалия хорошо знала только лошадей, Феля могла служить экспертом в готовой продукции, а вот о домашней птице никто не имел ни малейшего понятия. Правда, Томаш взял на себя смелость высказать мнение, ибо, как человеку эрудированному, ему приходилось кое-что читать на эту тему.

— Гусей не стоит, — сказал он. — Птица невыносимо шумная, особенно по утрам, хуже того — будит на рассвете!

— Ну, раз на рассвете... — призадумалась Амелия. — Тогда черт с ними, с гусями. А как насчет индеек?

— Индейки, проше пани, птица деликатная, особенно хороши под винным соусом, — высказалась Феля. — А вот помнится мне, больно они хилые, за ними глаз да глаз нужен, болеют от самой малости, тут без тысячелистника не обойдешься. Но шуму от них не много, куда им до гусей!

— И как тут не верить астрологам? — как всегда некстати встряла Марина. — Видите, как нам повезло! А я совсем недавно была у гадалки, такой современной, астрологической, так она предсказала в середине месяца повышение благосостояния для нашего семейства. Ну и повысилось!

Амелия с тяжким вздохом решила ограничиться курами и утками. Агнешка молча слушала. Послезавтра ей предстояло вступить во владение поместьем, возвращенным ей на законном основании. Оголтелый Пукельник так ничего и не смог сделать, однако постановление об обязательном ремонте в двухнедельный срок осталось в силе. Теперь это не пугало девушку, поскольку она решила сразу же приступить к ознакомлению с библиотекой. А кроме того, успокаивало сознание, что на всякий случай у нее остается в запасе ваза эпохи Сунг.

Очнувшись от своих дум, Агнешка уловила последнее высказывание тетки Амелии.

— Там хозяйственный двор немного на отшибе, — деликатно заметила она. — Придется вам, тетушка, высунуться из окна, если пожелаете полюбоваться на кур и уток.

— В окно высунуться? Могу и высунуться, — не привередничала тетка. — Если нельзя птицу под окном держать.

— Видите ли, раньше в Блендове к главному фасаду барского дома вела парадная аллея, а сзади вплотную подступал сад.

Идалия встревожилась:

— Ты что же, хочешь восстановить все в прежнем виде?

— Пока не знаю. Но если получится...

— А без курей пани в Блендово не приедет? — спросил Томаш у Амелии.

— Перестань обращаться ко мне на "пани"! — взорвалась Амелия. — Так ты женишься в конце концов на нашей Агнешке или нет? Если женишься, я стану твоей двоюродной бабкой, а если не женишься, то вообще не желаю с тобой разговаривать!

— Ну, при такой постановке вопроса придется жениться. Если, конечно, Агнешка не против.

— Можно ли твои слова понимать так, что ты официально просишь у нас руки моей дочери? — с неприличной поспешностью вмешался в разговор обычно молчаливый пан Анджей.

Если честно, то именно официальное предложение руки и сердца Томашу никогда не приходило в голову. Жениться он собирался, но еще не знал отношения к этому Агнешки, о таких вещах они пока не говорили. В сознании молодого человека тревожно засверкало непременным брильянтом кольцо, которое дарится при обручении, и, смешавшись, Томаш не сразу ответил утвердительно. В неловкой ситуации его спасла Агнешка, невинно заметив:

— Не мешало бы предварительно и со мной это обсудить.

— А что? — удивилась бестактная Марина. — Он тебе еще не доказал свою любовь?

— Это как же понимать? — одновременно вмешалась Феля. — Ведь вроде бы паненка хотела пана Томаша.

— А мне казалось, вы оба серьезно подходите к вопросу брака, — сухо заметила пани Идалия.

— Да нет, я не настаиваю, — поспешил отступиться пан Анджей, поняв, что сунул палку в муравейник.

— Во дают! — в полном восторге пробормотал Михалек.

Томаш наконец сообразил, что ему предоставляется уникальная возможность, и не замедлил ею воспользоваться. Встав, он громко и отчетливо объявил:

— Совершенно официально и публично заявляю, что женитьба на Агнешке — мое самое горячее желание. К сожалению, так вышло — я еще не успел ей об этом сказать. Просто случая не выдавалось. Вот и не знаю, согласна ли она, этим объясняется некоторая моя растерянность, потому что отказ с ее стороны я предпочел бы выслушать... гм... в более, так сказать, камерной обстановке.

— Почему же отказ? — удивилась тетка Амелия. — На ее месте я бы вышла за тебя.

Поскольку разница в возрасте между Амелией и Томашем приближалась к пятидесяти годам, замечание неугомонной старушки шокировало присутствующих, хотя всем был ясен его чисто теоретический характер. И все-таки пани Идалия бросила на тетушку недовольный взгляд, Феля осуждающе крякнула, Михалек открыл рот и громко его захлопнул. И опять Агнешка нашла нужным взять слово:

— И вечно ты, папочка, некстати высказываешься... то есть это тетя... ну да ладно. Чтобы внести ясность, тоже официально заявляю: да, я хочу выйти за Томека замуж, вовсе не отпираюсь, только надо было нам все сначала самим обсудить, ведь существует то самое завещание бабушки... Ну как можно о нем говорить при всех? В нем такие обидные оговорки.

— Не при всех, а только при близких родственниках, — важно поправила племянницу Марина.

— Не смущайся! — подбодрил Агнешку Томаш. — Оскорбления от твоей бабки я запросто вынесу и не пикну!

— Что же там такого понаписала Юстина в своем завещании? — наморщив лоб, поинтересовалась Амелия. — Что-то я ничего не могу припомнить.

Зато пани Идалия прекрасно помнила и пришла на помощь дочери.

— Ей нельзя выходить замуж без интерцизы. И маме прабабка Матильда тоже запретила. Никакими неприятностями нарушение запрета Агнешке не грозит, но не выполнить его нельзя. Вам и в самом деле это кажется обидным? Насколько мне известно, когда-то это было распространенным явлением и никто не чувствовал себя оскорбленным.

— А ты чувствуешь себя оскорбленным? — обратилась к Томашу Амелия.

Томаш чувствовал себя малость сбитым с толку, хотя само понятие "интерциза" ему, как юристу, было прекрасно известно.

— Нисколько! — искренне заявил он. — У меня за душой ни гроша, так можно сразу подписывать хоть десять интерциз. И Агнешку я грабить не собираюсь, с готовностью подпишу что угодно, я и не рассчитывал ни на что. Теперь уже знаю, Агнешка имеет возможность получить старое поместье. И как юрист могу посоветовать: для того чтобы интерциза имела смысл, сначала надо полностью оформить переход его в собственность Агнешки, чтобы нотариально подтверждалось ее имущественное положение, иначе потом может подпортить дело закон о совместном использовании имущества супругами...

Пани Идалия похвалила будущего зятя:

— Очень верное замечание. И раз ты не возражаешь...

— ...и согласен считаться с капризами наших прабабок, — подхватила Амелия.

— ...так будем последовательными. Пусть хотя бы один из вас что-то имеет за душой. А дату свадьбы вы решите сами, разумеется учитывая все эти обстоятельства, — закончила пани Идалия.

Агнешка уже ничего не говорила, сидела молча, млея от счастья. Получилось как-то неожиданно, но разом кончились ее сомнения. Нет, в том, что хотела бы выйти за Томаша, сомнений не было, а теперь и все неясности прояснились. Жить им есть где, вон какая квартира, учеба не пострадает, с ребенком подождут три года до получения диплома. Немного отравляло радость сознание, что на Томаша оказали давление, сам по себе он вряд ли бы так сразу заговорил о женитьбе. Однако, в конце концов, если

422

бы не желал жениться, сумел бы отвертеться от дурацкой помолвки, уж ума и сообразительности ему не занимать. Значит, хотел, ну папочка немного поднажал, так оно и к лучшему. Когда они останутся наедине — даже не верится, что уже почти легально! — все друг дружке объяснят и последние шероховатости сгладятся. И про интерцизу она все расскажет, чтобы совсем понял.

Подумав об интерцизе, Агнешка вспомнила о завещании Матильды, о трех ключах, которые вместе с Матильдиной инструкцией лежали в ящике письменного стола. Агнешка еще не решила, пойдет она в библиотеку одна или с Томашем. И вообще, столько проблем! Все эти западни и проваливающиеся ступеньки, захлопывающиеся сами собой люки и двери — боже, как страшно и интересно! И как хорошо, когда у человека *такие* проблемы!

Томаш как-то удивительно быстро освоился с ролью официального жениха и принял активное участие в общем разговоре. Его не сбивали с толку ни сочувствующий взгляд Михалека, ни призрак сверкающего кольца с брильянтом. И он тоже считал — хорошо, что все так получилось, может, он и выглядел нелепо, ну да пережить можно, главное — Агнешка согласилась, и теперь отпали все сомнения. Какая девушка! Как она просто и открыто при всех заявила — да, желает его в мужья, и все тут, без всяких недомолвок и прочих женских штучек! Томаш не любил двусмысленных положений.

Все разошлись, жених с невестой остались одни, и никого это не шокировало, даже суровая Феля считала в порядке вещей. Они не сразу кинулись обниматься.

— Мне кажется, я должна перед тобой извиниться, — нерешительно начала Агнешка.

Томаш энергично пресек ее извинения:

— Еще чего! Неужели не видела, как хожу вокруг тебя кругами и лишь выжидаю подходящего момента? Пошли, Господи, здоровье твоему отцу, да и тетке тоже, очень мне помогли.

— Так почему же сам не сказал?

— Потому что боялся! Не знал, как ты к этому отнесешься, и не хотел оказаться в глупом положении.

Агнешка искренне удивилась.

— Неужели по мне не видно, как я к тебе отношусь? То мне казалось — любишь меня, то нет. Силой же тянуть к алтарю — последнее дело. Я столько начиталась исторических мемуаров, что во мне крепко-накрепко закодировалось убеждение — если уж кого и тащить силой к алтарю, так девушку.

— А не лучше обоим добровольно идти к этому самому алтарю? Как считаешь? Ну что вздрогнула? Я же не говорю — завтра пойдем, сначала покончи со своими блендовскими проблемами, я же вижу, они не дают тебе покоя. Ключи у тебя есть, теперь поступай как знаешь.

— Вот именно! — воскликнула Агнешка, мгновенно принимая решение. — Ведь ты поедешь со мной? В крайнем случае, если мне придется пережить разочарование, в самый тяжелый для меня момент повернешься спиной, чтобы я могла вволю поскрежетать зубами. Договорились? А если подо мной что обрушится или какая дверь захлопнется...

— Ты о чем? Что там должно обрушиться?

С быстротой молнии в голове у Агнешки пронеслась мысль — Томаш на ней женится безо всяких Матильдиных сокровищ. А если сокровища все же обнаружатся, тем более женится, какой нормальный мужик бросит невесту только потому, что она вдруг разбогатела? Разве что ненормальный. Тогда лучше это выяснить до свадьбы.

— Сейчас все тебе покажу, — вставая со стула, произнесла она. — Сам прочтешь прабабкины инструкции.

Хотя Томаш был специалистом в области гуманитарных дисциплин, как в каждом мужчине, в нем сработала техническая смекалка, он сразу уловил главную опасность и первым делом посоветовал сделать дубликаты ключей. Поедут вместе, и, если один из них окажется внутри дома в западне, второй, оставшийся снаружи, сумеет проникнуть внутрь и прийти на помощь. А иначе Агнешка лишь через его труп отправится в Блендово!

Поскольку сделать ключи несложно, займет в мастерской часа два, Агнешка не стала возражать. И вообще между женихом и невестой воцарилось полное взаимопонимание.

* * *

Стоя плечом к плечу перед нужным шкафом, оба пытались скрыть волнение. В Блендово они поехали открыто, на законном основании, имели право войти в дом, никто не следил за ними. Явились средь бела дня, не было необходимости прокрадываться ночью, тайком, ходить на цыпочках, изредка включая потайной фонарик и прислушиваясь, не идет ли кто.

Агнешка живо представила эту тайную ночную экспедицию в поисках клада и даже посочувствовала тому постороннему трупу, которого Польдик некогда застукал на месте преступления, когда тот нелегально подбирался к сокровищам. Вот она — легально, с мужским резервом под боком, а поди ж ты, эмоции ее просто распирают.

— Ну ладно, рискнем, пожалуй, — решился Томаш.

Агнешка все колебалась.

— А вдруг там ничего и нету?

— Самая нормальная вещь. Как правило, в таких местах ничего и не бывает, избавишься от пустых надежд.

Кивнув — слова не проходили сквозь стиснутое горло, — Агнешка влезла на стремянку и потянулась к плинтусу.

Нужный ключ определила со второй попытки. Провернула вправо два раза, левой рукой потянула шкаф на себя. Старинный механизм был в исправности, со скрипом и скрежетом шкаф отошел от стены. Агнешка шагнула через заветный порог с сильно бьющимся сердцем и мощным фонарем в руке. Помнить о третьей ступеньке, помнить о третьей ступеньке...

Лестницей и в самом деле не мог бы воспользоваться человек чрезмерной комплекции. Агнешке и то пришлось протискиваться боком. Спускалась она медленно, осторожно, переступила через третью ступеньку, не коснувшись ее, и вот внизу что-то появилось. Посветив под ноги, в ярком свете фонаря девушка разглядела, что именно, и у нее перехватило дыхание.

Стоя на страже при узком черном отверстии в стене, Томаш кусал себе локти и плевал в бороду. Последний дурак, как он мог отпустить любимую одну? Кто знает, что там, в этих черных казематах? Может, все давно обрушилось, многие годы туда никто не заглядывал, интересно, чем он думал?! И броситься следом не имеет права, должен оставаться здесь, в случае чего организовать спасательные работы, холера их дери, как организуешь, если туда вообще не проникнуть. Ну кретин! Да как он вообще будет жить на свете, если с Агнешкой что случится?

И когда Томаш, совсем потеряв голову, решил вызывать воинскую часть, саперов, взорвать к чертям эту развалину, в черной щели бесшумно появилась Агнешка, живая и здоровая, хотя и очень бледная, даже немного зеленоватая. И, ни слова не говоря, припала к груди любимого.

Не отвечая на расспросы встревоженного жениха, она лишь крепче прижималась к его груди, хрипло дыша. А тот вдруг осознал — теперь он опора любимого существа, у него ищут поддержки в трудную минуту. Вот только не мог знать, какие глубокие перемены произошли за столь короткое время в сознании его невесты. Агнешке хватило нескольких минут, чтобы расстаться с укоренившимися, казалось, на всю жизнь иллюзиями о первичности материальной базы в жизни и понять, что самая большая ценность — близкий, преданный человек, вот такой любящий и любимый парень. И пусть материальная база катится ко всем чертям, разве она может заменить сильную и верную руку, так любовно и бережно обнимающую ее?

— Ну, что там такое? — не выдержал Томаш.
Проглотив ком в горле, Агнешка прохрипела:
— Скелет.
— Что?!
— Человеческий скелет. В одежде.

Томашу пришлось сделать над собой некоторое усилие, чтобы переварить неожиданный ответ. Особенно его почему-то поразила одежда.

— Кажется, твоя бабушка ни о каких скелетах не предупреждала? — наконец проговорил он.

— Пра... пра...

— Все равно. Ничего такого там не должно быть.

— А он есть. Лежит. Не бойся, я не потеряю сознания. Вот, уже легче. Но, знаешь, это так... так... ужасно.

— Еще бы!

— И я понятия не имею, что теперь делать.

— Прежде всего — успокоиться. Сейчас не помешал бы глоток чего-нибудь бодрящего, да не сообразил захватить. Где он лежит?

Агнешка постепенно приходила в себя. Глубоко вздохнув, разжала кулаки, судорожно сжимавшие отвороты Томашевой куртки. И, отодвинувшись, заглянула ему в лицо.

— Просто не понимаю, как перескочила через третью ступеньку, когда в панике мчалась наверх. Внизу лежит, в том месте, где должна быть вторая дверь. Это молодой Пукельник.

— Кто?!

— Молодой Пукельник. Слава богу, уже могу соображать. Говорю тебе, молодой Пукельник, который исчез, а вскоре после этого в блендовском доме появилось привидение. Должно быть, наступил на третью ступеньку.

Томаш еще дальше отодвинул от себя невесту, чтобы как следует рассмотреть ее лицо, но из рук на всякий случай не выпускал.

— Ты уверена, что совсем пришла в себя? Что-то я никак не пойму, о чем ты. Вернее, о ком. С какой стати называешь Пукельника молодым и при чем тут привидение? Откуда ты все это взяла?

— Из дневника панны Доминики. А лежит он там — Пукельник, не дневник — с первой мировой. Должно быть, дед нашего? Или прадед? Был женат, сыну его уже годик исполнился. Исчез с концами после визита в Блендово и никогда больше не появлялся. То есть вот теперь появился...

Такое требовалось как следует обдумать. Сначала выявить все обстоятельства. Агнешка уже могла толком обо всем рассказать. Значит, так, собственными глазами она видела у подножия лестницы человеческий скелет... Томашу этого было мало, сам спустился по узкой лестнице и своими глазами убедился в правильности показаний девушки. А та уже совсем успокоилась и принялась логически рассуждать, усевшись на нижней ступеньке стремянки.

— У нас есть три возможности. Тайком похоронить этот скелет, скажем, в саду. Сообщить о находке в полицию. Притвориться, что никакого скелета нет, не видим мы его, и все! Пусть себе лежит. Не знаю, на чем остановиться. Ты как считаешь?

— Как-то неприятно по скелету топтаться. Погоди, дай подумать.

Думать стали оба. Томаш, естественно, о предстоящей ему деятельности юриста, которую начнет со служебного преступления. Обнаружение трупа или скелета всегда по закону предполагает определенную процедуру, просто проигнорировать скелет невозможно. Правда, если кое в чем рискнуть... но это уже зависит от того, выдержит ли Агнешка.

Оказалось, Агнешка думала о том же. И заговорила первой.

— Ведь могло же так случиться, — задумчиво произнесла девушка, — что я не вернулась к тебе.

Ну, посидела немного на ступеньках, подрожала от страха... Так и надо было поступить. Но я потеряла голову. А так ты бы мог ничего и не знать. Понятно? Предположим, я не вернулась, а отправилась дальше, такая уж храбрая или глупая. Имею право быть такой?

Сердце молодого человека залила глубокая нежность. Нет, он еще не знает своей невесты! В первую очередь подумала о нем!

— А ты сама выдержишь?

— Подумала и решила — выдержу. Надо мной витает дух пра... бабки, он вселяет в меня мужество. Уж как она не любила этих Пукельников!

— Если увидишь, что это свыше твоих сил, — возвращайся, и плевать на исторические клады.

— Ну нет, я так просто от них не откажусь. Вот разве что там уже ничего нет.

— Наличие скелета, надеюсь, говорит об обратном.

Уже зная, что ее ждет, Агнешка собралась с силами и спустилась до конца лестницы. Ей удалось не потревожить ни одной косточки Пукельника, хотя не сомневалась — витающий над нею дух Матильды яростно требовал от праправнучки разбросать пинками эти косточки по всем закоулкам подземелья. Отсчитывая бесконечные кирпичи и нажимая на них, девушка ни на секунду не забывала о ксерокопии инструкции, оставшейся у Томаша. В случае чего придет на помощь.

Помощи не понадобилось. Агнешка ни разу не ошиблась, запомнив Матильдины указания до мелочей, и заранее отступила назад, когда стена-дверь с силой открылась наружу. Сжав зубы, чтобы перестали стучать, девушка осветила сильным лучом фонаря маленькое помещение. И опять у нее перехватило дыхание.

Сундучок, на нем шкатулки, коробочки, плоские ящички. Уложены аккуратной горкой. На верхней шкатулке, как украшение, связка маленьких ключиков на большом серебряном кольце.

И ведь это наверняка еще не все. Матильда упоминала о суповой миске, грандиозной по размерам, ни в одном из этих коробов она бы не поместилась. Значит, надо двигаться дальше, к беседке. Из беседки добраться до сокровищ нельзя, время не сохранило стену, на которую требовалось нажать. Остается идти из подвала дома и постараться не забыть о самозахлопывающихся дверях. Впрочем, если бы Агнешке предложили на выбор — наткнуться на захлопывающиеся двери или еще на один скелет, она предпочла бы первое. А Томаш ее выручит.

Через полчаса Агнешка отдыхала на нижней ступеньке стремянки в библиотеке, ее окружали разложенные на полу сундучки, ларцы и ящички с драгоценностями. Кости Пукельника не потревожили.

Сидя на подоконнике, Томаш отирал пот со лба и не мог успокоиться.

— Потрясающе! Таких вещей мне никогда не приходилось видеть, разве что на картинах. И ты считаешь, что эта ваза — обыкновенная суповая миска? Твои предки и вправду ели из нее суп?

— Ну, не каждый день, лишь по большим праздникам.

— Не иначе как их обслуживали культуристы... Надо хорошенько подумать, что со всем этим делать. Наверное, спрятать подальше с людских глаз. А уже потом сообщить о скелете.

Агнешка стремительно выпрямилась.

— Неужели так необходимо сразу же и сообщать? Туда никто не полезет. Лежал столько лет, пусть полежит еще немного.

— Увы, необходимо. О всех человеческих останках люди обязаны немедленно сообщать властям, если не полиции, то хотя бы санэпидстанции. И как можно скорее. Не нам судить, когда погиб человек, полвека назад или в прошлом году. И какой смертью. Как он туда залез?

— Из дневников прабабки и ее экономки следует, что Пукельники давно знакомы с нашим семейством. Бывали в Блендове, часами просиживали в библиотеке. Их предок прознал о сокровищах Наполеона, и все его потомки стали охотиться за ними. Я так понимаю — один из них нашел в здешней библиотеке старый экземпляр "Отверженных", в который прабабка сунула дубликат своих инструкций, чтобы подстраховаться. На случай, если пропадет оригинал.

— И там не все записано? Наверняка не упомянута третья ступенька. А двери они открывали с помощью каких-то отмычек, ведь золотые ключики находились у вас.

Помолчали. Агнешка опять вернулась к скелету и подумала о неприятностях и осложнениях, которые внесет в их жизнь вмешательство полиции.

— Послушай, Томек. Не нравится мне это. Ну сообщим мы полиции о скелете, а они станут задавать вопросы. Как на него наткнулись, зачем я полезла в подземелья. Если скажу — просто посмотреть, не поверят. Признаюсь, что прочла дневник, — они тоже захотят прочесть. Не прочтут, в этом я уверена, но мне вовсе не улыбается, чтобы полиция копалась в наших семейных бумагах. И Матильде бы не понравилось! В полиции не дураки, догадаются, что я искала в подвалах нечто ценное. Велят показать и реквизируют, ведь это же предметы исторической ценности, значит, должно стать национальным достоянием. А они Наполеоном где-то украдены, законный владелец спохватится, и начнется межгосударственная склока, знаешь ведь, как депутаты всяких парламентов, сеймов и дум просто обожают разглагольствовать на такие темы. В результате и у меня отберут, и в Польше не останутся.

— Не отберут их у тебя, покажешь завещание, все законно.

— У нас уже раз отбирали Блендово, и теперь запросто отберут. В лучшем случае оставят драгоценности мне, но заставят платить налог на наследство с такими нулями, как отсюда до Австралии. А кроме того, об этом станут писать газеты, делать телерепортажи, все в мире узнают о нашем богатстве, слетятся воры со всего света, ужас! Ну и, наконец, Пукельник, тот, что еще жив, он нас в покое точно не оставит.

Томаш понимал, у Агнешки есть основания для таких опасений, особенно в отношении Пукельника. Уж этот не отцепится, а от него всего можно ожидать, когда узнает, что веками разыскиваемые сокровища увели из-под носа. Со всеми остальными сложностями как-нибудь они бы справились, но вот Пукельник — это серьезно. Может, и в самом деле поступиться принципами и не говорить никому о скелете? И неожиданно для себя сказал совсем не то, о чем думал.

— Видишь ли, коханая, я не потому такой законопослушный, что выбрал юриспруденцию, я ее выбрал именно потому, что очень уважаю законы. Характер у меня такой, что тут поделаешь? И он толкает меня в ту сторону, хотя сам вижу — ты права. Дай мне время как следует подумать, ладно?

Боже, какое же это счастье — вот так молча сидеть рядом с любимым! Он думал, а она вертела в руках серебряное кольцо с ключиками и тоже думала с нежностью и признательностью — о Матильде. Не заставила свою наследницу разыскивать вот эти ключи, оставила всю связку на самом видном месте. Иначе пришлось бы взламывать старинные ларцы и шкатулки.

Томаш надумал.

— Ладно, чего уж там, характер характером, но не стану же я собственными руками рыть нам ямы в самом начале, так сказать, совместного жизненного пути. Пусть я и законопослушный, но не идиот же! Пойдем на компромисс...

Невеста не дала ему договорить.

— Знаешь, я слышала, что женщина умнеет, если наслаждается зрелищем драгоценных камней. Сначала мы с тобой уберем вот это... — и она кивнула на шкатулки с драгоценностями, окружавшие их со всех сторон.

— Правильно. А потом ты начнешь ремонт. И в ходе ремонта за шкафом неожиданно обнаружатся ступеньки какой-то лестницы. Ты уж постараешься, чтобы обнаружились...

— ...и кто-то из рабочих станет спускаться по лестнице. Из любопытства. И наткнется на кости Пукельника. Вот только надо будет что-то придумать с третьей ступенькой, ну да придумаем.

— И еще не забывай о наших следах внизу. Хорошо бы их как-то ликвидировать, затоптать, что ли.

434

— Ну, об этом можешь не беспокоиться, рабочие это сделают за нас. А если сочтешь недостаточным, можем впустить туда всех желающих. Уверена, как только рабочие обнаружат потайной ход в подземелье, слух об этом с быстротой молнии разнесется по всей округе, люди толпами сбегутся посмотреть, а мы не будем препятствовать. Нам не жалко, пусть смотрят. И пока твое сообщение о каком-то скелете дойдет до полиции, тут перебывает столько желающих...

С некоторым раздражением молодой юрист подумал о компромиссах, на которые приходится идти честному человеку в их дурацкой стране. В нормальном демократическом государстве сделали бы все по закону, и никаких сделок с совестью, а здесь честным людям очень непросто жить, в то время как мошенники и даже преступники пользуются полной безнаказанностью. Захоти Агнешка этот клад украсть — наверняка без труда сделала бы это, но поскольку он по закону принадлежит ей, на голову наследницы обрушится столько забот, неприятностей и проблем, что никакого клада не захочешь, — если, разумеется, все оформить путем. Да и холерный Пукельник дремать не станет, а какая страшная месть с его стороны им грозит, можно только догадываться.

— Ну что, убираем твои сокровища? — спросил Томаш, когда все детали их поведения были уже оговорены. — Пока нас никто не увидел и не подслушал.

Молодой человек, слезая с подоконника, глянул в окно и вскрикнул. К дому шла дочь Польдика Габриэла Витчакова, и что самое ужасное, в сопровождении какого-то незнакомого мужчины. Надо же,

435

какие они с Агнешкой все-таки лопухи! Увлеклись сокровищами, потеряли бдительность, даже входную дверь не заперли, а теперь все эти шкатулки и припрятать не успеешь. Оставалось одно — идти навстречу опасности.

И Агнешка с Томашем бросились из библиотеки, встретив нежданных гостей на пороге дома.

— Паненка собирается делать ремонт, — без долгих вступлений сказала старая Габриэла. — Вот это Антось Влодарчик, он на строителя учился, всяким строительным премудростям обучен, а мне крестником приходится. Возьмите его!

У Агнешки отлегло от сердца, однако девушка постаралась скрыть радость и вежливо, но сдержанно ответила:

— Очень хорошо, с удовольствием возьму. Я как раз собиралась с вами посоветоваться на этот счет. Что ж так в дверях стоять? Давайте пройдем в кухню, единственное помещение в доме, где можно сесть.

Послушно следуя за хозяйкой, Антось Влодарчик уже на ходу обрадованно затараторил:

— Ведь я, проше пани, аккурат по ремонтам специалист. Но не думайте, всем строительным специальностям обучен, у меня и бригада своя подобралась, отличные ребята, во время работы — ни капли! А мы давно без дела, ведь теперь всякий норовит подешевле сговориться, а столько мужиков с Украины да из России понаехало. Насчет вашего дома я вот что думаю...

Томаш проявил чудеса сообразительности, Агнешке не пришлось ему подмигивать. Препроводив гостей в кухню, он оставил невесту вести переговоры с прорабом, сам же под благовидным предлогом — надо, мол, хоть немного прибраться — удалился. Гости могли слышать, как хозяйственный парень что-то передвигает на полу в гостиной, наводя порядок.

Сваленные грудой ящики и картонные коробки сослужили великую службу. Совсем негодные Томаш выбрасывал на свалку у дома, крепкие же относил в библиотеку. Они оказались идеальным укрытием от случайного зеваки для драгоценных ларцов и шкатулок. Свалку Томаш чередовал с багажником машины, которую Агнешка предусмотрительно подогнала к самой входной двери, продравшись сквозь заросли крапивы и уже упомянутую свалку. Небрежно швыряя драные картонки в большую кучу перед домом, Томаш не очень аккуратно загружал багажник целыми, иногда по одной, иногда сразу по три. Только теперь, не торопясь занимаясь обычным физическим трудом и перестав раздумывать над сиюминутными проблемами, Томаш вдруг осознал главное — Агнешка разыскала прабабкины сокровища! Дошло наконец. А ведь не верил в их существование, помогать Агнешке взялся просто из любви к ней. Сколько раз хотел сказать девушке, чтобы перестала морочить себе голову, все клады — выдумки, фикция и глупые бредни; в теории — да, такое возможно, на практике же ему подобные случаи не известны.

И вот сокровища найдены! Абсурд, нереальность, чистая абстракция, но они существуют! К тому же Агнешка почему-то на всякий случай подъехала к самым дверям дома, чуть машину не разбила, ведь асфальт кончился километра за два. Интересно, на какой такой случай? Опять фантастика! В подземелье они проникнуть могли, почему не проникнуть, но по всем законам реального мира должны были обнаружить в подземелье... как бы поделикатнее выразиться? Ага, гуано! Читал он о гуано, птичьих испражнениях на каких-то островах. Впрочем, кажется, они тоже свою ценность имеют...

И вот теперь все накопившиеся в последние дни переживания, стрессы, нервотрепка, беспокойство об Агнешке, все эти эмоции, клокотавшие в Томаше, искали выхода и нашли. Столь же абсурдное, как и сокровища, гуано явилось последней каплей. На молодого человека вдруг накатил истерический приступ смеха. Согнувшись в три погибели, молодой юрист выл, хохотал, рыдал в голос и никак не мог успокоиться.

Если бы эту сцену могла наблюдать панна Доминика, царство ей небесное, непременно запечатлела бы ее в своих записках. И у нее получилось бы приблизительно следующее:

...И что же я вижу? Пан Пукельник собственной персоной сквозь заросли продирается! Недостанет слов изобразить мое удивление! Чай, не молоденький, возраст уже не тот, чтобы таким забавам предаваться, да и комплекция солидная. Я даже хозяйственные неотложные дела бросила, дивясь такому зрелищу. И словно этого недостаточно, так, под кустом притаившись, пан Пукельник вдруг бинокль к глазам поднес, будто смотрит спектакль на театре. Заместо ложи у него куст, заместо оперной сцены — главный подъезд нашего дома и стоящий там чей-то автомобиль. А свой пан Пукельник еще на дороге в деревне оставил, к дому пешком пожаловал.

И тут отворились двери нашего дома и вышел из них пригожий юноша, а в руках нес картон с банками из-под варенья, что у меня всегда припасены в изобилии. Вдруг этот юноша начал так страшно смеяться, что у него из очей слезы градом полились. Да так громко смеялся, на всю округу, думаю, слыхать, а уж мне в окне на втором этаже и вовсе. С чего это незнакомый молодой человек так веселится?

Гляжу на него и голову ломаю. А пан Пукельник и вовсе глаз с него не сводит, бинокля не опускает, будто первый раз в жизни видит, как люди хохочут. А сам тоже доволен сверх меры, рот до ушей ему сделался, и аж сопит от удовольствия, гневно при этом пофыркивая. Странно все это.

Но вот наконец молодой незнакомец немного успокоился, слезы руками отер с лица, а картон с пустыми банками так небрежно сунул в заднюю часть своего авто, что некоторые беспременно перебились. И крышку на задней части машины с сердцем захлопнул. Очень не понравилось мне такое отношение к господскому имуществу.

А пан Пукельник повел себя совсем по-хамски. Прежде чем из-под куста удалиться, плюнул себе под ноги, растер ботинком, а уходя, плечами пожимал, какие-то слова себе под нос бормотал и кулаком по лбу стучал. Как зверь лесной продрался сквозь кусты...

Наблюдательная панна Доминика зорко подметила и очень удачно описала детали увиденной сцены. Истерический смех и горькие слезы Томаша убедили пана Пукельника в том, что конкуренты ничего не нашли в доме, и он удалился, проклиная своих настырных предков, поверивших басням о сокровищах, и удивляясь собственной глупости.

* * *

К собравшимся родственникам Агнешка вышла в вечернем платье, сшитом специально по этому случаю, понавесив на себя из драгоценностей столько, сколько удалось.

— А еще остались изумруды, — пояснила она, — но по цвету они сюда не подходят. И аметисты. А целые гирлянды из гранатов и вовсе никуда не приладишь. Я уже не говорю о золотом ларчике и огромной суповой вазе. Постаралась разместить оставшееся на письменном столе, можете посмотреть.

С удовольствием разглядывая разряженную Агнешку, Амелька констатировала:

— За свою долгую жизнь чего только я не повидала, но такого не доводилось. И вообще ни разу не слышала о том, чтобы какой-нибудь клад нашелся. Это противоестественно, дитя мое.

Пани Идалия сухо заметила:

— Надеюсь, дочь, столько побрякушек ты не нацепишь на себя даже по самым торжественным случаям. Я все-таки пыталась воспитать в тебе хороший вкус.

Как всегда тихий пан Анджей постарался смягчить замечание жены:

— Это не вкус, дорогая, а просто презентация.

— И что, одни украшения, а наличных денег нет? — разочаровалась Марина.

Стоя посередине гостиной, Агнешка поворачивалась во все стороны, позволяя желающим разглядывать себя. Михалек сам описал вокруг нее несколько кругов, бормоча:

— Говорил я своим старикам — поехали, будет на что посмотреть. Ради такого можно раз в жизни оторваться от грядок. Так нет — тут полить, там прополоть, где-то подкормить, да и как бросить хозяйство? Ничего бы за один день не случилось. Теперь вот будут локти кусать.

— Идалия права, ты похожа на новогоднюю елку, — признала Амелия. — Ну и пусть на елку, все равно одно удовольствие на тебя любоваться. Жалко, конечно, что в трудные для вашей семьи годы не было такого, да и без богатства как-то обходились. Я ведь вам не кровная родня, сестра мужа Юстины, а приютили меня, иначе просто хоть с голоду помирай...

— Я всегда говорю — надо поесть, — подхватила Феля, внося поднос с дымящимся ужином. — А зато вы, пани Амелия, уж столько развлечений доставляли, куда там остальным. Ешьте, ешьте, я же пока на паненку Агнешку полюбуюсь. Такая красота, аж в глазах рябит! И сверкают, сверкают-то как!

— А мебель? — не унималась тетка Марина. — Я ведь слышала — какая-то ценная мебель сохранилась.

— Да, и довольно много. Ее спрятали в таком месте, о котором никто не знал. В первую мировую панна Доминика там укрывала от немцев свиноматок с молодняком. Подвал сухой, мебель практически не пострадала.

Томаш в общем разговоре не участвовал, молча разливал вино и думал, думал. Какое счастье, что подписана интерциза, прабабки в этой семье очень умно поступали. Никто не обвинит его в том, что женится на девушке ради ее баснословного богатства, и он может чувствовать себя человеком, а не паразитом. А его самоуважение ничуть не пострадает от того, что он разрешит жене немного поднять их жизненный уровень и время от времени есть устрицы и пить шампанское.

Еще разок повернувшись вокруг оси, Агнешка тоже присела к столу.

— Теперь нам предстоит обнаружить скелет, — напомнила она. — Вам все известно, учтите, я рассчитываю на вас. И если придется давать показания полиции, все знают, что следует говорить. А о чем лучше умолчать.

— А о ключах на одном кольце что говорить? — забыла верная себе Марина.

— Это просто моя личная реликвия, хранилась в семье долгие годы, мы не знали, от чего они. Ну да о них вряд ли будут спрашивать, если кто из вас не проболтается.

— Конечно, не проболтается, но уж помнить будут все. Столько времени заняли их поиски, а нашлись в старинной вазе, отданной в склейку. И как Юстина не обнаружила их под мешочком с черепками?

— Потому что туда их сунул я, — покаянно прозвучал негромкий голос пана Анджея. — Никогда никому в этом не признавался, а теперь, думаю, можно, теперь вы не будете иметь ко мне претензий, правда? Да, я собственной рукой спрятал в старинную вазочку три ключика на одном кольце, потому что ты, дочка, так ими бренчала — сил не было выносить. Другими ключами ты все-таки потише играла.

Потрясенные услышанным, все онемели.

— Так это сделал ты, папочка? — наконец отозвалась Агнешка. — А не бабуля?

— Нет, не бабуля. Она отдала вазочку склейщику вместе с ключами, потому что не имела о них понятия. Думала, внутри одни осколки.

— Ну так надо было сказать, когда мы все на ушах стояли! — не выдержала Марина.

— А я забыл, — развел руками пан Анджей. — Вспомнил только тогда, когда Агнешка принесла вазочку от мастера и рассказала, что в ней оказались потерявшиеся ключи. И даже не тогда. Лишь когда увидел вазочку...

И опять над столом нависла полная напряжения тишина.

— Анджей, — страшным сдавленным голосом произнесла пани Идалия, — а если бы склейщик нам их не отдал?..

Короче, остаток торжественного ужина потратили на то, чтобы восстановить добрые отношения между родителями Агнешки.

* * *

Выяснилось, что Антось Влодарчик краем уха что-то слышал об одном из шкафов в библиотеке. В долгой доверительной беседе с Агнешкой с глазу на глаз он признался в этом. Оказывается, Антось — отдаленный потомок того самого кузнеца, который в дебрях минувшего века по указанию владелицы поместья производил какие-то таинственные работы в библиотеке барского дома. Из поколения в поколение передавалась эта весть в семействе кузнеца и дошла до Антося. Он был убежден — в подземельях дома существуют какие-то скрытые помещения, ход в которые ведет из библиотеки, и посоветовал с нее и начать восстановительные работы.

Для приличия поколебавшись, Агнешка выразила согласие. Бригада Влодарчика приступила к ремонту библиотеки, в ходе которого в стене обнаружились какие-то ступеньки, и скелет Пукельника был открыт! Прораб Антось помчался за хозяйкой.

Прибежала Агнешка. Одного взгляда ей хватило, чтобы понять — нет нужды уговаривать рабочих затирать следы. Они все перебывали в узкой дыре за шкафом, двое свалились с третьей ступеньки, остальные научились ее переступать, равно как и через скелет внизу. Самые нетерпеливые ринулись в глубину узких ходов подземелья, подсвечивая себе спичками и самодельными факелами, но вернулись ни с чем.

Вскоре прибыла полиция, а с ней и пан Пукельник. Теперь он получил возможность окончательно убедиться, что предание о кладе не имеет под собой никаких оснований, а если что и хранилось здесь, за шкафом, то наверняка одна из мерзких баб, владевших домом чуть ли не два столетия, давным-давно все забрала. Ему же, Пукельнику, придется удовольствоваться останками деда, требующими захоронения. И больше ничего. Да, еще надо как-то объяснить полиции, как его предок оказался в подземелье этого дома, ну да при его, Пукельника, связях это нетрудно.

* * *

— Вот теперь все как положено, — удовлетворенно заявила Габриэла Витчакова, почетная гостья грандиозного приема в отремонтированном старинном доме. — Паненка стала хозяйкой поместья, завещанного ей ясновельможной пани Матильдой, так

444

и должно быть, а кто разевает рот на чужое добро, того Господь карает. Выполнила я свой долг, сберегла барское имущество, теперь могу спокойно умереть.

— Может, не так сразу, а? — встревожилась Амелия. — Может, еще немножко поживете? Куда спешить?

— А я разве говорю, что сразу? Что ж, поживу, сколько поживется. Отчего не пожить, мне на свое житье грех жаловаться. Да и на здоровье тоже.

На прием в отреставрированном Блендове собралась уйма народу: близкие родственники и дальняя родня, много знакомых, а самым почетным гостем был кумир варшавского ипподрома знаменитый жокей Ясь.

Восторгам не было конца.

— Лето, уик-энды, каникулы! — перечисляла тетка Беата, сестра пана Анджея. — Как чудесно проводить их в этом дворце! Да и местность очаровательная.

— А если еще очистить пруд! — вторили ей любители купаний и рыбной ловли.

— Конюшни, конюшни восстановить! — мечтал вслух Михалек. — Представляете, сколько лошадей можно здесь держать?

— Ах, прогулки верхом — моя страсть! — восклицала тетка Марина.

Отведя дочь в сторонку, пани Идалия с тревогой прошептала:

— Боюсь, дитя мое, родичи не оставят тебя в покое! Слышишь, все намерены тут околачиваться. Дом большой, поместились бы не только они, да ведь тебе не будет ни минутки покоя. И как ты прокормишь такую ораву? Феле одной не справиться. Я уже не говорю о стоимости продуктов. А убирать? Содержать в порядке и дом, и сад?

В отличие от матери Агнешка ничуть не встревожилась. Успокаивающе погладив мать по руке, дочь произнесла лишь два загадочных слова:

— Материальная база...

* * *

Встревожилась Агнешка лишь через четыре года после получения институтского диплома, когда родила второго сына. Сплошные мальчики... Растрачена всего небольшая часть прабабкиных сокровищ, остальные припрятаны в укромном месте. Томаш, будучи отличным адвокатом, очень неплохо зарабатывает, да и ее собственные исторические труды, как ни странно, приносят порядочный доход. Надо что-то предпринять, чтобы сокровища предков сохранить для будущих поколений. Ее прародительницы позаботились об этом, проявили сообразительность и приложили немало усилий, а она чем хуже? Нет, не посрамит она своих пра... и так далее бабок.

Усевшись за письменный стол, Агнешка разложила перед собой красивый лист бумаги и вывела первые слова:

В этом письме я обращаюсь к моей старшей внучке, а если таковой не окажется, к самой старшей правнучке...

К О Н Е Ц

УИЛЬЯМ САТКЛИФФ
"А ты попробуй"

Стремясь доказать, что он не хуже других, молодой англичанин Дэвид отправляется в модную и экзотическую страну — Индию. В череде комических похождений, приводящих его в ашрамы просветленных соотечественников, на курорты и в нищие кварталы, Дэвид познает самого себя. Но какой ценой? Мать Духовности поворачивается к европейцу... задом.

Бестселлер У. Сатклиффа — умная и смешная сатира на современную молодежь, авантюра о путешествиях с рулоном туалетной бумаги в рюкзаке, мешком запрещенной травы и сексом без границ.

СЬЮ ТАУНСЕНД
"Страдания Адриана Моула"

Адриан Моул — кумир современной Британии — продолжает вести свой тайный дневник. Адриан раскованно и откровенно описывает свои жизненные передряги и душевные катаклизмы. Жизнь так нелегка, когда тебе перевалило за 14 лет. Особенно если твои родители погрязли в сексе с посторонними; тебя обвиняют в токсикомании; вместо свиданий с любимой девушкой приходится силой выбивать у чиновников законное денежное пособие, а вместо уроков — принимать роды у собственной матери. Тут поневоле станешь отверженным интеллектуалом и начнешь писать гениальный роман...

По вопросам оптовой реализации книг издательства «Фантом Пресс» обращаться по телефону 285-80-78, факс 285-80-42

E-mail: phantom-press@mtu-net.ru

Литературно-художественное издание

ИОАННА ХМЕЛЕВСКАЯ
СТАРШАЯ ПРАВНУЧКА

Перевод Веры Селивановой
Редактор Ольга Андрюхина
Корректоры Екатерина Тюрникова, Наталия Боброва
Иллюстрация на обложке Натальи Аверьяновой
Серийное оформление Владимира Щербакова
Дизайн обложки Натальи Кудря
Компьютерная верстка Натальи Космачевой
Компьютерный набор Александры Назаровой
Директор издательства Алла Штейнман

Налоговая льгота — общероссийский классификатор продукции ОК-00-93, том 2; 953000 — книги, брошюры

Отпечатано в типографии ОАО "Молодая гвардия".
Подписано в печать 12.10.01 г.
Формат 70x100/32. Печать офсетная.
Усл.-изд. л. 18,2. Заказ № 18224. Тираж 20 000 экз.
Лицензия на издательскую деятельность код 221
серия ИД № 00378 от 01.11.99 г.
Адрес издательства "Фантом Пресс":
125015, г.Москва, ул. Новодмитровская, д. 5А, оф. 1314.
Адрес типографии ОАО "Молодая гвардия": ул.Сущевская, д.21
Диапозитивы обложки изготовлены в издательстве «Эксмо-пресс»

ISBN 5-86471-273-6

9 785864 712733 >